Abrégé de l'Histoire G

Voyages (Tome 4)

Jean-François de La Harpe

Alpha Editions

This edition published in 2023

ISBN : 9789357950206

Design and Setting By
Alpha Editions
www.alphaedis.com
Email - info@alphaedis.com

Contents

PREMIÈRE PARTIE.
AFRIQUE.

LIVRE SIXIÈME.
CONGO. CAP DE BONNE-ESPÉRANCE.
HOTTENTOTS. MONOMOTAPA.

CHAPITRE IV.

Histoire naturelle du cap de Bonne-Espérance.

Les Européens, du Cap divisent l'année en deux saisons, l'hiver et l'été. Ils nomment le premier mousson humide, et l'autre mousson sèche. Celle-ci commence au mois de septembre, c'est-à-dire à la fin de notre été, et la première au mois de mars, avec notre printemps. Dans la saison de l'hiver, le Cap est sujet aux brouillards. Cependant le soleil se fait voir par intervalles, excepté pendant les mois de juin et de juillet, où les pluies sont continuelles. L'air, dans cette saison, est froid, rude et fort désagréable, mais jamais plus qu'en Allemagne pendant l'automne. Jamais l'eau ne gèle à plus de trois lignes d'épaisseur, et la glace se dissipe aux premiers rayons du soleil. Le tonnerre et les éclairs sont très-rares au Cap, excepté vers le changement des saisons, aux mois de mars et de septembre; encore n'y sont-ils jamais violens ni dangereux.

Les eaux qui tombent avec rapidité du sommet des montagnes, coulant ensuite dans des canaux ombragés d'arbres ou de buissons, sont si froides, qu'elles conservent cette qualité dans les vases où elles sont renfermées, jusqu'à causer un véritable frisson à ceux qui en boivent. On trouve aussi des sources d'eaux chaudes, et d'autres qui sont même brûlantes: de ce nombre sont deux bains célèbres à trente milles du Cap: les eaux ont la clarté du cristal. Kolbe n'en avait jamais goûté de si ferrugineuses; mais elles n'en sont pas moins agréables. On peut les employer à toutes sortes d'usages, excepté à blanchir le linge, parce qu'elles lui donnent une teinte jaune qu'il ne perd jamais. En entrant dans le bain, on ressent une chaleur presque insupportable, surtout si l'on y entre, par degrés; mais elle cesse bientôt d'être incommode, et l'on se trouve dans une situation délicieuse: cependant on est obligé d'en sortir au bout de cinq ou six minutes, parce qu'elle resserre la partie inférieure du ventre, jusqu'à faire perdre haleine. On est rétabli sur-le-champ en se mettant au lit, où l'on éprouve d'abord une sueur abondante, après laquelle on se lève avec une légèreté dont on est surpris. Quinze jours de ce bain, pris une fois le jour, purifient le corps de toutes sortes d'humeurs peccantes par les sueurs et les selles, et quelquefois par des vomissemens. Kolbe a connu plusieurs personnes qui lui devaient leur guérison; l'une, d'une paralysie de bras; l'autre, de la surdité; une femme, de plusieurs autres maladies compliquées.

Enfin Kolbe est persuadé que les eaux du Cap sont aussi claires, aussi douces et aussi saines qu'il y en ait au monde. Les médecins, ou plutôt les chirurgiens du Cap les ont trouvées salutaires dans toutes sortes de cas. Elles conservent leur douceur et leur clarté sur mer, dans les plus longs voyages. Sur le bâtiment où Kolbe s'embarqua pour revenir en Europe, elles ne souffrirent aucune altération, excepté un léger changement sous la ligne mais qui ne les empêcha point de se rétablir presque aussitôt.

Quoique les Hottentots ne fassent aucun usage du sel, la nature leur en fournit abondamment sans le secours de l'art: ils n'en ont l'obligation qu'à l'action du soleil sur l'eau de pluie.

En général, le terroir est riche et fertile aux environs du Cap. On commence à semer au mois de juillet, pour faire la moisson vers la fin de septembre.

Les vignes qui ont été apportées au Cap sont venues de Perse, de Madère, du midi de la France et des bords du Rhin. Il se passa quelque temps avant qu'on pût en élever assez pour former des vignobles; mais ils y sont maintenant en si grand nombre, que chaque cabane a le sien. Les vignes souffrent beaucoup des sauterelles et des vers; cependant elles rendent plus dès la troisième année que celles d'Europe à la cinquième. La vendange commence au mois de février, et continue pendant tout le cours de mars. Le vin du Cap est agréable et fort: avec le temps il devient moelleux. Celui que l'on récolte à Constance, vignoble situé au sud de la ville du Cap, est un des plus délicieux que l'on connaisse.

Les jardins du Cap produisent la plupart des plantes et des fruits de l'Europe; les légumes y surpassent les nôtres par la grosseur et le goût. Un chou y pèse entre trente et quarante livres; une patate entre six et dix livres: les melons y sont excellens; tous les arbres fruitiers y prospèrent universellement par la méthode ordinaire de les semer ou de les planter. Le beau jardin de la compagnie, près de la ville du Cap, offre des oranges, des limons, des citrons, des amandes, des figues, des grenades, avec un nombre infini d'autres fruits apportés de l'Asie ou de l'Amérique, qui sont beaucoup meilleurs que dans leur pays originaire. Les figues sont délicieuses au Cap, de même que les bananes, qui viennent de l'île de Java. La beauté des fruits, jointe à la profusion des fleurs naturelles qui ornent les jardins, forme des perspectives admirables: l'aloès, qu'il est si rare de voir en Europe dans toute sa beauté, porte ses fleurs en plein champ sans le secours de l'art.

Le dacka est une autre plante fort estimée des Hottentots, qui s'en servent au lieu de tabac, lorsqu'ils ne peuvent se procurer celui-ci, ou qui les mêlent ensemble, lorsque leur provision de tabac est près de s'épuiser: c'est une espèce de chanvre sauvage que les Européens sèment, mais principalement pour l'usage des Hottentots. Le dacka, mêlé avec le tabac, s'appelle *buspetz*. La *spirée* est encore une plante dont les Hottentots font beaucoup de cas. Vers la fin de l'hiver, lorsque les feuilles commencent à se flétrir, ils en amassent de grosses provisions, qu'ils font sécher pour les mettre en poudre. Sa couleur est un jaune luisant; elle leur sert à poudrer leur chevelure: ils l'appellent *boukkou*, et la regardent comme une partie considérable de leur parure.

L'arbre qui produit la cannelle est venu de Ceylan au Cap, et répond fort bien aux espérances de ceux qui l'ont apporté.

À l'égard de bêtes sauvages, peut-être n'y a-t-il point de pays au monde où l'on en trouve un si grand nombre. Les éléphans y tiennent le premier rang; ils y sont beaucoup plus gros que dans aucune autre contrée; mais la femelle est moins grosse que le mâle: un seul exemple fera juger de la force de ces animaux. Les Hollandais, pour en faire l'essai, attelèrent un éléphant à la proue d'un vaisseau considérable; il le tira le long du rivage. Les Hottentots font usage de la fiente de ces animaux, lorsqu'ils manquent de tabac, et Kolbe assure qu'elle a presque le même goût.

Le rhinocéros a deux cornes placées l'une devant l'autre sur son museau. Sa peau n'offre pas de plis comme celle du rhinocéros d'Afrique. Quoiqu'elle soit fort dure, elle n'est pas à l'épreuve des zagaies. Il a l'odorat extrêmement subtil: avec le vent, il sent de fort loin toutes sortes d'animaux, et marche vers eux en ligne droite, en renversant tout sur son passage. S'il n'est point irrité par quelque offense, il n'attaque jamais les hommes, à moins qu'ils ne soient malheureusement en habit rouge, car alors il s'élance avec fureur sur eux; et s'il en saisit un, il le jette par-dessus sa tête avec tant de violence, que la chute est mortelle. Ses yeux sont fort petits pour sa taille, et ne lui servent à voir que devant lui; aussi la méthode la plus sûre pour l'éviter, lorsqu'on est à neuf ou à dix pas de lui, c'est de sauter un peu de côté. Quoique sa course soit fort légère, il est si lent à se tourner, qu'il lui en coûte beaucoup pour se mettre en état de voir son ennemi. Il mange peu d'herbe: il préfère les branches, les arbrisseaux, les chardons même, et surtout une sorte d'arbuste qui ressemble au genièvre. Il est mortel ennemi de l'éléphant; quand il combat contre lui, il tâche de l'éventrer avec ses cornes. Kolbe mangea souvent avec plaisir de la chair de rhinocéros.

Les chiens sauvages sont communs au Cap. Ils s'assemblent en troupes nombreuses, et ne quittent un canton qu'après l'avoir nettoyé de bêtes féroces et d'autres animaux: ils portent leur petits dans un lieu qui leur sert de rendez-vous: les Européens et les Hottentots les suivent, et prennent ce qui leur convient dans le tas, sans que ces animaux carnassiers en grondent. Les Hottentots mangent ce qu'ils ont pris, et les Européens le salent pour leurs esclaves.

On voit souvent des lions dans le pays du Cap. Le lion donne toujours à sa proie un coup mortel, accompagné d'un horrible rugissement, avant d'employer ses dents à la déchirer. Une sentinelle fut enlevée par un lion. Dans une autre année (1707), un lion tua un fort gros bœuf, et l'emporta par-dessus une haute muraille.

On sait assez que, lorsqu'un lion secoue sa crinière, et qu'il se bat les flancs de sa queue, c'est une marque certaine qu'il est en colère ou pressé de la faim.

Dans cet état, sa rencontre annonce la mort; mais elle est sans danger dans toute autre occasion. Un cheval qui aperçoit un lion s'enfuit de toute sa force, et jette, s'il le peut, son cavalier par terre, pour rendre sa course plus aisée. Le plus sûr pour un homme est de mettre pied à terre, parce que le lion ne s'attachera qu'à poursuivre le cheval.

Deux Européens étant un jour à se promener dans un champ voisin du Cap, virent sortir de quelques broussailles un lion qui s'élança sur eux, mais qui manqua son coup par l'agilité de celui qu'il attaqua. Ce brave Hollandais le saisit par la crinière, et, lui enfonçant le poing dans le gosier, lui prit la langue, qu'il eut la force de tenir, malgré toutes ses secousses, tandis que son compagnon, qui était armé d'un fusil, tua le monstre d'un seul coup.

Le brave hollandais le saisit par le crinière, et lui enfonça le poing dans le gosier.

Un officier hollandais, campé avec son corps de troupes, jugea pendant la nuit, au mouvement extraordinaire des chevaux, que son camp était menacé de quelque bête féroce. Toutes les sentinelles furent averties de se tenir sur leurs gardes. Il y en eut une qui ne répondit point. On fit avancer aussitôt un gros de soldats, qui, trouvant un mousquet à terre, continuèrent de marcher vers quelques rochers voisins, où ils découvrirent un lion monstrueux qui faisait sa curée de leur compagnon. Tout le camp prit l'alarme et sortit pour l'attaquer; mais le monstre était si bien défendu dans le creux d'un rocher, que trois cents coups de fusil ne purent ni le blesser ni lui causer d'effroi. Le jour suivant, les Hollandais furent joints par un parti de Hottentots qui le tuèrent bientôt avec leurs zagaies.

On voit aussi dans les pays des Hottentots, le léopard, le chat-tigre ou serval du Cap, l'hyène tachetée, le surikate, la taupe dorée, les rats-taupes; le ratel, la gerboise de Cap, le daman, le porc-épic, le rat nain, le sanglier d'Éthiopie, l'hippopotame, la girafe, le zèbre, le couagga, le buffle, diverses espèces d'antilopes et de singes, enfin l'oryctérope.

Le surikate ressemble à la mangouste: la couleur de son poil offre un mélange de brun, de noir, de jaunâtre et de blanc; sa longueur est d'un pied. C'est un joli animal, très-vif et très-adroit; ses pates de devant lui servent, comme à l'écureuil, pour porter sa nourriture à sa gueule. Il cherche les serpens et les oiseaux; il est très-friand d'œufs. Son urine a une odeur très-forte. Les Hottentots le nomment zenik.

Les Hollandais ont donné le nom de *stinkende-daas*, ou blaireau puant, au ratel. Cet animal a plus de quatre pieds de long jusqu'à l'extrémité de la queue; ses pieds sont armés d'ongles crochus; son poil est en général de couleur noire, mêlée de cendré dans quelques parties; une raie d'un gris plus clair, presque blanchâtre et large d'un pouce, s'étend depuis ses oreilles jusqu'à l'extrémité de sa queue. Cet animal, très-friand de miel et de cire, a une manière particulière de découvrir les retraites des abeilles et de les y attaquer. Celles-ci construisent leurs ruches dans des trous creusés par divers animaux, tels que les damans, les gerboises, les porcs-épics, les taupes, qui les ont ensuite abandonnés. Le ratel s'assied, dit-on, sur son derrière, tenant une de ses pates devant ses yeux pour rompre les rayons trop vifs du soleil, qui lui blesseraient la vue, et pouvoir distinguer plus clairement l'objet qu'il cherche; car c'est surtout au déclin du jour qu'il épie sa proie. Lorsqu'il voit voler quelques abeilles, il sait qu'alors elles gagnent droit leur demeure; il les suit. Ses longues griffes, dont il fait usage pour se loger sous terre, lui servent à miner en dessous les ouvrages des abeilles. On prétend aussi qu'il a la sagacité, de même que les Hottentots et les Cafres, de suivre l'oiseau nommé *indicateur*, qui conduit les personnes qui vont à sa piste aux nids des abeilles, posés dans le creux des arbres. Ces nids sont hors des atteintes du ratel qui, de dépit de voir ses recherches et sa découverte inutiles, a coutume de mordiller le pied de l'arbre. Ces morsures sont pour les Hottentots un signe certain que l'arbre renferme un nid d'abeilles. La peau du ratel est très-épaisse et d'un tissu fort lâche; c'est pourquoi il est insensible à la piqûre des abeilles. Cet animal, étant pourvu de dents très-fortes et très-tranchantes, se défend très-bien contre une meute entière de chiens, et se tire souvent même d'un semblable assaut sans avoir reçu un seul coup de dent.

La gerboise du Cap a reçu des Hollandais le nom de *sprengende-haas* ou lièvre sauteur. Cet animal, décrit par Buffon sous la dénomination de grand-gerbo, est de la taille d'un lièvre. Ses pieds de derrière sont trois fois plus longs que ceux de devant. Il vit dans les montagnes et s'y creuse des terriers, où il reste caché pendant le jour, et dont il ne sort que le soir pour aller pendant la nuit rôder et chercher sa nourriture, qui consiste en racines et en grains.

Le daman, appelé par les Hollandais *klip-daas* ou blaireau de rocher, est de la taille d'un lapin, mais plus gros et plus ramassé. Il fait son nid dans les fentes des rochers, où il se compose un lit de mousse et de feuilles qui lui servent de nourriture. Cet animal s'apprivoise aisément. On assure que sa chair est bonne à manger.

On distingue deux espèces de rats-taupes, le grand et le petit. Le premier est long d'un pied, le second de sept pouces. Leur corps est cylindrique; ils ont les pates très-courtes, le poil doux, épais, d'un brun roussâtre sur le dos, blanc par-dessous, les yeux très-petits. Ils sont très-multipliés dans les terres sablonneuses; ils forment de vastes taupinières, ce qui rend dangereux pour les chevaux les lieux où ils sont communs, parce que ces animaux y enfoncent jusqu'aux genoux. Les rats-taupes ne courent pas vite, mais sont très-alertes à creuser la terre; ils mordent très-fort quand on les irrite. Ils se nourrissent principalement de racines de glaïeul, d'iris, etc. Leur chair est, dit-on, fort bonne.

La taupe dorée n'a que quatre pouces et demi de longueur; tout son corps est couvert de poils, dont la base est brune et l'extrémité d'un vert brillant, qui produit de beaux reflets métalliques lorsque l'animal se remue. Ses yeux sont si petits, qu'on ne peut les apercevoir.

Le rat nain se trouve dans les forêts. Sa couleur est d'un brun cendre clair; il n'a que deux pouces de longueur.

Le sanglier d'Éthiopie a une physionomie singulière, mais hideuse; sa hure, au lieu de se terminer en pointe comme celle du sanglier d'Europe, est au contraire fort large, aplatie, et coupée carrément en boutoir: ses petits yeux sont placés à fleur de tête, et presque au haut de son front carré. Ses oreilles, appliquées contre le cou qui est très-court, sont cachées dans les poils; mais une peau cartilagineuse et fort épaisse, de trois pouces en longueur et en largeur, s'élève de chaque côté sur ses joues, comme une seconde paire d'oreilles, et contribue à rendre son aspect effrayant. Au-dessous de ces excroissances singulières est une protubérance osseuse longue d'un pouce, qui sert à l'animal pour frapper de droite et de gauche: il est armé en outre de quatre longues défenses dont les deux supérieures ont jusqu'à sept à huit pouces de long; elles sont crénelées et se recourbent en haut tout en sortant des lèvres; les défenses d'en bas, beaucoup plus petites, s'appliquent si exactement contre les grandes, quand la bouche est fermée, qu'elles ne paraissent former qu'une seule dent. Une énorme crinière couvre le cou et les épaules; les soies qui la composent ont jusqu'à seize pouces de hauteur, et elles sont rousses, brunes et grisâtres. Dans le reste, cet animal ressemble au sanglier d'Europe. Quoique très-massif, il n'en est pas moins agile; il court avec beaucoup de légèreté, et la forme de son groin ne l'empêche pas de fouir très-lestement la terre pour en tirer les racines dont il se nourrit. Sa férocité égale sa laideur, et la force de ses armes le rend très-dangereux.

La girafe est un grand animal qui a jusqu'à dix-huit pieds de haut. Son cou et ses jambes sont fort élevées, celles de devant surtout; ce qui le fait paraître disproportionné parce qu'il a la partie antérieure du dos plus haute que la croupe. Ses cornes ne tombent pas, et sont toujours revêtues de la peau, dont les poils y sont même plus longs qu'ailleurs. La girafe est blanchâtre, tout son corps est parsemé de taches fauves. Elle se nourrit de feuilles d'arbres, et est d'un naturel très-doux.

Le zèbre, ou âne sauvage du Cap, est un des animaux les plus beaux, les mieux faits, et les plus vifs qu'on ait jamais vus. Il est, en général, plus petit que le cheval, et plus grand que l'âne; ses jambes sont menues et bien proportionnées; son poil est doux et lisse. On voit régner au long de son dos, depuis les crins du cou jusqu'à la queue, une raie noire, d'où partent de chaque côté d'autres raies blanches et brunes, qui se rencontrent en cercle autour du ventre, et dont les couleurs se perdent agréablement l'une dans l'autre. La tête, les oreilles, la queue et les crins du cou sont rayés aussi de mêmes couleurs. Cet animal est si léger, qu'il n'y a point de cheval qui puisse le suivre du même pas. Toutes ces qualités, jointes à la difficulté de le prendre, en font monter le prix fort haut. Tellez, voyageur portugais, raconte que le grand-mogol en acheta un deux mille ducats. On lit dans Navendorf, auteur hollandais, que, le gouverneur de Batavia en ayant envoyé un à l'empereur du Japon, après l'avoir reçu d'un ambassadeur abyssin, ce monarque fit présent à la compagnie de mille taëls d'argent et de trente-neuf robes qui furent évaluées à cent soixante mille écus. Kolbe rencontra souvent des troupes de ces zèbres dans les pays du Cap. Cet animal se trouve aussi au Congo et dans d'autres régions de l'Afrique. Le couagga est beaucoup plus petit que le zèbre, auquel il ressemble d'ailleurs, quoiqu'il n'ait de raies que sur le cou et à la partie antérieure du corps; le fond de son poil est brun. Ces deux espèces d'animaux marchent en troupes, quelquefois au nombre de plus de cent. Le zèbre est presque indomptable, au lieu que les colons du Cap attellent les couaggas à leurs voitures.

Parmi les antilopes on remarque le canna, auquel sa grande taille a fait donner le nom d'élan, et le gnou, qui est d'un naturel extrêmement sauvage, aussi farouche et aussi méchant que le buffle.

Les singes sont en fort grand nombre, et aussi malicieux que ceux que l'on a décrits en parlant des autres parties de l'Afrique. On les voit souvent descendre des montagnes pour venir piller les jardins. Ils ne dédaignent pas la chair, les œufs, les poissons, les insectes, et s'apprivoisent difficilement.

On peut ranger l'oryctérope parmi les animaux les plus singuliers de cette contrée. Au premier coup d'œil, il présente quelque ressemblance avec le cochon; mais sa queue est d'un tiers plus longue que son corps, et, fort grosse dès son origine, elle va en diminuant jusqu'à son extrémité: ses jambes sont très-grosses, ses pieds armés d'ongles forts; sa langue a jusqu'à seize pouces de long. «Lorsqu'il a faim, dit Kolbe, qui le décrit sous le nom de *cochon de terre*, il va chercher une fourmilière. Dès qu'il a fait cette bonne trouvaille, il regarde tout autour de lui, pour voir si tout est tranquille, et s'il n'y a point de danger; il ne mange jamais sans avoir pris cette précaution: alors il se couche, et, plaçant son groin tout près de la fourmilière, il tire la langue tant qu'il peut: les fourmis montent dessus en foule: dès qu'elle en est bien couverte, il la retire et les gobe toutes. Ce jeu recommence jusqu'à ce qu'il soit rassasié.» Il attaque aussi les retraites souterraines des termés, dont il brise les voûtes avec ses grands ongles; il s'en sert aussi pour se creuser un terrier; il y travaille avec beaucoup de vivacité et de promptitude; et s'il a seulement la tête et les pieds de devant dans la terre, il s'y cramponne tellement, au rapport de Kolbe, que l'homme le plus robuste ne saurait l'en arracher.

Le climat et le terroir du Cap produisent un grand nombre de serpens de quantité d'espèces différentes, dont la description n'aurait rien d'utile ni d'amusant.

Les serpens ont pour ennemi dans ce pays le secrétaire, oiseau de trois pieds de hauteur, qui a le bec robuste comme celui d'un aigle, et de longues jambes comme celles des grues. Lorsqu'il rencontre ou découvre un serpent, il l'attaque d'abord à coups d'ailes pour le fatiguer; il le saisit ensuite par la queue, l'enlève à une grande hauteur en l'air, et le laisse retomber, ce qu'il répète jusqu'à ce que le serpent soit mort. Lorsqu'on l'inquiète, il fait entendre un croassement sourd. Il n'est ni dangereux ni méchant; son naturel est doux; il s'apprivoise aisément, devient familier et paraît aimer la paix; car s'il voit quelque combat parmi les animaux de basse-cour, il accourt aussitôt pour les séparer. Aussi les habitans du cap de Bonne-Espérance en élèvent-ils parmi leur, volaille pour maintenir la paix et détruire les lézards, les serpens, les rats, les sauterelles et toutes sortes d'insectes. Comme il marche ordinairement à grands pas de côté et d'autre, et long-temps sans se ralentir ou s'arrêter, on lui a aussi donné le nom de *messager*. Les Hollandais du Cap l'ont appelé *secrétaire*, à cause d'une touffe de plumés qu'il porte derrière la tête, parce qu'en Hollande les gens de cabinet, quand ils sont interrompus dans leurs écritures, passent leur plume dans leur perruque derrière l'oreille droite, ce qui a quelque ressemblance avec la huppe de l'oiseau.

Les fourmis sont en fort grand nombre et de plusieurs espèces. Elles couvrent toutes les vallées de leurs nids où de leurs terriers; mais elles ne se logent jamais dans les terres cultivées. Les abeilles ne manquent point au Cap. Cependant, comme les Européens reçoivent à bon marché des Hottentots le miel de rocher, qui est d'une odeur plus douce que celui des ruches, ils aiment mieux en tirer d'eux que de le devoir à leur travail.

On a déjà vu que les Hottentots découvraient par le moyen de l'indicateur les nids d'abeilles posés sur les arbres. Cet oiseau habite les forêts: il est de la grosseur d'un merle, et d'une couleur olive foncée. Il éprouve sans doute quelque difficulté à se procurer le miel dont il est très-friand; mais il a l'instinct d'appeler l'homme à son secours, en lui indiquant le nid des abeilles par un cri fort aigu *chirs, chirs,* et, selon d'autres voyageurs, *vicki, vicki,* mot qui, dans la langue hottentote, signifie miel. Il fait entendre ce cri le matin et le soir, et semble appeler les personnes qui sont à la recherche du miel: celles-ci lui répondent d'un ton plus grave, en s'approchant toujours. Dès qu'il les aperçoit, il va planer sur l'arbre qui renferme une ruche; et si les chasseurs tardent à s'y rendre, il redouble ses cris, vient au-devant d'eux, et par plusieurs allées et venues la leur indique d'une manière très-marquée. Tandis que l'on se saisit de ce que contient la ruche, il reste dans les environs, et attend sa part, qu'on ne manque jamais de lui laisser. L'existence de ces oiseaux est précieuse pour les Hottentots; aussi ne voient-ils pas de bon œil l'homme qui les tue.

Quoique les Hottentots soient mangés de poux, comme on l'a déjà remarqué, les Européens, au contraire, ne sont pas plus tôt arrivés au Cap, qu'ils se trouvent délivrés de cette vermine.

Les scorpions du Cap sont aussi dangereux par leur venin que par leur nombre.

On trouve au Cap une sorte d'araignée noire de la grosseur d'un petit pois blanc; sa morsure est fatale, lorsque l'antidote est appliqué trop tard.

La morsure d'un millepieds du Cap est aussi mortelle que celle du scorpion.

La mer voisine du Cap nourrit des phoques, et entre autres celui que l'on a nommé lion de mer. Ils viennent souvent se chauffer au soleil sur les rochers et les îlots répandus le long de la côte.

CHAPITRE V.

Côte orientale d'Afrique.

La côte orientale d'Afrique est peu fréquentée des nations de l'Europe, en comparaison des côtes occidentales. À l'est de la contrée du Cap est le pays habité par les Cafres, nom sous lequel on comprend plusieurs peuples qui diffèrent des Nègres, quoiqu'ils aient la chevelure crépue, et qui se rapprochent des Hottentots. La côte de Natal s'étend depuis la limite de la colonie du Cap, jusqu'à la baie de Lagoa. Elle est arrosée de nombreuses rivières, et parsemée de bois; mais aucun port sûr et profond n'y offre un asile aux grands navires. La baie de Lagoa a quelquefois été confondue avec celle d'Algoa, située huit degrés plus au sud. Les hordes qui vivent dans ces vastes contrées pillent souvent les navires qui font naufrage sur cette côte dangereuse.

Cependant, en 1683, le vaisseau anglais *le Johanna*, s'étant brisé près de la baie de Lagoa, trouva plus d'humanité et de secours dans les habitans, quoiqu'ils passent pour extrêmement barbares, qu'il n'en aurait reçu de plusieurs peuples qui s'attribuent de grands principes de religion et de politesse. Touchés du malheur de leurs hôtes, non-seulement ils leur fournirent les nécessités de la vie, mais ils les aidèrent à sauver une partie de leur cargaison. Pour une petite quantité de couteaux, de ciseaux, d'aiguilles, de fil, de petits miroirs et de colliers de verre, ils se chargèrent de transporter dans un pays voisin tout ce qu'on avait pu sauver du naufrage, et de fournir encore des vivres aux Anglais sur la route. Après les avoir conduits l'espace d'environ deux cents milles, ils leur procurèrent d'autres porteurs et d'autres guides pour continuer leur marche. Elle fut de quarante jours, pendant lesquels ils ne firent pas moins de sept ou huit cents milles. Ils trouvèrent ensuite de nouveaux porteurs, qui les conduisirent et leur fournirent des provisions jusqu'au cap de Bonne-Espérance. Quelques Anglais, qui tombèrent malades en chemin, furent portés dans des hamacs sur les épaules de ces charitables Nègres: de quatre-vingts, il n'en mourut que trois ou quatre dans une route si longue et si pénible.

Entre Lagoa et Mozambique la côte n'est pas moins dangereuse: elle était connue autrefois sous le nom de Sofala et de Cuama; mais les Portugais la nomment aujourd'hui Séna. Elle contient les états d'un grand nombre de princes bornés à de fort petits territoires. Les habitans sont de couleur noire, et idolâtres, à l'exception d'un petit nombre, que les Portugais ont convertis au christianisme, et que l'on accuse d'être moins humains que les autres pour les Européens étrangers. Les habitans de ce pays ne veulent de commerce qu'avec les Portugais, qui entretiennent le long de la côte un petit nombre de prêtres pour tenir les Nègres dans leur dépendance, et tirer d'eux, à vil prix, leur ivoire et leur or, qu'ils envoient à Mozambique.

Mozambique est une île qui appartient à la couronne de Portugal; elle est fortifiée par l'art et la nature; mais l'air y est si malsain, que les criminels portugais de l'Inde, au lieu d'être punis de mort suivant les lois de leur nation, y sont bannis pour un certain nombre d'années, à la discrétion du gouverneur de Goa et de son conseil. On en voit revenir peu de cet exil; car cinq ou six années de séjour à Mozambique passent pour une longue vie. Cette place est un port de rafraîchissement pour les vaisseaux portugais qui vont de l'Europe aux Indes; ils y passent ordinairement trente jours, pour donner le temps de se rétablir aux soldats et aux matelots qui, ayant contracté en mer l'hydropisie et le scorbut, sont bientôt guéris par l'usage des fruits acides et des racines du pays; leurs bâtimens emploient généralement tout le mois d'août pour se rendre de Mozambique à Goa.

Monbassa ou Monbaze est une île voisine du continent, à la distance d'environ deux cent vingt milles de Mozambique. L'art a peu contribué à la fortifier; mais elle l'était naturellement lorsque les Portugais s'en rendirent maîtres il y a plus de deux cents ans. Ils la possédèrent jusqu'en 1698, que les Arabes de Maskat s'en saisirent avec peu de peine, et passèrent au fil de l'épée une vingtaine de Portugais qui la défendaient.

Patta, qui suit Monbassa sur la même côte, est passée aussi dans les mains des Arabes. Ce pays fournit beaucoup d'ivoire et quantité d'esclaves à Maskat. Autrefois les Anglais, les Portugais et les Maures des Indes y entretenaient un commerce avantageux, quoique peu considérable; mais les Arabes, jaloux des progrès d'autrui, formèrent sur la côte, en 1692, une colonie qui défendit aux habitans tout commerce avec d'autres nations. Quoique les terres intérieures soient habitées par des idolâtres, toutes les côtes suivantes, qui comprennent les pays de Magadoxo, de Zeyla et d'Adel sur les côtes de Zanguebar et d'Ajan jusqu'au cap de Guardafui, dans une étendue d'environ trois cents lieues au nord-est, ont reçu la religion mahométane. Il y reste néanmoins, dans les cérémonies, les usages et les traditions, quelques vestiges de l'ancien culte.

Les côtes de Mozambique, de Sofala, de Quiloa, de Monbassa, bordent le grand empire du Monomotapa, qui s'étend fort loin dans l'intérieur, vers l'ouest, et qui nous est peu connu. Il est renommé par ses mines d'or; mais on a fait des efforts inutiles pour y parvenir. On lit dans Faria, que François Barretto, seigneur portugais, après avoir rempli avec honneur la dignité de gouverneur de l'Inde, fut revêtu de l'important emploi d'amiral des galères. À son retour en Portugal, il fut nommé au gouvernement de Monomotapa, un des trois qui faisaient la division de l'Inde portugaise, trop grande alors pour recevoir la loi d'un seul gouverneur. Le roi joignit à cette qualité le titre de conquérant des mines, sur des informations et des expériences qui lui avaient fait naître effectivement le dessein de cette conquête; mais ce titre, comme on va le voir, était un peu prématuré. On avait trouvé quantité d'or dans l'intérieur de ce grand empire, surtout à Manika, dans le royaume de Bakaranga. Barretto partit de Lisbonne au mois d'avril 1569, avec trois vaisseaux et mille hommes de débarquement, parmi lesquels on comptait quantité de nobles et de vieux guerriers d'Afrique.

Barretto avait reçu ordre de ne rien entreprendre sans l'avis du père François de Monclaros, missionnaire jésuite. Cette dépendance fit échouer toutes ses vues.

Il y avait deux chemins qui conduisaient aux mines, l'un au travers du Monomotapa, et l'autre par Sofala. Barretto se déclara pour le second; mais le père de Monclaros ayant jugé que l'autre devait être préféré, son opinion l'emporta malgré l'opposition du conseil. On partit de Mozambique avec plus d'hommes et de vaisseaux qu'on n'en avait amené, sans parler des instrumens, des chevaux et des autres provisions pour la guerre et pour le travail des mines. Après avoir fait quatre-vingt-dix lieues par mer, les Portugais entrèrent dans la rivière de Cuama. Ils s'avancèrent, suivant les vues de Monclaros, jusqu'à Séna, et gagnèrent ensuite la ville d'Inaparapola, qui est voisine d'une ville des Maures. Ces Maures commencèrent à traverser leurs desseins, comme ils avaient fait autrefois dans l'Inde. Ils tentèrent d'empoisonner toute l'armée. Quelques hommes et plusieurs chevaux en moururent; mais cette perfidie ayant été découverte par l'avis d'un des complices, les traîtres furent passés sans pitié au fil de l'épée, et leur chef exposé à la bouche du canon. Un seul, qui protesta que la sainte Vierge lui avait ordonné de se rendre chrétien sous le nom de Laurent, obtint par grâce d'être pendu. Ce n'était pas trop la peine de faire parler la Vierge.

Barretto envoya des ambassadeurs au monarque de Monomotapa, qui les reçut avec une distinction extraordinaire. Loin de les traiter comme ceux des autres princes, qui ne se présentaient devant lui qu'à genoux, pieds nus et sans armes, et qui se prosternaient jusqu'à terre devant son trône, il leur accorda une audience fort honorable. Le motif de cette ambassade était de lui demander la permission de le venger du roi de Mongas, qui s'était révolté contre lui, et celle de pénétrer jusqu'aux mines de Boutoua et de Manchika. La seconde de ces deux demandes suffisait pour faire juger de la première. Le territoire de Mongas étant situé entre Séna et les mines, il fallait nécessairement s'ouvrir un passage par l'épée. L'empereur consentit aux deux propositions, et fit offrir à Barretto cent mille hommes, qu'il refusa.

L'armée portugaise se remit en marche. Elle était composée de cinq cent soixante mousquetaires et de vingt-trois cavaliers. Pendant dix jours qu'elle employa dans cette route, elle eut beaucoup à souffrir de la soif et de la faim. Il fallut suivre presque continuellement la rivière de Zambèze, dont le cours est fort rapide, et sur laquelle s'avancent, à quatre-vingt-dix lieues de la mer d'Éthiopie, des pointes de la haute montagne de Lupata, qui paraissent comme suspendues sur son canal. À la fin de cette ennuyeuse marche, les Portugais commencèrent à découvrir une partie de leurs ennemis, et remarquèrent bientôt plus clairement que tout le pays était couvert d'habitans armés. Barretto ne s'alarma point de ce spectacle. Il donna la conduite de son avant-garde à Vasco Fernando Homen; et, se réservant celle de l'arrière-garde, il plaça son bagage et quelques pièces de canon dans l'intervalle de ces deux corps. Lorsqu'il fut près d'en venir à la charge, il fit avancer son artillerie au front de ses troupes et sur ses flancs. L'ennemi s'approcha d'un air ferme: son ordre de bataille formait un croissant. Une vieille femme, célèbre, si l'on en croit Faria, par la profession qu'elle faisait de la magie, fit quelques pas vers les rangs, et jeta quelques poignées de poudre vers l'armée portugaise, en assurant les Cafres que cette poudre seule leur garantissait la victoire. Barretto, qui avait appris dans l'Inde combien la superstition a de pouvoir sur les Maures, chargea un de ses canonniers de pointer vers cette femme; et ses ordres furent exécutés avec tant de bonheur, qu'on la vit voler aussitôt en pièces, à la surprise extrême de tous les Cafres, qui la croyaient invulnérable. Barretto fit présent au canonnier d'une chaîne d'or.

L'ennemi continua de s'approcher, mais sans ordre. Il fit bientôt pleuvoir une grêle de flèches et de dards. Les Portugais répondant, sans s'ébranler, à coups de canon et de fusil, qui firent une exécution terrible parmi les Cafres, n'eurent pas besoin de recommencer souvent cette boucherie pour leur faire tourner le dos. Ils en tuèrent un grand nombre dans la poursuite; et, marchant droit à la ville de Mongas, ils firent disparaître aussi facilement un autre corps qu'ils rencontrèrent en chemin. Il ne leur en coûta que deux hommes pour faire mordre la poussière à six mille Cafres. Barretto, à la tête de ses gens, entra sans opposition dans Mongas. Les habitans, qui l'avaient abandonnée, se présentèrent en aussi grand nombre que les deux premières armées réunies; mais ils ne soutinrent pas plus long-temps l'effort des vainqueurs. Dès le même jour ils demandèrent la paix au nom du roi, qui envoya bientôt lui-même des ambassadeurs à Barretto pour traiter des conditions.

Pendant cette négociation, un chameau échappé à ses gardes prit sa course vers le gouverneur, qui l'arrêta de ses propres mains jusqu'à l'arrivée de ceux qui le poursuivaient. Les Cafres ne connaissaient point cet animal. Dans la surprise de le voir si docile près du général portugais, ils firent plusieurs questions qui marquaient leur crainte et leur ignorance. Barretto prit avantage de l'une et de l'autre pour leur répondre qu'il avait un grand nombre de ces bêtes terribles, et qu'il ne les nourrissait que de chair humaine; qu'ayant déjà dévoré ceux qui avaient péri dans le combat, elles le faisaient prier par ce messager de ne pas faire la paix, parce qu'elles craignaient de manquer de nourriture. Les ambassadeurs cafres, effrayés de ce discours, supplièrent le général d'engager ses chameaux à se contenter de bonne chair de bœuf, dont ils promirent de leur envoyer une grosse provision. Il se rendit à leur prière, et leur accorda des conditions qui rétablirent la tranquillité dans le pays. Cependant il commençait à manquer de vivres, lorsqu'il reçut avis que sa présence était nécessaire à Mozambique, où Péreyra Brandam, son lieutenant, s'était saisi du fort, quoique âgé de quatre-vingts ans. Il laissa le commandement de ses forces à Vasco Homen pour se hâter de retourner vers la côte. Mais à peine eut-il paru à Mozambique, que, les séditieux étant rentrés dans la soumission, il regretta beaucoup qu'une affaire de si peu d'importance eût été capable d'interrompre ses projets. L'ardeur de son courage lui fit reprendre aussitôt la même route. Mais quelle fut sa surprise, en approchant du fort Séna, d'en voir sortir Monclaros d'un air furieux pour lui ordonner au nom du roi d'abandonner une entreprise sur laquelle il lui reprocha d'avoir trompé ce prince par de fausses espérances, en ajoutant que le nombre des morts était déjà trop grand, et qu'il le rendait responsable devant Dieu du sang qui se répandrait encore! L'historien se révolte beaucoup contre ce missionnaire. Il semble pourtant que, si jamais il est permis d'attester le nom de Dieu, c'est surtout quand il s'agit d'épargner le sang des hommes; et le désir de s'emparer des mines n'était pas une raison légitime pour tuer les Cafres.

Barretto mourut de chagrin deux jours après. Vasco, son successeur, retourna immédiatement à Mozambique. Mais, après le départ du missionnaire, qui s'embarqua aussitôt pour le Portugal, François Pinto-Pimentel, son parent, et quelques autres personnes sensées, lui représentèrent si fortement ce qu'il devait au Portugal et à son propre honneur, qu'il prit la résolution de retourner au Monomotapa. Il choisit, suivant Barretto, la route de Sofala, qui était en effet la plus favorable à son entreprise. Elle le conduisit directement vers les mines de Manchika, dans le royaume de Chikanga, qui borde au-dedans des terres celui de Quiterve, le plus puissant de ces régions après celui de Monomotapa. Il avait le même nombre d'hommes et le même bagage que son prédécesseur. Comme il était important de se concilier l'affection du roi de Quiterve, il lui fit un compliment civil, accompagné de plusieurs présens. Mais ce prince avait déjà conçu tant de défiance et de jalousie, qu'il reçut froidement cette politesse.

Vasco, sans faire beaucoup d'attention à sa réponse, continua sa marche au travers de ses états. Plusieurs corps de Cafres entreprirent de lui couper le passage, et furent défaits avec un grand carnage. Le roi, désespérant de réussir par la force, eut recours à l'artifice. Il donna ordre à tous ses sujets d'abandonner leurs villes et leurs cantons, dans l'espérance de ruiner l'armée portugaise par la faim. En effet, elle eut beaucoup à souffrir pour se rendre à Zimbaze, où il tenait sa cour. Il avait déjà pris le parti de l'abandonner, et de se fortifier dans des montagnes inaccessibles. Vasco brûla cette ville et se remit en marche pour le pays de Chikanga, où la crainte plus que l'inclination le fit recevoir avec de grandes apparences d'amitié. Il obtint du roi la liberté du passage jusqu'aux mines. Les Portugais se crurent à la veille de puiser l'or à pleines mains. Ils arrivèrent enfin à cette terre promise. Mais, remarquant bientôt que les habitans employaient beaucoup de temps et de peine pour en tirer fort peu d'or, et s'étant convaincus qu'il fallait plus d'hommes et d'instrumens pour donner quelque forme à leur entreprise, ils prirent le parti de revenir sur leurs traces. Vasco retourna dans la suite à Quiterve, où le roi, devenu moins méfiant, on ne sait pourquoi, lui accorda toutes les permissions qu'il avait d'abord refusées. Il consentit que les Portugais pénétrassent jusqu'aux mines de Manninas, à la seule condition de lui payer chaque année vingt écus. De là ils passèrent dans le royaume de Chikova, qui borde le Monomotapa au nord, dans l'intérieur des terres. On les avait flattés d'y trouver de riches mines d'argent. Vasco, après y avoir assis son camp, apporta tous ses soins à se procurer des informations. Les habitans, ne se croyant pas capables de lui résister, et jugeant que la découverte des mines serait funeste à leur repos, eurent l'adresse de répandre un peu de minéral dans quelques endroits éloignés de sa source, et montrèrent ces lieux aux Portugais comme les véritables mines. Cette ruse eut tout l'effet qu'ils s'en étaient promis. Vasco, persuadé de leur bonne foi, permit qu'ils se retirassent, dans la vue peut-être de leur déguiser les immenses profits sur lesquels il croyait déjà pouvoir compter. Il fit creuser la terre dans mille endroits; et l'on ne sera pas surpris que le fruit du travail répondit mal à la fatigue de ses ouvriers. Les provisions commençant à devenir rares, il prit enfin la résolution de se retirer, laissant derrière lui le capitaine Antonio Cardosa de Almeyda, avec deux cents hommes et les secours nécessaires pour continuer ses recherches. Après le départ de Vasco, Cardosa se laissa tromper encore plus malheureusement par les Cafres. Ces barbares, feignant de plaindre l'inutilité de son travail, s'offrirent à lui découvrir des veines plus sûres; et, le conduisant à la mort plutôt qu'aux mines, ils le firent tomber dans une embuscade où il périt avec tous ses gens.

Telle fut la fin du gouvernement portugais dans le Monomotapa. Elle toucha de fort près à son origine, puisque, de deux gouverneurs qu'on a nommés, l'un périt, presqu'en arrivant, du chagrin de se voir outragé par un homme d'église, et l'autre fut chassé puérilement par le stratagème de quelques barbares. Cependant la paix et le commerce n'en subsistèrent pas moins entre l'empereur du Monomotapa et les Portugais.

Les bornes de cet empire au nord, et vers une partie de l'ouest, sont la rivière de Couama, qui le sépare des royaumes d'Aboutoua et de Chikova, des pays de Mambos et de Mazimbas, qui appartiennent à l'empire de Monoë-mudji, et du royaume maritime de Marouka. À l'ouest et au sud, il est borné par le pays des Hottentots, et par certains Cafres, desquels il n'est séparé que par la rivière de Magnika. À l'est, il est baigné par la mer de l'Inde.

Sa situation est entre les 14e. et 25e. degrés de latitude méridionale. On lui donne environ quatre cent soixante-dix milles de longueur du nord au sud, et six cent cinquante de largeur de l'ouest à l'est. C'est une péninsule; car, à l'exception d'un espace de quatre-vingt-dix milles, qui fait à peu près la distance de la rivière de Couama jusqu'à la source de celle de Magnika, il est continuellement environné d'eau.

L'empire du Monomotapa est divisé en vingt-cinq royaumes, dont il est assez inutile de rapporter les noms barbares.

Le plus grand état de ceux qui sont indépendans de l'empire, est Mangas, sur les bords de la rivière de Couama.

Les plus riches mines du royaume de Mangas sont celles de Massapa, qui portent le nom d'Ofour. On y a trouvé un lingot d'or de douze mille ducats, et un autre de quatre cent mille.

L'or s'y trouve non-seulement entre les pierres, mais encore sous l'écorce de certains arbres, jusqu'au sommet, c'est-à-dire jusqu'à l'endroit où le tronc commence à se diviser en branches. Les mines de Manchika et de Boutoua sont peu inférieures à celles d'Ofour. Le pays en a quantité d'autres, mais moins considérables. Il y a trois foires ou trois marchés, que les Portugais de Tête, château situé sur la rivière de Couama, à cent vingt lieues de la mer, fréquentent pour le commerce de l'or. Le premier, qui se nomme Louane, est à quatre journées dans les terres; le second, nommé Bouento, est plus éloigné; et le troisième, qui s'appelle Massapa, l'est encore plus. Les Portugais se procurent l'or par des échanges, pour des étoffes, des colliers de verre, et d'autres marchandises de peu de valeur. Ils ont à Massapa un officier de leur nation, nommé par le gouverneur de Mozambique, du consentement de l'empereur de Monomotapa, mais avec défense, sous peine de mort, de pénétrer plus loin dans le pays sans une permission. Il y est juge des différens qui s'élèvent entre les Portugais.

Toute la côte de Monomotapa, depuis les rivières de Magnika et de Couama, était autrefois possédée par les Portugais, sous le nom de Sofala, qui est celui d'une ville située entre ces deux rivières. Ils ont encore un fort à l'embouchure de la rivière de Couama; ils font dans toutes ces contrées le commerce de l'or, de l'ivoire, de l'ambre, qui se trouve sur la côte, et celui des esclaves, en donnant pour échange des étoffes de coton et des soies de Cambaye, dont les habitans composent leur parure ordinaire. Les mahométans de Sofala ne sont point originaires du même pays; ce sont des Arabes qui trafiquaient dans de petites barques avant l'arrivée des Portugais.

Lopez représente l'empire de Monomotapa comme un vaste pays dont les habitans sont innombrables. Ils sont noirs et de taille moyenne. Leur courage est célèbre à la guerre, et leur légèreté extrême à la course. La principale nation de ce grand pays, suivant Faria, se nomme les Mokarangis. La maison impériale en tire son origine. Ils sont moins belliqueux que les autres, et n'emploient point d'autres armes que l'arc, les flèches et les javelines. Leur religion n'admet point d'images ni d'idoles. Ils reconnaissent un seul Dieu; ils croient à l'existence d'un diable, qu'ils appellent *mouzouko*, et qu'ils se représentent fort méchant. Ils sont persuadés que tous leurs empereurs passent de la terre au ciel. Dans cet état de gloire, ils les appellent *mouzimos*, et les invoquent comme les catholiques prient les saints. N'ayant point de lettres ni d'autres caractères d'écriture, ils conservent la mémoire du passé par de fidèles traditions. Leurs estropiés et leurs aveugles portent le nom de pauvres du roi, parce qu'ils sont entretenus avec beaucoup de charité aux frais de ce prince. Dans leurs voyages, on est obligé de leur fournir des guides d'une ville à l'autre, et de pourvoir à leur subsistance.

L'empereur a plusieurs femmes; mais il n'en a que neuf qui soient honorées du titre de grandes reines: elles sont ou ses sœurs ou ses plus proches parentes. Les autres sont choisies entre les filles des grands. La première se nomme Mazasira. Les Portugais l'appellent leur mère, et lui font quantité de présens, parce qu'elle défend leurs intérêts à la cour.

La plus grande fête du pays est le khouavo, qui se célèbre le premier jour de la lune de mai. Tous les seigneurs, dont le nombre est fort grand, se rassemblent au palais; et, courant la javeline à la main, ils donnent la représentation d'une espèce de combat. Cet amusement dure tout le jour. Ensuite l'empereur disparaît, et passe huit jours sans se faire voir. Dans cet intervalle, les tambours ne cessent de battre. Le dernier jour, ce prince fait donner la mort aux seigneurs pour lesquels il a le moins d'affection. C'est une sorte de sacrifice qu'il fait aux mouzimos ou à ses ancêtres. Les tambours se taisent, et chacun se retire.

Lopez raconte que l'empereur de Monomotapa entretient plusieurs armées dans différentes provinces pour contenir dans le respect et la soumission plusieurs rois ses vassaux, que leur inclination porte souvent à se révolter. Ces troupes sont divisées en légions, suivant l'usage des anciens Romains. Si l'on en croit le même auteur, les plus braves soldats de l'empire sont quelques légions de femmes qui se brûlent la mamelle gauche, comme les anciennes Amazones, pour se servir plus librement de l'arc. Elles n'ont point d'autres armes. Le roi leur accorde certains cantons pour y faire leur demeure. Elles y reçoivent quelquefois des hommes dans la seule vue d'entretenir leur espèce. Les enfans mâles sont renvoyés aux pères, et les filles demeurent sous la conduite de leurs mères, pour apprendre le métier de la guerre à leur exemple.

Au surplus, l'intérieur de ce pays, comme celui de tous les empires d'Afrique, est peu connu, et le sera difficilement.

À l'est du continent de l'Afrique on rencontre d'abord, en partant de la pointe la plus orientale, l'île de Socotora, terre nue et stérile, et habitée par les Arabes. Elle est renommée par l'aloès que l'on y recueille; c'est le meilleur que l'on connaisse.

À trois cents lieues au sud de Socotora s'étend une suite de petits archipels désignés jadis sous le nom général d'îles Amirantes, qui est actuellement restreint au groupe le plus occidental. Elles sont petites, bien pourvues d'eau douce, et abondantes en cocotiers. Le groupe le plus oriental a été nommé îles Seychelles, qui sont de même petites et basses. C'est dans l'une d'elles que croît l'espèce de palmier qui produit le fruit nommé coco des Maldives ou de mer, remarquable par sa forme qui présente l'image de deux cuisses, et fameux par les fables que l'on débitait sur son origine.

Une multitude d'îles peu connues et inhabitées sont éparses à l'est des Seychelles, et se prolongent dans cette direction jusqu'au méridien de Ceylan. Un assez grand nombre d'îlots et de récifs lient de même l'archipel des Seychelles à Madagascar, et cette île au continent d'Afrique par le moyen des îles Comores, qui sont au nombre de quatre, et dont il a été question plusieurs fois dans l'Histoire des Voyages. Anjouan, ou Johnana, l'une d'elles, a plusieurs rades commodes. Elle abonde en bestiaux, en volaille, en poisson, en oranges et en citrons. Elle sert souvent de relâche aux bâtimens qui naviguent dans ces mers.

Madagascar, que les Portugais nommèrent d'abord Saint-Laurent, est une des plus grandes îles du monde. Elle offre un grand nombre de productions utiles au besoin de la vie. Le bétail y est abondant. Les bords de la mer sont en général riches en bois et insalubres. On voit dans l'intérieur de vastes plaines bien cultivées; l'air y est frais et plus sain. Une double chaîne de montagnes, hautes de douze cents à dix-huit cents toises, la parcourt du nord au sud. Sur les hauteurs on éprouve, depuis juin jusqu'en septembre, un froid très-vif. On parle de volcans en activité dans sa partie septentrionale. Au dix-septième siècle, les Français avaient formé un établissement nommé le fort Dauphin, qu'ils ont ensuite abandonné.

À l'est de Madagascar on trouve l'île Bourbon occupée par les Français. Elle fut d'abord nommée Mascaregnas par les Portugais. Deux montagnes volcaniques, dont une est en activité, semblent composer toute sa surface. Elle produit du café excellent. On y cultive aussi le girofle et le froment.

L'Île de France, encore plus à l'est, a été cédée aux Anglais. Ils lui ont rendu le nom d'île Maurice qui lui avait été donné par les Hollandais, ses premiers habitans. Elle est montueuse et moins fertile que Bourbon.

L'île Diégo Rodriguez n'est habitée que par quelques familles. Elle fournit l'Île de France de tortues.

D'anciennes cartes indiquent à l'est et au sud de ces îles d'autres terres dont l'existence n'a pas été suffisamment constatée.

Les îles Saint-Paul et Saint-Pierre, dont la dernière a aussi pris le nom d'Amsterdam, offrent l'aspect de deux cratères de volcans placés au milieu de la mer. Celui de Saint-Paul jette encore du feu et de la fumée. Les navigateurs fréquentent quelquefois ces îles pour y chercher des phoques.

Dix degrés plus au sud on rencontre la terre de Kerguelen, que nous décrirons plus tard.

SECONDE PARTIE.
ASIE.

LIVRE PREMIER.
ÎLES DE LA MER DES INDES.

CHAPITRE PREMIER.

Voyages et infortunes de François Pyrard.

L'Émulation, source de tant de vertus et de grandes entreprises, paraît avoir été le premier sentiment qui porta des marchands de Bretagne à marcher sur les traces des Portugais et des Espagnols. Depuis près d'un siècle, l'Europe avait retenti des exploits de ces deux nations. Les Indes orientales étaient devenues leur proie, et l'on ne parlait qu'avec admiration des richesses qu'ils tiraient continuellement de ce fonds inépuisable, sans que les Français, leurs plus proches voisins, aspirassent encore à les partager. Une compagnie formée à Saint-Malo, à Laval, à Vitré, entreprit, suivant les termes de l'auteur[1], de sonder le gué et de chercher le chemin des Indes pour aller puiser à la source. Elle équipa, dans cette vue, deux navires, dont l'un de quatre cents tonneaux, nommé *le Croissant*, était sous la conduite de la Bardelière; l'autre, nommé *le Corbin*, de deux cents, sous celle de François Grout du Clos-Neuf. Pyrard, qui s'embarqua sur le second, ne s'attribue pas d'autre motif que le désir de voir des choses nouvelles et d'acquérir du bien. Ce désir lui coûta cher. Jamais voyage n'offrit une plus grande variété d'infortunes, et jamais le malheur ne parut s'attacher à un homme avec plus d'obstination.

On arriva le 17 novembre 1601 à Sainte-Hélène: cette île est au 16e. degré de latitude sud, à six cents lieues du cap de Bonne-Espérance. Son air et ses eaux, qui sont d'une pureté admirable, ses fruits et la chair de ses animaux rétablirent la santé de tous les malades. On partit pour s'avancer vers le cap de Bonne-Espérance. Trois jours après, on doubla les Abrolhos, qui sont des bancs et des écueils vers la côte du Brésil, auxquels les Portugais ont donné ce nom pour tenir les voyageurs en garde contre le danger. Ce nom signifie *ouvre les yeux*, conseil nécessaire à ceux qui seraient tentés de s'y engager, parce qu'il leur serait fort difficile d'en sortir.

On croyait s'avancer vers le cap de Bonne-Espérance, et l'on voyait déjà sur les flots cette espèce de roseaux qui sont joints dix ou douze ensemble par le pied, sans compter une multitude d'oiseaux blancs tachetés de noir, que les Portugais ont nommés *manches de velours*, et qui commencent à se montrer à cinquante ou soixante lieues du Cap, lorsque dans une nuit obscure, dont l'horreur était redoublée par la pluie et par un grand vent, *le Corbin* se trouva fort près de terre, et n'aurait pas évité de se briser centre des rochers qui s'avançaient dans la mer, si quelques matelots ne s'étaient aperçus du danger. On se hâta de reprendre le large, et d'avertir le général par un coup de canon. Le jour suivant fit remarquer qu'on avait passé le cap de Bonne-Espérance, et qu'on avait devant les yeux le cap des Aiguilles. Pyrard observe qu'il porte ce nom parce que, vis-à-vis le Cap, les aiguilles, ou compas de mer, demeurent fixes et regardent directement le nord, sans décliner vers l'est ni l'ouest, et qu'après l'avoir doublé, elles commencent à décliner au nord-ouest.

L'intention du général était de prendre sa route en dehors de l'île de Madagascar; mais l'ignorance de son pilote lui fit suivre d'abord la terre de Natal, qu'il eut le bonheur, à la vérité, de passer sans tempête, quoiqu'elles y soient très-fréquentes depuis le 33ᵉ. degré jusqu'au 28ᵉ.: mais, le 7 février 1602, s'étant aperçu qu'il s'était trompé, et voulant repasser la même côte pour aller en dehors de Madagascar, les deux vaisseaux éprouvèrent tout ce que les flots ont de plus redoutable dans cette mer. Une tempête, qui dura quatre jours, présenta mille fois à Pyrard toutes les horreurs de la mort; elle ne cessa que pour jeter les gens du *Corbin* dans une autre inquiétude; non-seulement ils avaient perdu de vue le général, mais, apercevant un grand mât qui flottait autour d'eux, ils ne doutèrent pas que ce ne fût celui du *Croissant*, et que ce malheureux vaisseau n'eût été submergé. Ils étaient épuisés de fatigue, et la plupart accablés de maladies. Grout du Clos-Neuf, leur capitaine, prit conseil pour savoir où aller, parce que son pilote, qui était Anglais, n'avait jamais fait le voyage des Indes. On le supplia d'aborder à la terre qui était le plus près. C'était l'île de Madagascar; mais cette entreprise même n'était pas sans danger, parce que dans tout l'équipage il n'y avait qu'un canonnier flamand qui eût quelques connaissances des côtes, et qu'on avait peu de confiance en ses lumières. À trente ou quarante lieues de l'île, la mer parut changer; elle était jaunâtre et fort écumeuse, couverte de châtaignes de mer, de cannes, de roseaux et d'autres herbes flottantes. Ce spectacle ne cessa point jusqu'au rivage; enfin on découvrit la terre le 18 février, et, le 19 au matin on jeta l'ancre dans la baie de Saint-Augustin. Pyrard met sa situation à vingt-trois degrés et demi au sud, sous le tropique du capricorne.

Vers le milieu du même jour on vit paraître un grand vaisseau, qui fut bientôt reconnu pour *le Croissant*. Il avait été beaucoup plus maltraité que *le Corbin*, et la plus grande partie de son équipage était malade. Pendant qu'on travaillait à réparer les vaisseaux, il ne fut pas difficile de lier connaissance avec les habitans de l'île et de se procurer des vivres. Après quelques incertitudes qui venaient de leur défiance, ils convinrent par divers signes de fournir toutes sortes de provisions pour de petits ciseaux, des couteaux et d'autres bagatelles, dont ils paraissaient faire beaucoup de cas. Ainsi l'on se trouva bientôt dans une grande abondance de bestiaux, de volaille, de lait, de miel et de fruits. Pour deux jetons, ou pour une cuillère de cuivre ou d'étain, on obtenait d'eux une vache ou un taureau; mais leur industrie n'allant pas jusqu'à châtrer les animaux, il ne fallait espérer d'eux ni bœufs ni moutons. Un grand bois qui bordait la rivière servait de promenade pendant le jour à ceux qui avaient la force de marcher. Ils trouvaient quantité de petits singes, un nombre surprenant de toutes sortes d'oiseaux, surtout des perroquets de divers plumages, et différentes espèces de fruits, dont quelques-uns étaient fort bons à manger. Malgré tous ces secours, on avait à combattre une chaleur si ardente, qu'avec des bas et des souliers on ne laissait pas d'avoir les jambes et les pieds brûlés; ce qui non-seulement empêchait de marcher, mais causait souvent des ulcères difficiles à guérir. Les mouches et d'autres insectes volans étaient une incommodité dont il fallait se défendre nuit et jour. D'un autre côté, les matelots, après avoir jeûné sur la mer, se livraient à leur appétit sans discrétion, et se remplissaient de viande, dont l'excès de la chaleur rendait la digestion difficile. Aussi, loin de se rétablir, la plupart furent attaqués d'une fièvre chaude qui les emportait dans l'espace de deux ou trois jours. Quarante-un Français moururent de leur intempérance ou du scorbut. Après six semaines de travail, les vaisseaux se trouvèrent en état de remettre à la voile.

On leva l'ancre le 15 mai, avec si peu de confiance sur l'état des deux vaisseaux, qu'au lieu de penser au terme du voyage, on se proposa de gagner les îles de Comorre, où les rafraîchissemens sont plus sains pour les malades. On les découvrit le 23, à douze degrés et demi d'élévation du sud, entre l'île de Madagascar et la terre ferme d'Afrique. Ces îles sont peuplées de différentes nations de la côte d'Éthiopie, de Cafres, de Mulâtres, d'Arabes et de Persans, qui font tous profession de la religion mahométane, et qui sont en commerce avec les Portugais de Mozambique, dont elles ne sont éloignées que d'environ soixante-dix lieues.

Grout du Clos-Neuf, capitaine du *Corbin*, ne s'était pas rétabli si parfaitement aux îles de Comorre, qu'il ne fût retombé dans une langueur dangereuse pour la sûreté de son vaisseau. Après avoir repassé la ligne, le 21 de juin, on eut un temps assez favorable jusqu'au 5ᵉ. degré du nord. Le 2 de juillet, on reconnut de fort loin de grands bancs qui entouraient quantité de petites îles. Le général et son pilote prirent ces îles pour celles de Diégo de Reys, quoiqu'on les eût laissées quatre-vingts lieues à l'ouest. En vain les gens du *Corbin* soutinrent que c'étaient les Maldives, et qu'il fallait s'armer de précaution. Cette dispute dura tout le jour; et l'opiniâtreté que le général eut dans son opinion lui fit négliger indiscrètement d'attendre de petites barques, qui venaient, comme on en fut informé depuis, pour lui servir de guides. Son intention était de passer par le nord des Maldives, entre la côte de l'Inde et la tête des îles; mais, en suivant ses ordres, on allait au contraire s'y engager avec une aveugle imprudence. Pour comble de témérité, chacun passa la nuit dans un profond sommeil, sans en excepter ceux mêmes qui devaient veiller pour les autres. Le maître et le contre-maître étaient ensevelis dans l'ivresse d'une longue débauche. Le feu qui éclaire ordinairement la boussole s'éteignit, parce que celui qui tenait le gouvernail eut aussi le malheur de s'endormir. Enfin tout le monde était dans un fatal assoupissement, lorsque le navire heurta deux fois avec beaucoup de force; et tandis qu'on s'éveillait au bruit, il toucha une troisième fois et se renversa sur le banc.

Quels furent les cris et les gémissemens d'une troupe de malheureux qui se voyaient échoués au milieu de la mer et dans les ténèbres, sur un rocher où la mort devait leur paraître inévitable! L'auteur représente les uns pleurant et criant de toute leur force, les autres en prière, et d'autres se confessant à leurs compagnons. Au lieu d'être secourus par leur chef, ils en avaient un qui ne faisait qu'augmenter leur pitié. Depuis un mois sa langueur le retenait au lit. La crainte de la mort le força néanmoins d'en sortir; mais ce fut pour pleurer avec les autres. Les plus hardis se hâtèrent de couper les mâts, dans la vue d'empêcher que le vaisseau ne se renversât davantage. On tira un coup de canon pour avertir *le Croissant* du malheur où l'on était tombé: tout le reste de la nuit se passa dans la crainte continuelle de couler à fond. La pointe du jour fit découvrir au-delà des bancs plusieurs îles voisines à cinq ou six lieues de distance, et *le Croissant*, qui passait à la vue des écueils sans pouvoir donner le moindre secours à ceux qu'il voyait périr. Cependant le navire tenait ferme sur le côté, et semblait promettre, dans cette situation, de résister quelque temps aux flots, parce que le banc était de pierre. Pyrard et ses compagnons conçurent l'espérance de sauver au moins leur vie. Ils entreprirent de faire une espèce de grande claie, ou de radeau, d'un grand nombre de pièces de bois sur lesquelles ils clouèrent plusieurs planches tirées de l'intérieur du navire. Cette machine était suffisante pour les contenir tous et pour sauver avec eux une partie du bagage et des marchandises. Chacun prit aussi ce qu'il put emporter de diverses sommes d'argent qui se trouvaient dans le vaisseau. On avait employé plus de la moitié du jour à tous ces soins; mais, lorsqu'on eut achevé la machine, il fut impossible de la passer au-delà des bancs pour la mettre à flot. Dans les mouvemens de ce nouveau désespoir, on aperçut une barque qui venait des îles et qui semblait s'avancer droit au vaisseau pour le reconnaître: elle s'arrêta malheureusement à la distance d'une demi-lieue; ce spectacle jeta tant d'amertume dans le cœur d'un matelot français, que, s'étant jeté à la nage, il alla au-devant d'elle, en suppliant par des cris et des signes ceux qui la conduisaient d'accorder leur assistance à de malheureux étrangers, dont ils ne pouvaient attendre qu'une reconnaissance égale à ce bienfait; mais leur voyant rejeter sa prière, il fut obligé de revenir avec beaucoup de peine et de danger. Pyrard apprit dans la suite qu'il était rigoureusement défendu à tous les insulaires d'approcher des navires qui faisaient naufrage, s'ils n'en avaient reçu l'ordre exprès du roi. Cependant plusieurs matelots, malgré la présence de la mort, ne laissaient pas de boire et de manger avec excès, sous prétexte qu'étant à l'extrémité de leur vie, ils aimaient mieux mourir à force de boire qu'en se noyant dans l'eau de la mer. Après s'être enivrés, ils se querellèrent avec d'affreux juremens. Quelques-uns pillèrent les coffres de ceux qu'ils voyaient en prière pour se disposer à la mort; et, ne reconnaissant plus l'autorité du capitaine, ils lui disaient qu'après avoir perdu leur voyage, ils n'étaient plus obligés de lui obéir. Enfin la crainte et la fatigue devant être comptées pour rien dans une si étrange situation, on se crut trop heureux, après avoir vu la mort sous mille formes, de venir échouer, avec un navire brisé, dans une des îles qui se nomment *Pouladou*.

Les habitans étaient assemblés sur le rivage. Quoique leur contenance n'annonçât rien de fâcheux, ils firent connaître par des signes qu'ils ne permettraient de descendre qu'à ceux qui se laisseraient désarmer. Il fallut s'abandonner à leur discrétion. On s'aperçut bientôt qu'on s'était trop hâté de prendre ce parti. L'île n'avait pas une lieue de tour, et le nombre des habitans n'était que de vingt-cinq. Il aurait été facile à des gens armés, qui étaient au nombre de quarante, de leur faire la loi, et de se saisir de leurs bateaux.

Les prisonniers (car l'auteur ne se donne plus d'autre nom) furent conduits dans une loge au milieu de l'île, où ils reçurent quelques rafraîchissemens de cocos et de limons. Un vieux seigneur, nommé Ibrahim ou Pouladou Quilague, qui était le maître de l'île et qui savait quelques mots portugais, leur fit diverses questions dans cette langue; après quoi ils furent fouillés par ses gens, qui leur ôtèrent tout ce qu'ils portaient, comme appartenant au roi des Maldives, depuis que leur navire était perdu sur ses côtes. Le capitaine avait sauvé une pièce d'écarlate. On lui demanda ce que c'était; il répondit que c'était un présent qu'il voulait faire au roi, et qu'il n'avait tiré cette pièce du vaisseau que pour l'offrir plus entière, dans la crainte qu'elle ne fût altérée par les flots. Cette déclaration inspira tant de respect aux insulaires, qu'ils n'osèrent y porter la main, ni même y jeter leurs regards. Le capitaine et ses compagnons résolurent néanmoins d'en couper deux ou trois aunes, et d'en faire présent au seigneur de l'île, pour lui inspirer quelques sentimens de bonté en leur faveur. Mais, apprenant bientôt qu'on voyait venir les officiers du roi, il rendit l'écarlate au capitaine, et le conjura de ne pas dire même qu'il y eût touché.

Quelques officiers, qui arrivèrent effectivement, prirent le maître du *Corbin* avec deux matelots, et les menèrent à quarante lieues de Pouladou, dans l'île de Malé, qui est la capitale de toutes les Maldives et le séjour ordinaire du roi. Le maître, ayant porté avec lui la pièce d'écarlate, et l'ayant présentée à ce prince, en reçut un traitement fort civil et fut logé dans le palais. Un prince, nommé Ranabandery Tacourou, beau-frère du roi, reçut ordre d'aller recueillir tous les débris du navire échoué. Il en tira non-seulement les marchandises, mais le canon même, et ce qu'il y avait de plus pesant. De là, passant dans l'île de Pouladou, il prit avec lui le capitaine français et cinq ou six de ses compagnons, qui furent fort bien reçus du roi. Ce monarque promit au capitaine de faire équiper une barque pour le conduire dans l'île de Sumatra, où *le Croissant* devait être arrivé. L'auteur doute s'il aurait tenu parole; mais le malheureux Grout du Clos-Neuf mourut six semaines après dans l'île de Malé.

Les autres captifs ayant été distribués dans plusieurs îles, Pyrard fut conduit avec deux de ses compagnons dans celle de Paindoué, qui n'a pas plus d'étendue que celle de Pouladou, et qui n'en est éloignée que d'une lieue. Il raconte ici que, dans le partage qui s'était fait de l'argent qu'on avait pu sauver du vaisseau, ceux qui s'en étaient chargés avaient mis leur fardeau dans des ceintures de toile qu'ils s'étaient liées autour du corps. L'usage de cet argent devait être pour les nécessités communes; et dès la première nuit on avait eu soin de l'enterrer de concert dans l'île de Pouladou pour le dérober à l'avidité des habitants. Pyrard et ses deux compagnons n'avaient pas eu le temps de reprendre leurs ceintures lorsqu'on leur avait fait quitter cette île; et comme on ignorait encore ce qu'ils avaient sauvé de leur naufrage, ils reçurent d'abord assez d'assistance dans celle de Pindoué. Mais les autres qui étaient demeurés à Pouladou, ne se trouvant pas dans l'abondance qu'ils auraient désirée, furent obligés de déterrer l'argent et de l'offrir pour obtenir des vivres. Aussitôt que les habitants leur connurent cette ressource, ils prirent le parti de ne plus leur accorder aucun secours qu'en payant; et le bruit s'en étant répandu dans les autres îles, ceux qui étaient partis, comme Pyrard, sans avoir pris leur ceinture, se trouvèrent réduits à la dernière nécessité. Il arriva même aux autres qu'ignorant l'usage des Indes, où l'argent de toute marque est reçu lorsqu'il est de bon aloi, et où il peut être coupé en petites parties qu'on donne au poids à mesure qu'on a besoin de l'employer, ils offraient leurs piastres aux insulaires, qui ne leur donnaient jamais de retour; de sorte qu'une marchandise du plus vil prix leur coûtant toujours une pièce d'argent, ceux qui en avaient le plus épuisèrent bientôt leur ceinture, et ne se virent pas moins exposés que les plus pauvres à toutes sortes de misères. Pyrard fait une triste peinture de la sienne. Il allait chercher sur le sable, avec ses compagnons, des limaçons de mer ou quelque poisson mort qui avait été jeté par les flots. Pour assaisonnement, ils les faisaient bouillir avec des herbes inconnues et de l'eau de mer qui leur tenait lieu de sel. Ce qui leur arrivait de plus heureux, était de trouver quelque citron dont ils y mêlaient le jus. Ils vécurent assez long-temps dans cette extrémité; mais les insulaires, reconnaissant enfin qu'ils étaient sans argent, recommencèrent à leur donner quelques marques de compassion. Ils les employèrent à la pêche et à d'autres ouvrages, pour lesquels ils leur offraient des cocos, du miel et du millet. Pour logement, Pyrard n'eut, pendant l'hiver du pays, qui est le mois de juillet et d'août, qu'une loge de bois qu'on avait dressée sur le bord du rivage pour y construire un bateau, couverte à la vérité par-dessus, mais tout ouvert par les côtés; de sorte qu'y étant exposé pendant toute la nuit aux vents, à la pluie qui est continuelle dans cette saison, et souvent aux flots mêmes de la mer, il ne dut la conservation de sa santé qu'à une faveur extraordinaire du ciel. Ses deux compagnons, que leur métier de matelots devait rendre moins sensibles à la fatigue, tombèrent dangereusement malades.

Pendant son travail, il s'efforçait de retenir quelques mots de la langue du pays. Ce soin, auquel il apportait toute son attention, le mit en état de se faire entendre. Le seigneur de l'île, qui se nommait Aly Pandio Atacourou, et qui avait épousé une parente du roi, conçut de l'affection pour lui, et prit plaisir à son entretien. C'était un homme d'esprit, et versé même dans les sciences, qui avait eu en partage les boussoles et les cartes marines du vaisseau. Comme elles ne ressemblaient point à celles du pays, la curiosité lui faisait souhaiter des explications. Il n'en avait pas moins pour se faire instruire des mœurs et des usages de l'Europe. Cette conversation hâta les progrès de Pyrard dans la langue, et lui en fit faire encore de plus utiles dans l'estime d'Aly Pandio. Il obtint des vivres et d'autres secours qui lui rendirent sa situation plus supportable.

Aly Pandio était parent d'Ibrahim, seigneur de Pouladou, et l'amitié, jointe aux liens du sang, le portait à lui rendre de fréquentes visites. Les compagnons de Pyrard, qui étaient restés dans l'île de Pouladou, mouraient les uns après les autres. Le capitaine, le premier commis, le contre-maître, et quantité de matelots étaient déjà morts. Le maître, qui, après avoir été conduit dans l'île de Malé, était revenu à Pouladou, voyant que depuis la mort du capitaine le roi ne parlait plus de la barque qu'il lui avait promis d'équiper pour l'île de Sumatra, forma l'entreprise de se sauver. Il ne communiqua son dessein qu'à douze de ses compagnons, qui se conduisirent avec tant d'adresse, qu'enfin ils surprirent la barque d'Aly Pandio dans une visite que ce seigneur rendit à Ibrahim. Ils se fournirent d'eau douce et de cocos, qu'ils avaient secrètement cachés dans un bois voisin, et s'embarquèrent en plein midi, c'est-à-dire dans le temps qu'on s'en défiait le moins. Cependant les insulaires s'en aperçurent bientôt; mais, n'ayant pas d'autres barques pour les poursuivre, ils tournèrent leurs ressentimens contre les infortunés qui restaient entre leurs mains, au nombre de huit, quatre sains, et quatre malades; ils les maltraitèrent avec tant de cruauté, que les malades en moururent, et furent jetés à la mer. Le lieutenant du vaisseau était de ce nombre.

Il s'était passé trois mois et demi depuis leur naufrage, lorsqu'on vit arriver dans l'île de Paindoué un des premiers seigneurs de la cour, chargé des ordres du roi pour achever de faire tirer du vaisseau tout ce qui pouvait y être demeuré, et pour faire une recherche exacte de l'argent que les insulaires de Pouladou avaient arraché de leurs captifs.

Pyrard, ayant été présenté à l'envoyé par Aly Pandio, eut le bonheur de lui plaire. Sa physionomie, qui était heureuse, le faisait prendre pour quelque seigneur de l'Europe. Cette opinion lui était si avantageuse, qu'il se gardait bien de détromper ses maîtres. Mais rien ne lui fut si utile que d'avoir appris la langue du pays. L'envoyé, charmé de son entretien, ne lui permettait pas un moment de le quitter. Il le mena dans une île éloignée de dix lieues, qui se nomme *Touladou*, où il avait alors une de ses femmes. Lorsqu'il partit pour retourner à la cour, non-seulement il le prit avec lui, mais il lui permit de se faire accompagner d'un des autres captifs, avec lequel il était lié d'une amitié particulière; et la considération qu'il eut pour lui s'étendit jusqu'à ses autres compagnons, qu'il daigna consoler par l'espérance d'un meilleur sort.

Le jour du départ, on relâcha vers le soir dans une petite île nommée *Maconodou*, parce que l'usage des Maldives est de ne jamais tenir la mer dans l'obscurité de la nuit. Le lendemain, étant arrivé à Malé, l'envoyé donna ordre à ses gens de conduire Pyrard dans son palais, et se rendit d'abord à la cour pour rendre compte au roi de sa commission. Ce prince, à qui il ne manqua pas de parler de son captif, eut aussitôt la curiosité de le voir. Pyrard fut appelé; mais on le fit attendre trois heures dans une salle du palais, et le soir on le fit entrer dans une cour, où le roi était occupé à voir ce qu'on avait apporté du navire. C'étaient des canons, des boulets, des armes, et divers instrumens de guerre et de marine, qui furent renfermés dans le magasin de l'île.

Pyrard, s'étant approché, fit son compliment au roi, non-seulement dans la langue, mais encore selon les usages du pays. Un spectacle si nouveau causa tant de satisfaction à ce monarque, que, prenant plaisir à s'entretenir avec lui, il lui demanda plusieurs explications sur quelques restes du navire dont il ne pouvait pas comprendre l'usage. Ensuite, lui ayant recommandé de se présenter tous les jours au palais avec les autres courtisans, il donna ordre à l'envoyé de lui procurer un logement commode, et de le bien traiter. Les jours suivants, Pyrard eut peine à répondre aux empressemens du roi, qui voulait être informé des mœurs et des usages de la France. Son étonnement parut extrême lorsqu'il eut appris la grande supériorité d'étendue et de force que la France a sur le Portugal. Il demanda pourquoi les Français avaient abandonné la conquête des Indes à d'autres nations de l'Europe, et comment les Portugais avaient la hardiesse de faire passer leur roi pour le plus puissant de tous les chrétiens. Pyrard fut présenté aux reines des Maldives, qui l'occupèrent pendant plusieurs jours à satisfaire aussi leur curiosité. Elles lui firent mille questions sur la figure, les habits, les mariages et le caractère des dames de France. Souvent elles le faisaient appeler sans la participation du roi, et ces entretiens ne finissaient pas.

De quinze ou seize captifs qui avaient été conduits avant lui dans cette île, il ne restait que deux Flamands; ce qui faisait le nombre de quatre, avec Pyrard et le compagnon qu'il avait amené; tous les autres étaient morts ou de maladie ou par de funestes accidens. Enfin des quarante qui étaient échappés à la fureur des flots il n'en restait que cinq dans les autres îles, et les quatre de Malé. Pyrard employa toute sa faveur pour obtenir du moins qu'ils fussent tous rassemblés dans la même île. Cette grâce lui fut accordée. Ils se trouvèrent ainsi au nombre de neuf, quatre Français et cinq Flamands, tous assez humainement traités du roi et des seigneurs.

Cependant l'abondance et la liberté dont Pyrard jouissait ne l'empêchèrent pas de tomber dans une fièvre ardente, qui est la plus dangereuse maladie du pays. Elle est connue dans toute l'Inde sous le nom de *maléons* ou *fièvre des Maldives*. Un étranger qui échappe à sa malignité passe pour naturalisé dans ces îles, et reçoit le nom de *Dive*, qui est celui des habitans. La fièvre ne l'eut pas plus tôt quitté, que ses jambes et ses cuisses s'enflèrent comme dans l'hydropisie. Ses yeux s'affaiblirent jusqu'à lui faire craindre de perdre entièrement la vue; il lui resta une opilation de rate qui lui rendait la respiration difficile, et dont il ne fut jamais délivré parfaitement pendant tout son séjour aux Maldives. Ce mal est commun parmi les habitans, qui le nomment *ont cori*. Les médecins et les remèdes ne manquaient pas à Pyrard; mais il n'en reçut aucun soulagement, jusqu'à ce que, ses jambes s'étant crevées, les eaux qui en causaient l'enflure s'évacuèrent d'elles-mêmes, et ses yeux reprirent leur ancienne force. Il se forma néanmoins dans ses jambes des ulcères si profonds et si douloureux, qu'il en perdit le sommeil: il passa quatre mois dans cette situation.

Le roi ne cessait de s'intéresser à la santé de Pyrard, et de le faire traiter avec beaucoup de soin. Il fit venir d'une petite île nommée *Bandou*, qui est à la vue de celle de Malé, un homme célèbre pour la guérison de cette maladie, par le conseil duquel Pyrard fut transporté dans cette île, où l'air est plus favorable aux malades. Son absence devint funeste à quatre des cinq Flamands qu'il laissait derrière lui. L'embarras de se trouver sans interprète, et le retranchement des secours qu'ils recevaient de lui, leur rendirent le séjour de Malé si insupportable, qu'ayant fait secrètement quelques provisions pour leur fuite, et s'étant saisis d'une petite barque destinée à la pêche, ils s'embarquèrent à l'entrée de la nuit. Malheureusement pour eux, il s'éleva une furieuse tempête qui brisa leur barque au milieu des bancs et des rochers. On en reconnut le lendemain quelques pièces qui firent juger que les quatre fugitifs avaient péri dans les flots. Deux jours après, le compagnon de Pyrard, qui était de Bretagne comme lui, et qui lui avait toujours rendu les devoirs d'une fidèle amitié, mourut d'une maladie dont il était affligé depuis long-temps. Sa douleur fut si vive, qu'elle retarda encore sa guérison de deux mois, surtout lorsqu'il eut appris que le roi faisait un crime aux autres de l'évasion des quatre Flamands, et le soupçonnait lui-même d'y avoir contribué par ses conseils. Les deux Français et le seul Flamand qui restaient à Malé furent examinés avec beaucoup de rigueur; et quoiqu'ils ne fussent pas reconnus coupables, on leur retrancha les provisions qu'ils recevaient de la cour, en leur permettant seulement de recevoir des vivres de la charité de ceux qui voudraient leur en donner. Pyrard, après son rétablissement, prit la résolution de demeurer dans l'île de Bandou pour y cacher sa tristesse et se mettre à couvert de la colère du roi; mais on lui conseilla de retourner à la cour, comme le seul moyen de se justifier. À son arrivée, il se présenta au palais, et le hasard lui ayant fait rencontrer le roi qui sortait dans une de ses cours, il eut la hardiesse de le saluer sans aucune marque d'embarras. Ce prince en tira une conclusion favorable pour son innocence; il lui demanda s'il était bien guéri; il voulut même s'en assurer en regardant les traces de ses plaies. Cependant, loin de lui rendre son ancienne faveur, il donna ordre qu'il fût traité comme ses compagnons; ce qui était d'autant plus humiliant, que, les plus grands seigneurs du royaume se croyant honorés de recevoir de la cour du riz et d'autres provisions, c'était une espèce d'infamie d'en être privé. Dans le cours de sa disgrâce, et lorsque ses amis lui représentaient, pour le consoler, non-seulement qu'elle ne serait pas de longue durée, mais qu'il ne devait pas cesser de se rendre au palais, suivant l'usage du pays, où les seigneurs disgraciés se présentent sans cesse au roi pour attendre qu'il recommence à leur parler, le bruit se répandit qu'il avait formé le dessein de prendre la fuite avec ses compagnons: il fut appelé au palais par les six principaux moscoulis ou officiers du roi, qui lui défendirent de fréquenter les trois autres captifs, et même de leur parler français. L'exécution de cet ordre étant fort difficile, parce qu'ils étaient logés les uns près des autres, on ne laissa pas de leur faire un crime de l'avoir violé, et deux des trois compagnons de Pyrard en portèrent la peine; ils furent conduits dans une île nommée *Souadou*, à quatre-vingts lieues de Malé, vers le sud: le troisième aurait eu le même sort, si les services qu'il rendait à quelques moscoulis, en qualité de tailleur et de trompette, ne les eussent portés à solliciter pour lui. Le roi fit à Pyrard des reproches fort vifs de sa désobéissance; mais ayant ajouté avec plus de douceur qu'il aurait été fâché d'apprendre qu'il se fût noyé comme les quatre Flamands, il lui donna occasion de se justifier avec tant de force, que cette aventure servit à le remettre en grâce. Il fut logé au palais et servi avec abondance. On lui donna un esclave pour les offices domestiques, une somme d'argent et diverses commodités. Il obtint bientôt le rappel des deux exilés, à l'occasion d'un ouvrage que l'un des deux, qui était Flamand, fit avec la seule pointe d'un couteau; c'était un petit navire à la manière de Flandre, qui n'avait qu'une coudée de longueur, mais auquel il ne manquait ni voiles, ni cordages, ni le moindre des ustensiles, comme dans un navire de cinq cents tonneaux. Le roi, charmé de son habileté, consentit à son retour, et fit grâce en sa faveur à son compagnon.

Pyrard passa quelques années dans une situation si douce, qu'il n'avait, dit-il, à regretter que l'exercice de sa religion. Il voyait tous les jours le roi qui le comblait de bienfaits; il était caressé des grands, et plusieurs d'entre eux lui portaient une sincère affection. Il acquit même quantité de cocotiers, qui sont une des richesses du pays; et trafiquant avec les navires étrangers que le commerce amenait souvent à Malé, il se trouva dans une véritable opulence. Les marchands avaient pris tant de confiance en sa bonne foi, qu'ils lui laissaient, dans leur absence, des marchandises à vendre pour leur retour. Il se conformait d'ailleurs aux usages et aux manières des habitans. Jamais personne n'avait dû les mieux connaître, et son dessein dans cette étude n'était pas moins de plaire à la nation que de se mettre en état de donner quelque jour une fidèle relation des Maldives, lorsqu'il plairait au ciel de lui accorder la liberté. C'est de cette relation que nous tirerons bientôt quelques détails sur ces îles.

Il y avait cinq ans qu'il était dans le pays, lorsque des pirates du Malabar, conduits par un pilote des Maldives qui connaissait parfaitement les passages, et qui s'était laissé corrompre par argent, vinrent piller Malé, en emportèrent toutes les richesses, tuèrent le roi, et emmenèrent ses femmes captives. Pyrard se trouva néanmoins dans une haute faveur auprès du général des pirates. La meilleure artillerie de l'île était celle qu'on avait sauvée du naufrage des Français. Les ennemis, charmés de se voir maîtres de ces belles pièces, mais fort embarrassés à les monter, apprirent de lui des méthodes qu'ils ignoraient. D'ailleurs, étant informés de la considération que le roi et toute la cour avaient eue pour lui, ils se flattaient d'en tirer diverses lumières pour la connaissance de ces îles.

Pyrard fut conduit vers le golfe de Bengale. En passant par la dernière des îles Maldives, qui se nomme *Oustimé*, les pirates y mouillèrent, parce que le roi qu'ils venaient de massacrer y était né; et faisant main-basse sur tous les habitans, ils y laissèrent d'horribles traces de leur barbarie. Ensuite ils employèrent trois jours pour gagner une petite île nommée *Malicut*, où ils jetèrent l'ancre pour s'y rafraîchir pendant deux jours. Cette île, qui n'a que quatre lieues de tour, est d'une fertilité admirable en millet, en cocos, en bananes, et en quantité d'autres fruits. La pêche y est excellente, et l'air beaucoup plus tempéré qu'aux Maldives. Le langage et les mœurs y sont les mêmes. Elle avait été soumise au même gouvernement; mais, le roi l'ayant donnée en partage à un de ses frères, elle était passée dans les mains d'une princesse qui relevait du roi de Cananor. Cette reine reçut Pyrard avec beaucoup de caresses. Elle l'avait vu plusieurs fois à la cour du roi des Maldives, dont elle était proche parente. Elle se fit raconter la fin tragique de cet infortuné monarque, et elle donna beaucoup de larmes à ce triste récit. Les pirates, ayant remis à la voile, s'avancèrent vers les îles de Divandurou, à trente lieues de Malicut, vers le nord. Elles sont au nombre de cinq, chacune d'environ sept lieues de tour, à quatre-vingts lieues de la côte de Malabar, et sous l'obéissance du roi de Cananor. Leurs habitans sont des mahométans malabares, la plupart fort riches par le trafic qu'ils font dans toutes les parties de l'Inde, surtout aux Maldives, d'où ils tirent quantité de marchandises, et où ils ont habituellement des facteurs. Les coutumes et le langage n'y sont pas différens de ceux de Cananor, de Cochin, de Calicut, et de toute la côte de Malabar. Le terroir y est fertile et l'air extrêmement sain. Ces îles sont comme un entrepôt pour toutes les marchandises de la Terre-Ferme, des Maldives et de Malicut. De là, tirant vers le sud, on alla doubler le cap de Galle, qui fait la pointe de l'île de Ceylan. Le nombre des baleines est si grand dans cette route, qu'elles mirent les galères en danger, et que les pirates furent obligés d'employer leurs tambours, leurs poêles et leurs chaudrons pour les éloigner par le bruit.

Après un mois de navigation, on arriva au port de Chartican, dans le royaume de Bengale, où Pyrard fut présenté au gouverneur de la province, qui prend le titre de roi, suivant l'usage de toutes ces contrées. Il se trouvait à Chartican un navire de Calicut, dont le maître assura Pyrard qu'on voyait souvent des navires hollandais à Calicut, et lui offrit cette voie pour retourner en France. Toutes les caresses du gouverneur ne l'empêchèrent pas d'accepter. Il partit, et rejoignit deux de ses compagnons dans la route.

Le séjour de Calicut fut d'environ huit mois. On était à la fin de février; les trois Français firent marché avec quelques matelots pour se faire transporter dans une almadie jusqu'au port de Cochin, qui n'est qu'à vingt lieues de Calicut. Mais ils reconnurent bientôt que leurs guides étaient des traîtres, et que leurs infortunes allaient recommencer. Pyrard était convenu avec eux de partir à la haute marée. Ils vinrent l'appeler vers minuit, et lui laissant le temps de faire ses derniers préparatifs avec ses compagnons, ils feignirent d'aller attendre dans le lieu où ils devaient s'embarquer. La lune était fort claire. Il se mit en chemin avec les deux autres Français. Chargés tous trois de leur bagage, et suivant le bord de la mer, ils marchèrent quelque temps sans obstacle; mais, lorsqu'ils furent proche de l'almadie, ils se virent environnés tout d'un coup de chrétiens du pays, amis des Portugais, qui s'étaient mis en embuscade pour les attendre, et qui fondirent sur eux en criant *mata, matao*, c'est-à-dire, *tue, tue*, et leur donnant même quelques coups pour augmenter leur frayeur. Pyrard s'écria qu'il était catholique, et les supplia de ne pas le tuer, du moins sans confession. Ils parurent peu sensibles à sa prière, et le traitèrent de luthérien. Ensuite l'ayant saisi au collet, lui et ses compagnons, ils leur lièrent étroitement les mains derrière le dos, et les menacèrent de la mort, s'ils ouvraient la bouche pour parler. Ils leur tinrent l'épée sur la gorge pendant plus d'une heure, pour se donner le temps de rendre compte aux facteurs portugais du succès de leur entreprise. Le chef de ces brigands était un métif de Cochin, nommé *Jean Furtado*, qui était depuis quelque temps à Calicut pour se faire restituer un navire que les corsaires voisins lui avaient enlevé. Aussitôt que son messager fut revenu, il fit dépouiller les trois Français de tout ce qu'ils avaient apporté, et les fit jeter nus et liés dans une almadie presque remplie d'eau, où ils s'imaginèrent d'abord qu'on voulait les noyer. Cependant il leur promit avec serment de ne leur faire aucun mal. L'almadie fut mise en mer. On s'avança jusqu'à la côte de Chaly, où l'on prit terre. Peu de temps après ils arrivèrent à Cochin.

Pendant qu'ils étaient dans leur barque, attendant le retour d'un des guides qui était allé porter au gouverneur la lettre de Furtado, ils admirèrent la foule du peuple que la curiosité amenait pour les voir. Chacun leur disait qu'ils seraient pendus le lendemain, et leur montrait une grande place à droite de la rivière en entrant dans la ville; on y voyait encore une potence où deux ou trois Hollandais avaient été accrochés depuis peu de temps. Ils n'avaient pour habits qu'une simple pièce de coton; car, en les congédiant, Furtado leur avait ôté ceux qu'il leur avait fait prendre à Chaly. Bientôt ils virent paraître un seigneur portugais, accompagné de sept ou huit esclaves armés de pertuisanes, qui les conduisit chez le gouverneur: ils y furent interrogés, et leurs réponses furent regardées comme autant d'impostures. Cependant la femme et les filles du gouverneur, qui obtinrent la liberté de les voir, et dont Pyrard admira la beauté, parurent touchées de quelque sentiment de compassion qui les aurait portées, dit-il, à leur faire du bien, si la crainte ne les eût arrêtées. Ils furent menés de là chez l'oydor de cidade, ou le juge criminel, pour être traités comme des voleurs; mais heureusement cet officier refusa d'être leur juge, parce qu'ils étaient prisonniers de guerre. Enfin le gouverneur les fit conduire dans la prison publique, pour attendre l'occasion de les envoyer à Goa devant le tribunal du vice-roi des Indes. C'est par ces traitemens atroces que les Portugais s'efforçaient d'épouvanter les négocians d'Europe que la curiosité ou l'intérêt pouvait attirer dans les Indes.

La prison de Cochin se nomme le *tronco*. C'est une grande et haute tour carrée, sous le toit de laquelle est un plancher, avec une espèce de trape qui ferme à clef, et par où l'on descend les prisonniers sur une planche soutenue par quatre cordes; on les retire de même. La profondeur de cette espèce de puits est de six à sept toises. Il n'a pas de porte par le bas, et ne reçoit de jour que par une grande fenêtre pratiquée dans le mur, qui est d'une brasse et demie d'épaisseur, et fermée par de gros barreaux de fer, au travers desquels on peut passer un pain de la grosseur de deux livres. C'est par cette ouverture que le geôlier fournit aux captifs, avec une sorte de pelle à long manche, ce qu'on juge à propos de leur accorder. La grille de fer est triple, c'est-à-dire qu'il y en a une en dedans, une en dehors, et une au milieu. Pyrard ne peut s'imaginer qu'il y ait de plus effroyable prison dans le reste du monde. Lorsqu'on l'eut fait monter au sommet de la tour avec ses compagnons, on écrivit leurs noms sur le registre commun. Ils observèrent que ce sommet était une autre prison; et leur espérance, pendant quelques momens, fut de n'être pas menés plus loin. Ils y trouvèrent un Hollandais qu'ils avaient vu aux Maldives, où il avait perdu son vaisseau, et qui avait été tiré depuis peu de la prison d'en bas, à l'occasion d'une violente maladie, et surtout à la recommandation des jésuites. Mais ils furent beaucoup plus surpris d'y voir un gentilhomme qui avait été à Marseille, et qui, parlant bien la langue française, leur demanda des nouvelles de M. le duc de Guise, au service duquel il avait été. Il leur fit présent d'une pièce d'or de la valeur d'une cruzade; enfin le geôlier les fit descendre dans la prison inférieure, qui contenait alors cent vingt ou cent trente prisonniers portugais, métifs, indiens chrétiens, mahométans et gentils. L'usage entre ces malheureux est de choisir parmi eux un ancien auquel ils obéissent. Chacun lui paie un droit d'entrée, dont il donne la moitié au geôlier, et sur lequel il est obligé d'entretenir une lampe devant une image de Notre-Dame. La messe se dit tous les jours de fête, du côté extérieur de la grille. Comme ce lieu est le plus sale et le plus infect qu'on puisse se représenter, on a besoin d'une force extraordinaire pour résister long-temps aux vapeurs empoisonnées qu'on y respire. La lampe qu'on y entretient allumée pendant toute la nuit s'éteint souvent faute d'air. On est forcé, par l'excès de la chaleur, d'être nu jour et nuit. À la vérité, quelques esclaves, payés par l'ancien, rafraîchissent l'air avec un grand éventail; mais le principal soulagement, sans lequel on périrait dès les premiers jours, vient d'une confrérie portugaise de la Miséricorde, qui donne tous les jours à chaque prisonnier chrétien une demi-tengue, c'est-à-dire la valeur de cinq sous, et aux autres, une fois le jour, du riz cuit et du poisson. On fournit aussi de l'eau pour se laver. Pyrard et ses deux compagnons n'eurent pas demeuré neuf à dix jours dans cet horrible cachot, qu'ils se trouvèrent le corps enflé et couvert de bubes fort douloureuses.

Quelques prisonniers portugais leur conseillèrent d'écrire aux pères jésuites du collége de Cochin. Le supérieur ne tarda pas à les venir visiter; et les ayant reconnus Français et catholiques, il entreprit d'obtenir leur liberté. Le gouverneur lui répondit qu'ayant déjà écrit au vice-roi, il n'en était plus le maître, mais que son dessein était de les envoyer à Goa, et que, dans l'intervalle, il consentait qu'ils fussent élargis, à condition que les jésuites s'obligeraient à les représenter. Ainsi, quittant leurs chaînes, ils furent assez bien traités jusqu'à leur départ; et l'usage que Pyrard fit de sa liberté fut pour observer ce qu'il y a de remarquable à Cochin.

Une flotte portugaise devait retourner à Goa, qui n'est qu'à cent lieues de Cochin, au nord. Pyrard ayant employé les jésuites pour obtenir d'y être embarqué avec ses compagnons, cette grâce leur fut accordée; mais le gouverneur de Cochin commença par leur remettre aux pieds des fers qui pesaient trente ou quarante livres, et les livra dans cet état au général. Pyrard eut le malheur d'être mis dans la galiote d'un capitaine barbare, qui se nommait *Pedro de Poderoso*, et qui, le prenant pour un Hollandais, le traita pendant toute sa navigation avec la dernière cruauté. D'autres incidens le jetèrent dans une dangereuse maladie, à laquelle il eût mille fois succombé, sans le secours d'un religieux dominicain, dont il reçut tous les bons offices de la charité. Les Portugais mouillèrent à Cananor, qui est éloigné de Cochin d'environ quarante lieues; et, ne s'y étant arrêtés que trois jours, ils arrivèrent à Goa au commencement de juin.

Tant d'infortunes et de maladies avaient réduit Pyrard et l'un de ses compagnons dans un si triste état, que, lorsqu'on voulut leur ôter leurs fers pour les conduire devant le général, il leur fut impossible de marcher: un reste d'humanité fit prendre le parti de les porter à l'hôpital du roi. On les y plaça d'abord à la porte, sur des siéges, pour attendre les officiers qui devaient leur en permettre l'entrée. Ils furent si frappés de la beauté de l'édifice, qu'ils le prirent moins pour un hôpital que pour un vaste palais. Cependant ils remarquèrent au-dessus de la porte l'inscription d'*hôpital du roi*, avec les armes de Castille et de Portugal, et une sphère. On les fit bientôt entrer dans un grand portique, où des médecins vinrent les visiter. De là ils furent transportés par un grand escalier de pierre, dans la chambre où ils devaient être traités; et le directeur général, qui était un jésuite, ordonna qu'on leur fournît promptement tout ce qui était convenable à leur situation.

Ce n'est pas sans raison que l'auteur s'attache à ces légères circonstances. Comme il ne croit pas qu'il y ait au monde un hôpital comparable à celui de Goa, il en donne une description dont il espère que l'utilité se fera sentir pour le bien public à toutes les nations où son ouvrage sera connu. Cet édifice est de fort grande étendue, et situé sur le bord de la rivière. C'est une fondation des rois de Portugal, avec un revenu de vingt-cinq mille pardos, qui valent, dit-il, chacun vingt sous de notre monnaie, et trente-deux du pays, mais fort augmenté par les libéralités de divers seigneurs. D'ailleurs le seul fonds royal est un revenu considérable dans un pays où les vivres sont à très-bon marché, et l'excellente administration des jésuites qui le gouvernent[2] sert encore à le multiplier de jour en jour. Ils envoient jusqu'à Cambaye, pour en faire apporter le froment et d'autres provisions. Les autres officiers sont des Portugais et des esclaves chrétiens. Il y a quantité de médecins, de chirurgiens et d'apothicaires, qui sont obligés, deux fois le jour, de visiter les malades; mais aussi le nombre en est fort grand, quoiqu'on n'y reçoive pas les Indiens, qui ont un hôpital à part; ni les femmes, qui sont aussi dans un bâtiment séparé. Lorsque Pyrard y fut admis, on en comptait quinze cents, tous Portugais, et la plupart soldats. Ils ont chacun leur lit, à deux pieds l'un de l'autre, composé de plusieurs matelas de coton et de taffetas. Les bois ont peu d'élévation, mais ils sont peints fort proprement de diverses couleurs. Chaque espèce de maladie a des chambres qui lui sont propres, et l'on n'y dresse des lits qu'à mesure qu'il y entre des malades. Tout le linge est de coton très-fin et fort blanc. On commence par raser le poil à ceux qui arrivent, dans toutes les parties du corps. On les lave soigneusement, après quoi rien n'est épargné pour les entretenir dans cette propreté. Le nombre des objets qu'on leur fournit forme un détail surprenant, et tout est changé de trois jours en trois jours. Les étrangers n'ont la liberté d'entrer dans l'hôpital que le matin, depuis huit heures jusqu'à onze, et l'après-midi depuis trois jusqu'à six. Il est permis aux malades de manger avec leurs amis; et quand les serviteurs s'aperçoivent qu'un ami vient les visiter, ils apportent quelque chose de plus qu'à l'ordinaire. Ils donnent du pain autant qu'on en demande. Les pains y sont petits, et l'on en porte trois ou quatre à un malade, quoique le plus souvent il n'en puisse manger qu'un. Ce qui est desservi ne se présente jamais une seconde fois. On ne donne jamais moins qu'un poulet entier, rôti ou bouilli, et chacun obtient ce qu'il demande, riz, excellens potages, œufs, poissons, confitures, et toute sorte de fruits, à moins que le médecin ne lui en ait interdit l'usage. Les plats et les assiettes sont de porcelaine de la Chine. Après le repas, un officier portugais demande tout haut dans chaque chambre si chacun a sa nourriture ordinaire, et s'il y a quelque sujet de plainte.

Les bâtimens sont d'une grande étendue. On y voit quantité de galeries, de portiques et d'agréables jardins, où les malades qui commencent à se rétablir ont la liberté d'aller respirer l'air. On leur fait changer de chambre à mesure qu'ils commencent à se porter mieux, et chacun est placé avec ceux qui sont au même degré de convalescence. Au milieu de l'hôpital est une grande cour, bien pavée, dont le centre est un bassin d'eau, où les malades vont quelquefois se baigner. Toutes les parties de l'édifice sont éclairées la nuit par un mélange de lampes, de lanternes et de chandelles. Au lieu de verre, les lanternes sont d'écailles d'huîtres, comme toutes les vitres des églises et des maisons Goa. Les galeries sont revêtues de fort belles peintures, dont les sujets sont tirés de l'histoire sainte. L'hôpital a deux églises éclatantes de richesses et d'ornemens. En un mot, l'air de grandeur, de propreté et d'abondance qui règne dans cette belle fondation forme un spectacle si magnifique, que le vice-roi, l'archevêque et les principaux seigneurs vont souvent s'y promener. Cet établissement fait honneur sans doute au gouvernement de Goa; mais ce n'est pas assez de son hôpital, fût-il encore plus beau, pour faire pardonner son inquisition.

Dans l'espace de vingt jours, Pyrard et son compagnon se trouvèrent si parfaitement rétablis, qu'osant se promettre tout de l'humanité de leurs hôtes, ils ne doutèrent pas que de si heureux commencemens ne fussent comme le prélude de leur liberté. On leur avait même envoyé le troisième Français, qui ne se louait pas moins des soins qu'on avait eus de sa santé, quoiqu'il ne fût malade que de fatigue. Ils se joignirent tous trois pour demander au directeur la permission de se retirer. Loin de paraître empressé à les satisfaire, le directeur employa pendant trois mois divers prétextes pour retarder leur départ. Il n'ignorait pas apparemment de quelle manière ils devaient être traités. Enfin, cédant à leurs instances, il leur dit de le suivre, puisqu'ils désiraient si ardemment de sortir. Il les mena dans un magasin où il leur fit donner des habits neufs, et à chacun un *pardo*, ou trente-deux sous du pays. Il les pressa de déjeuner, malgré l'impatience qu'ils avaient de le quitter; et, paraissant s'attendrir sur leur sort, il leur donna sa bénédiction. À peine se fut-il éloigné de leurs yeux, qu'ils se virent rudement saisis par deux sergens, accompagnés de leurs recors. On leur lia les mains, et, sans écouter leurs plaintes, on les conduisit dans une prison de la ville. Le geôlier et sa femme étaient métifs. Ayant appris que ces trois étrangers étaient Français et catholiques, ils les traitèrent avec assez de douceur; les prisons de Goa sont d'ailleurs moins rigoureuses et moins infectes que celles de Cochin.

L'ordonnance du roi de Portugal oblige de nourrir tous les prisonniers de guerre et les étrangers; mais une partie de l'argent qu'on leur destine est volée par les officiers. Cependant les confrères de la Miséricorde y suppléent généreusement. Pyrard se trouva moins misérable qu'il ne s'y était attendu. Après avoir passé un mois dans cette situation, il fut reconnu pour Français par un jésuite qui venait visiter les prisons; et, dans l'entretien qu'il eut avec lui, il apprit qu'il y avait au collége de Saint-Paul de Goa un jésuite français qui se nommait le père Étienne de la Croix. Il ne balança point à lui écrire, et dès le lendemain cet honnête missionnaire, étant venu à la prison, le consola non-seulement par ses exhortations, mais par le partage de sa bourse, et plus encore par la promesse de demander au vice-roi sa liberté et celle de ses compagnons. Il était de Rouen: son zèle se refroidit si peu, qu'il ne cessa pas d'importuner pendant l'espace d'un mois le vice-roi et l'archevêque. On lui répondit long-temps que les trois Français méritaient la mort; qu'ils étaient venus aux Indes contre l'intention de leur propre roi, et depuis la conclusion de la paix entre l'Espagne et la France. Le vice-roi paraissait résolu de les envoyer en Espagne pour y être jugés par le roi même; mais le jésuite mit tant d'ardeur dans ses instances, qu'il obtint enfin la liberté des trois prisonniers.

Ils se crurent sortis du tombeau. Cependant leur sort en revoyant la lumière fut d'être réduits à la qualité de soldats dans les troupes portugaises, et de vivre deux ans à Goa de la paie commune. Ils trouvaient, à la vérité, beaucoup de secours dans les maisons des seigneurs, où l'usage du pays n'est pas d'épargner les vivres; mais ils furent obligés de suivre leurs corps dans diverses expéditions, jusqu'à Diu et Cambaye, et du côté opposé, jusqu'au cap de Comorin et jusqu'à l'île de Ceylan. Ce fut dans les intervalles de ces courses que Pyrard s'attacha souvent à recueillir ce qu'il observait de plus remarquable dans la capitale des Indes portugaises. Il confesse néanmoins que, s'il lui était resté quelque espérance de revoir jamais sa patrie, il aurait apporté beaucoup plus de soin à ce travail; mais, depuis le jour de son naufrage, il avait vu si peu d'apparence à son retour, qu'il ne s'était jamais flatté sérieusement d'une si douce idée. D'ailleurs les Portugais sont si jaloux de tout ce qui appartient à leurs établissemens, que, s'ils eussent pu le soupçonner d'y porter un coup d'œil curieux, il devait s'attendre à périr misérablement dans les horreurs d'une éternelle prison. Divers exemples lui servaient de leçon. Il savait qu'ayant pris, vers la côte de Mélinde, la chaloupe d'un navire anglais dans laquelle ils avaient trouvé un matelot de cette nation la sonde à la main, ils avaient ôté la vie à ce malheureux par un cruel supplice. Ainsi, loin de chercher à leur faire prendre une haute idée de son esprit, il affectait d'en marquer peu, jusqu'à feindre de ne savoir lire ni écrire, et de ne pas entendre la langue portugaise. Il exécutait leurs ordres avec une soumission aveugle, et s'il découvrait quelques marques de haine ou de mauvaise disposition pour lui, il ne dormait tranquillement qu'après avoir obtenu par ses services l'amitié de ceux qu'il redoutait. Malgré toutes ces précautions, il lui est impossible, dit-il, d'exprimer les affronts, les injures et les opprobres qu'il essuya dans une si longue captivité.

Pendant son séjour à Goa, il apprit de quelques Anglais, qui avaient été faits prisonniers dans la rivière de Surate, que *le Croissant*, l'un des deux vaisseaux avec lesquels il était parti de Saint-Malo, avait mouillé dans l'île de Sainte-Hélène à son retour, et que, se trouvant en fort mauvais état, il avait tenté de surprendre un navire anglais qui avait relâché dans la même rade. Les Anglais, plus faibles d'hommes, se dérobèrent pendant la nuit. *Le Croissant*, qui faisait eau de toutes parts, ne put arriver en France et ne sauva ses marchandises que par un événement dont l'auteur fut informé dans un autre lieu. Il apprit aussi à Goa que le maître de son propre vaisseau et les onze matelots qui s'étaient échappés des Maldives étaient arrivés à Ceylan, pays de la dépendance des Portugais; mais que le maître y était mort de maladie avec quelques autres, et que, de ceux qui restaient, les uns s'étaient embarqués pour le Portugal, et les autres avaient pris parti dans les troupes de la même nation.

Le général, satisfait des services de Pyrard dans l'île de Ceylan, lui avait promis sa recommandation auprès du vice-roi pour lui faire obtenir la liberté de retourner en Europe au départ des caraques. Ses compagnons étant compris dans cette promesse, ils formaient tous trois les mêmes vœux pour l'heureuse navigation de la flotte, et le moindre vent qui pouvait l'éloigner de Goa leur causait de mortelles alarmes. Ils y arrivèrent enfin; mais, tandis qu'ils se repaissaient de leurs espérances, le vice-roi, sur quelques défiances qu'il conçut des étrangers qui se trouvaient dans la ville, fit arrêter tous ceux qui n'étaient pas venus aux Indes dans les navires de Portugal. Quelques Anglais arrivés nouvellement furent conduits les premiers dans une étroite prison, et les trois Français ne furent pas exempts du même sort. Il fallut encore avoir recours aux jésuites, qui recommencèrent leurs sollicitations à la cour du vice-roi. Pyrard nomme le P. Gaspar Aléman, qu'on honorait du titre de père des chrétiens; le P. Thomas Stevens, Anglais de nation; le P. Jean de Cènes, de Verdun; le P. Nicolas Trigault, de Douai; le P. Étienne de la Croix, de Rouen. Leur zèle fut si actif et si pressant, que dans l'espace de six semaines il fit ouvrir aux trois Français les portes de leur prison.

Avant la fin de l'hiver, on vit arriver au port de Goa quatre grandes caraques, chacune du port d'environ deux mille tonneaux. Quatre mois furent employés à les réparer. Elles furent équipées pour le retour, et chargées de poivre. Don Antoine Furtado de Mendoza, qui sortait de l'administration, en devait prendre le commandement jusqu'à Lisbonne. On était persuadé que ce seigneur, qui était malade depuis long-temps, avait été empoisonné par la main d'une femme: l'usage des poisons lents est commun dans les Indes. C'était néanmoins un des plus grands hommes que le Portugal eût employés dans la dignité de vice-roi. Il était venu fort jeune à Goa, et la fortune l'avait accompagné dans toutes ses guerres. Le roi d'Espagne ne l'avait rappelé que sur sa réputation, et par le désir de voir un sujet dont il avait reçu d'importans services. Aussi promettait-il au peuple, dont il était adoré, de revenir aux Indes lorsqu'il aurait satisfait aux ordres du roi; mais il n'acheva pas son voyage; la mort le surprit sur mer à la vue des îles Açores.

Le passe-port de Pyrard et de ses compagnons contenait seulement un ordre aux officiers de la quatrième caraque de les faire embarquer avec leur bagage, et de leur donner une certaine mesure d'eau et de biscuit, telle qu'elle est réglée pour les mariniers. Le roi fournissait toutes les commodités à ceux qui allaient aux Indes; mais il n'accordait que du biscuit et de l'eau à ceux qui en revenaient, dans la crainte que trop de facilité pour le retour ne fît perdre à quantité de Portugais l'envie d'y demeurer.

Pyrard observa d'abord avec étonnement la grandeur du navire. Il le compare à un château, non-seulement pour son étendue, mais encore par le nombre d'hommes qu'il portait, et par la quantité incroyable de ses marchandises. Il en était si chargé, qu'elles s'élevaient presqu'à la moitié du mât, et qu'il restait à peine des passages pour marcher. Quatre jours se passèrent avant qu'on mît à la voile. Dans cet intervalle, on n'entendit que le bruit des instrumens de musique, de la mousqueterie et du canon, d'une infinité de barques où les Portugais de la ville venaient dire adieu à leurs amis; d'autant plus qu'une flotte, qui allait faire la conquête de Coësme, entre Sofala et Mozambique, était prête alors à lever l'ancre. Le lendemain de l'embarquement, un officier, voyant Pyrard oisif tandis qu'on travaillait au navire, lui donna un soufflet et le traita de luthérien, avec menace de le jeter dans la mer, s'il ne se rendait pas plus utile au bien public. Cette leçon lui donna de l'ardeur pour le travail. En effet, d'environ huit cents personnes qui étaient sur la caraque, en y comprenant les esclaves et soixante femmes indiennes ou portugaises, il y en avait peu qui ne parussent empressées pour la sûreté commune.

En sortant de la barre de Goa, on aperçoit, à douze lieues vers le nord, des îles fort sèches et comme brûlées, que les Portugais nomment *islas quimadas*, écueils dangereux pour la navigation. C'est la première terre qu'on découvre en venant de Lisbonne à Goa. Lorsqu'on fut à la voile, Pyrard et ses compagnons, qui s'étaient attendus à être traités comme sur des vaisseaux français, furent extrêmement surpris de ne voir donner aux gens de l'équipage qu'une petite portion de pain et d'eau. Ayant compté jusqu'alors qu'on leur fournirait des vivres, ils n'avaient pris qu'une petite quantité de rafraîchissemens, qui ne leur devait pas durer plus de quatre jours. Ils se présentèrent au capitaine et à l'écrivain, et leur montrèrent leur passe-port, qu'ils n'avaient fait voir encore qu'aux gardes du navire en y entrant. Le capitaine parut étonné d'avoir trois Français sur son bord; mais il le fut beaucoup plus de trouver que le passe-port n'était pas dans la forme qui ordonne les vivres, quoique l'usage soit de nourrir aux dépens du roi ceux qui sont embarqués par ses ordres. Il plaignit les Français de n'avoir pas mieux pourvu à leurs besoins; et, s'emportant contre le vice-roi et les officiers, il les traita de voleurs, qui ne manqueraient pas de mettre sur leur compte la nourriture des trois étrangers comme s'ils l'avaient reçue. Il ajouta que le pain et l'eau qu'on leur donnerait pendant la route seraient une diminution de la portion des mariniers. Cependant leur situation inspira tant de pitié à tous ceux qui en furent informés, qu'elle leur attira du moins un traitement plus doux. Leur misère fut respectée; mais ils eurent beaucoup à souffrir du côté de la nourriture. On leur donnait par mois trente livres de biscuit et vingt-quatre pintes d'eau; et comme ils n'avaient pas de lieu fermé pour y garder cette provision, il arrivait souvent qu'on leur en dérobait quelques parties, surtout pendant la nuit; ils n'avaient pas même de quoi se mettre à couvert de la pluie. Une autre incommodité, qui n'était pas moins nuisible à leur repos qu'à leurs alimens, était la multitude d'une sorte d'insectes ailés, fort semblables aux hannetons, qui sont un tourment continuel dans le retour des Indes, et qu'on apporte de cette contrée. Ils jettent une puanteur insupportable lorsqu'on les écrase: ils mangent le biscuit, ils percent les coffres et les tonneaux; ce qui cause souvent la perte du vin et des autres liqueurs. La caraque était remplie de ces fâcheux animaux. Pyrard trouvait d'ailleurs le biscuit portugais de très-bon goût. Il est aussi blanc, dit-il, que notre pain de chapitre; aussi n'y emploie-t-on que le pain le plus blanc, qu'on coupe en quatre morceaux plats, et qu'on remet deux fois au feu pour le faire cuire. Tout le monde avait la même portion d'eau que les officiers du navire. L'épargne est recommandée sur cet article, parce que, les provisions générales ne devant durer que trois mois, on se trouve réduit à de terribles extrémités lorsque le voyage est beaucoup plus long. Quelques honnêtes gens invitaient quelquefois les trois Français à manger avec eux, ou leur envoyaient ce qui sortait de leur table; mais, les vivres étant salés, Pyrard ne mangeait qu'avec précaution, parce qu'avec si peu d'eau par jour, il craignait la soif dans les calmes et les grandes chaleurs qu'on souffrait continuellement.

Après neuf ou dix jours de navigation, l'alarme se répandit sur la caraque à la vue de trois vaisseaux qui allaient des côtes de l'Arabie vers les Maldives. On les prit pour des Hollandais, et la plupart des gens de l'équipage se souvenant d'avoir été maltraités par cette nation, le ressentiment et la crainte les faisaient déjà penser à tourner leur vengeance sur les trois Français, qu'ils regardaient comme les amis des Hollandais, ou que, dans leur prévention ordinaire, ils comprenaient avec eux sous le nom de *lutheranos*. Quelques-uns proposaient de les jeter dans la mer. Mais cette petite escadre ayant suivi tranquillement sa route, on jugea que c'étaient des Arabes qui allaient aux Maladives ou à Sumatra.

On passa la terre de Natal sans essuyer aucun outrage de la mer et des vents; mais les grandes afflictions étaient réservées au passage du Cap. Pyrard observe qu'on était parti trop tard de Goa. L'usage est de se mettre en mer à la fin de décembre ou au commencement de janvier, et ceux qui s'en écartent ne manquent pas d'être exposés à tout ce que la mer a de plus redoutable. Il serait inutile de s'étendre avec l'auteur sur tous les obstacles qui retinrent deux mois la caraque à la vue du cap de Bonne-Espérance, et qui la rendirent le jouet pitoyable des vents et des flots. Elle était si ouverte, que, dans un si long espace de temps, les deux pompes ne furent abandonnées ni nuit ni jour. Quoique tout le monde y travaillât, jusqu'au capitaine, on ne pouvait suffire à vider l'eau qui entrait de toutes parts. La grande vergue se rompit deux fois dans le milieu, et les voiles furent mises plusieurs fois en pièces. Trois matelots et deux esclaves furent emportés au loin dans la mer. Le péril devint si pressant, qu'on résolut de soulager le vaisseau en jetant toutes les marchandises; mais cette fatale nécessité fut l'occasion d'un autre désordre. Comme il fallait commencer par les coffres et les ballots qui s'offraient les premiers, il s'éleva une si furieuse querelle, qu'on en vint aux coups d'épée. Le capitaine, quoique appelé par d'autres soins, fut contraint d'employer tous ses efforts pour arrêter les plus furieux, et de leur faire mettre les fers aux pieds. Ce qui augmentait la douleur et les regrets, c'est qu'en arrivant à la vue du Cap, on n'aurait eu besoin du même vent que six heures de plus pour le doubler.

Dans cette extrémité qui paraissait sans remède, le capitaine ayant tenu conseil avec les gentilshommes et les marchands, tout le monde penchait à retourner aux Indes; d'autant plus qu'il était défendu par le roi d'Espagne de s'efforcer dans cette saison de doubler le cap de Bonne-Espérance; et qu'en supposant même qu'on y pût arriver, il était impossible à un bâtiment tel que la caraque d'y aborder et d'y prendre port; mais les pilotes combattirent cet avis, parce que la caraque n'était pas en état de recommencer une si longue route, sur tout ayant à repasser la terre de Natal, où il fallait s'attendre à de nouvelles tempêtes. On se trouvait assez près de la terre pendant le conseil. À peine fut-il fini, qu'on y fut pris d'un calme qui rendit les voiles inutiles pour se retirer au large. La caraque fut portée par l'agitation des flots ou la violence des courans dans une grande baie, dont il était impossible de sortir sans le secours du vent. Cependant on voyait sur les côtes un prodigieux nombre de sauvages qui paraissaient s'attendre à profiter des débris du vaisseau. Le capitaine exhortait déjà tout le monde à prendre les armes, et l'on était également occupé de la crainte de se briser contre la côte et de celle de tomber entre les mains de ces barbares; mais le ciel permit, dans ce danger, qu'il s'élevât un petit vent de terre qui sauva la caraque en la jetant hors de la baie.

Ce ne fut que le dernier jour de mai, après quantité d'autres infortunes, que le vent devint propre à doubler le Cap. Les pilotes reconnurent le lendemain qu'on l'avait passé, et la joie commença aussitôt à renaître dans l'équipage, avec l'espérance d'arriver heureusement à Lisbonne. Les Portugais ne s'y livrent jamais qu'après avoir passé le Cap, et se croient toujours menacés jusque-là de retourner sur leurs traces. On aborda le 5 juin dans l'île de Sainte-Hélène.

Cette île, qui n'a que cinq ou six lieues de circuit, est entourée de grands rochers contre lesquels la mer bat sans cesse avec furie, et qui retiennent dans leurs concavités l'eau que la chaleur du soleil épaissit et change en un fort beau sel. L'air y est pur et les eaux sont fort saines. Elles descendent des montagnes en plusieurs gros ruisseaux, qui n'ont pas beaucoup de chemin à faire pour se jeter dans la mer. On trouve, dans un si petit espace, des chèvres, des sangliers, des perdrix blanches et rouges, des ramiers, des poules d'Inde, des faisans et d'autres animaux; mais ce qu'il produit de plus utile à la navigation, est une quantité extraordinaire de citrons, d'oranges et de figues, qui, avec la pureté de l'air et la fraîcheur des eaux, servent de remèdes certains à ceux qui viennent y chercher du soulagement pour le scorbut. Pyrard est persuadé que l'île doit tous ces fruits, et même ces animaux, aux premiers Portugais qui la découvrirent. Ils y laissaient autrefois leurs malades, et les autres nations suivirent leur exemple; mais depuis neuf ans les Hollandais y avaient commis tant de ravage, qu'il ne fallait plus faire de fond sur les fruits. La nature y prenait soin de la rade, qui est bonne dans toutes les saisons, et si profonde que les caraques mêmes peuvent s'approcher jusqu'au rivage.

Avec quelque soin que la caraque eût été réparée, un nouvel accident fit douter si elle était capable d'achever le voyage. On avait levé une des deux ancres de devers la terre; mais lorsqu'on voulut lever la seconde, elle se trouva prise dans un gros câble qui était demeuré depuis long-temps au fond de la mer, et qui, la faisant couler à mesure qu'on s'efforçait de la tirer, fit approcher le navire fort près du rivage. Le capitaine, qui s'en aperçut, fit couper aussitôt le câble de l'ancre, et donna ordre qu'on mît à la voile. Malheureusement le vent changea tout à coup, et, venant de la mer, il poussa la caraque avec tant de violence, qu'elle demeura couchée l'espace de cinq heures avec fort peu d'eau. On vit même sortir quelques planches du fond; chacun se crut perdu. On ne balança point à décharger les eaux douces qu'on venait de prendre dans l'île, et les marchandises de moindre prix. On fit porter les ancres bien loin en mer, pour tirer le navire à force de bras. Enfin il recommença heureusement à flotter; mais il faisait beaucoup d'eau, et le capitaine jugeant, après un long travail, qu'on avait besoin de quelqu'un qui sût plonger, promit cent cruzades à celui qui rendrait un si important service. Un des compagnons de Pyrard, ancien charpentier du *Forbin*, fut le seul qui s'offrit, quoiqu'il doutât lui-même du succès, parce qu'il fallait demeurer très-long-temps sous l'eau, et visiter entièrement le dessous du navire. D'ailleurs il faisait assez froid, car le soleil était alors au tropique du cancer, ce qui est l'hiver de l'île. Cependant, excité par les promesses de tout le monde et par ses propres offres, il alla plusieurs fois sous le vaisseau, et rapporta même quelques planches brisées; mais il jugea que la quille n'était point endommagée, et son témoignage rassura le capitaine. On regretta de n'avoir pas connu plus tôt l'utilité qu'on pouvait tirer des Français, et leur situation devint plus douce. On fit une quête dans la caraque en faveur du charpentier, et le capitaine l'assura d'une grosse récompense, s'il voulait aller jusqu'en Portugal. Quoiqu'on eût employé dix jours à remédier à ce mal, on n'en prit pas moins la résolution d'aller se radouber au Brésil. Pyrard admire ici la bonté du ciel. Sans ce favorable accident, on aurait continué la navigation vers le Portugal, et la caraque ne pouvait manquer de périr. On s'aperçut, en la visitant, que le gouvernail ne tenait presque plus, et la moindre tempête l'aurait précipité dans les flots.

On commença le 8 d'août à découvrir la terre du Brésil, qui paraît blanche de loin comme des toiles tendues pour sécher, ou comme un grand amas de neige. Aussi les Portugais lui donnent-ils le nom de *Terres des linceuls*. Le 9, on jeta l'ancre à quatre lieues de la baie de Tous les Saints, où le pilote n'osa s'engager sans guide. Trois caravelles qui arrivèrent bientôt chargées de rafraîchissemens jetèrent la joie dans tout l'équipage. Il y était mort deux cent cinquante personnes depuis Goa, et tous les autres se ressentaient de la fatigue d'un voyage de six mois. On entra le 10 au matin dans la baie du côté du nord, où l'on voit une fort belle église et un couvent de l'ordre de saint Antoine. L'entrée de cette baie est large d'environ dix lieues. Dans son milieu il y a une petite île dont les deux côtés offrent un passage également sûr aux navires. Cependant, en approchant de la ville, il arriva, par un malheur d'autant plus étrange qu'on avait deux bons pilotes du pays, que la caraque toucha sur un banc de sable, et qu'elle s'y renversa. Les caravelles et les barques s'y présentèrent en grand nombre pour recevoir les hommes et les marchandises. Lorsque le bâtiment fut soulagé, il se remit à flot, et l'on alla mouiller sous le canon de la ville, qui se nomme *San-Salvador*. Le vice-roi dépêcha aussitôt une caravelle à Lisbonne pour donner avis de l'arrivée et du triste état de la caraque: elle fut jugée incapable de servir plus long-temps à la navigation, et tout le reste des marchandises fut déchargé.

Pyrard avait passé deux mois au Brésil, dans l'attente d'une occasion pour retourner en Europe, lorsque trois gentilshommes portugais, qui avaient conçu pour lui beaucoup d'affection, lui proposèrent de s'embarquer avec eux. C'était don Fernando de Sylva, qui avait été général de la flotte du nord à Goa, et deux de ses beaux-frères. Il accepta leurs offres, et le vaisseau était près de partir; mais le capitaine refusa de recevoir Pyrard, sous prétexte qu'ayant une fois porté un Français qui lui avait causé plus d'embarras que tout le reste de l'équipage, il avait fait serment de n'en jamais porter d'autre. Ce refus devint une faveur du ciel pour l'auteur. Il apprit, en arrivant à Lisbonne, que le navire de ce farouche capitaine portugais avait été pris par les corsaires. Ses regrets ne tombèrent que sur les trois gentilshommes auxquels il devait de la reconnaissance, et qui furent menés en Barbarie.

Deux Flamands, naturalisés Portugais, et liés par une société de commerce, dont l'un devait retourner à Lisbonne dans une hourque de deux cent cinquante tonneaux qui leur appartenait, s'estimèrent fort heureux de trouver Pyrard et ses deux camarades pour les servir dans ce voyage. On convint de part et d'autre que les trois Français ne paieraient rien pour leur passage, mais qu'ils travailleraient dans le vaisseau sans être payés. Ils regardèrent aussi comme un bonheur de pouvoir gagner leur passage et leur dépense par leur travail; car il en coûtait ordinairement plus de 120 liv. La hourque était chargée de sucre, bien fournie d'artillerie et d'autres armes, et le nombre des passagers d'environ soixante. Pyrard, ne pouvant éviter de descendre en Portugal, n'oublia pas de prendre un passe-port du vice-roi du Brésil.

On mit à la voile le 7 octobre, avec un vent si contraire, qu'on fut vingt-cinq jours à doubler le cap de Saint-Augustin, quoiqu'il ne soit qu'à cent lieues de San-Salvador; mais le reste de la navigation ayant été fort heureux, on découvrit dès le 15 janvier la terre de Portugal, qui se nomme *la Brelingue*, à huit lieues de Lisbonne, au nord. Le capitaine s'était proposé d'entrer dans le Tage; mais le vent devint contraire, et il fallut tourner vers les îles de Bayonne. La tempête fut bientôt si violente, qu'on employa cinq jours à gagner les îles. Le navire faisait eau de toutes parts, et le vent, qui était de mer, le jetait sans cesse vers la côte. Pyrard assure qu'il se fit plus de quinze cents écus de vœux. Le principal marchand en fit un de huit cents cruzades: la moitié pour marier une orpheline, et le reste pour donner une lampe à Notre-Dame. Il s'acquitta de ces deux engagemens aussitôt qu'il eut pris terre. C'est le caractère des Portugais, de penser plutôt à faire des vœux qu'à résister au danger par l'industrie et le travail. Depuis l'embouchure du Tage jusqu'aux îles, Pyrard se crut dix fois enseveli dans les flots. Il regarde ce danger comme le plus terrible qu'il eût essuyé depuis dix ans dans toutes ses courses.

Après avoir heureusement pris terre, il se souvint que pendant sa prison de Goa il avait promis au ciel que, si le cours de ses aventures le conduisait jamais en Espagne, il ferait le voyage de Saint-Jacques en Galice. Ses deux compagnons l'ayant quitté, il se rendit à Compostelle, dont il n'était éloigné que d'environ dix lieues. De là il prit le chemin de la Corogne, dans l'espérance d'y trouver l'occasion de retourner en France. Elle ne se présenta qu'à deux lieues de ce port, dans une petite rade où il s'embarqua sur une barque de la Rochelle, dont le maître, charmé du récit de ses aventures, lui accorda libéralement son passage. Il fut regardé avec admiration des principaux habitans de la Rochelle, et retenu quelques jours par leurs caresses; mais, n'aspirant qu'à revoir Laval, sa chère patrie, il y arriva le 16 février 1611.

CHAPITRE II.

Îles Maldives.

Ces îles, qui portent, parmi leurs habitans, le nom de *Malé-Raqué*, et qui sont nommées Maldives, et leurs peuples, Dives, par les autres peuples de l'Inde, commencent à 8 degrés de latitude nord, et finissent à 4 degrés du sud, ce qui fait en longueur une étendue d'environ deux cents lieues, quoiqu'elles n'en aient que trente ou trente-cinq de largeur. Leur distance de la terre ferme, c'est-à-dire du cap de Comorin, de Ceylan et de Cochin, est de cent cinquante lieues. Les Portugais comptent quatre mille cinq cents lieues depuis l'embouchure du Tage jusqu'aux bancs des Maldives.

Elles sont divisées en treize provinces qui se nomment *atollons*, division qui est l'ouvrage de la nature; car chaque atollon est séparé des autres, et contient quantité de petites îles. C'est un spectacle singulier que de voir chacun de ces atollons environné d'un grand banc de pierre. Ils sont presque ronds ou de figure ovale, ayant chacun environ trente lieues de tour, et s'entre-suivant du nord au sud sans se toucher; ils sont séparés par des canaux de plus ou moins de largeur. Du centre d'un atollon on voit autour de soi le banc de pierre qui l'environne, et qui défend les îles contre l'impétuosité de la mer. Les vagues s'y brisent avec tant de fureur, que le pilote le plus hardi n'en approche pas sans effroi. Les habitans assurent que le nombre des îles, dans les treize atollons, monte jusqu'à douze mille, et le roi de Maldives prend le titre de *sultan de treize provinces et de douze mille îles*: mais Pyrard s'imagine qu'il faut entendre par ce nombre une multitude qui ne peut être comptée, d'autant plus qu'une grande partie de ce qui porte le nom d'îles n'offre que de petites mottes de sable inhabitées, que les courans et les grandes marées rongent et emportent tous les jours. Il y a beaucoup d'apparence que toutes ces petites îles et la mer qui les sépare ne sont qu'un banc continuel, si l'on n'aime mieux penser que c'était anciennement une seule île que la violence des flots a coupée comme en pièces. Les canaux intérieurs sont tranquilles, et l'eau n'y a pas plus de vingt brasses dans sa plus grande profondeur. On voit presque partout le fond, qui est de pierre de roche et de sable blanc. Dans la basse marée, on passerait d'une île, et même d'un atollon à l'autre, sans être mouillé plus haut que la ceinture, et les habitans n'auraient pas besoin de bateaux pour se visiter, si deux raisons ne les obligeaient de s'en servir: l'une est la crainte des paimones, espèce de grands poissons qui brisent les jambes aux hommes et qui les dévorent; l'autre est le danger de se briser entre des rochers aigus et fort tranchans.

La plupart des îles sont entièrement désertes, et ne produisent que des arbres et de l'herbe. D'autres n'ont aucune verdure et sont de pur sable mouvant, dont une partie est sous l'eau dans les grandes marées. On y trouve dans tous les temps quantité de grosses crabes et d'écrevisses de mer, avec un si prodigieux nombre de pinguys, qu'on n'y peut mettre le pied sans écraser leurs œufs et leurs petits. Mais, quoique la chair de ces oiseaux soit fort bonne, les habitans n'en font aucun usage. Il n'y a d'eau douce que dans les îles habitées, non qu'elles aient aucune rivière, mais on y creuse facilement des puits, et l'eau se présente en abondance à trois au quatre pieds de profondeur. La nature n'en refuse pas jusqu'au bord de la mer et dans les lieux mêmes qu'elle inonde. Ces eaux sont froides le jour, particulièrement à midi, et la nuit fort chaudes.

Quoique les atollons soient séparés entre eux par des canaux, on n'en compte que quatre où les grands navires puissent passer, et le péril ne laisse pas d'y être extrême pour ceux qui n'en connaissent pas les écueils. Les habitans ont des cartes marines où les rochers et les basses sont exactement marqués. Ils se servent aussi de boussoles dans ces grands canaux. Le premier est au côté du nord, et ce fut à l'entrée que le vaisseau de Pyrard fit naufrage sur le banc de l'atollon de Malos-Madou. Le second est, entre Pouladou et Malé, d'environ sept lieues, et l'eau de la mer y paraît aussi noire que de l'encre, quoique puisée dans un vase, elle ne diffère pas de toute autre. On la voit continuellement bouillonner comme de l'eau qui serait sur le feu, et le mouvement des flots y étant ordinairement fort léger, ce spectacle cause une sorte d'horreur aux insulaires mêmes. Le troisième canal est au-delà de Malé, mais vers le sud. Le quatrième, qui est celui de Souadou, et qui n'a pas moins de vingt lieues de largeur, est directement sous la ligne. En général, le plus sûr de ces quatre passages a ses dangers; aussi s'efforce-t-on de fuir les Maldives lorsqu'on n'y est pas appelé nécessairement; mais elles sont si longues, et leur situation est telle, qu'il est difficile de les éviter, surtout dans les calmes et les vents contraires, où les navires, ne pouvant bien s'aider de leurs voiles, y sont entraînés par les courans.

À l'égard des canaux de chaque atollon, quoique la mer y soit toujours tranquille; les basses et les rochers y rendent la navigation si dangereuse, que les habitans mêmes ne s'y exposent jamais pendant la nuit. Le nombre des barques y est infini pendant le jour; mais l'usage est de prendre terre le soir; ce qui n'empêche pas que les naufrages n'y soient fréquens, malgré l'habileté des insulaires, qui sont peut-être la nation du monde la plus exercée aux fatigues de la mer. Les ouvertures des atollons ont peu de largeur, et chacune est bordée de deux îles qui pourraient être aisément fortifiées. La plus large de ces entrées n'a pas plus de deux cents pas. Le plus grand nombre en a trente ou quarante; et par une disposition admirable de la nature, chaque atollon a quatre ouvertures qui répondent presque directement à celles des atollons voisins; d'où il arrive qu'on peut entrer et sortir par les unes ou les autres de toutes sortes de vents, et malgré l'impétuosité ordinaire des courans.

La situation des Maldives étant si proche de la ligne, on doit juger que la chaleur y est excessive et l'air fort malsain. Cependant, comme le jour et la nuit y sont toujours égaux, la longueur des nuits y cause d'abondantes rosées qui les rendent très-fraîches; aussi les grandes îles ne manquent-elles ni d'herbe ni d'arbres, malgré l'ardeur du soleil. L'hiver commence au mois d'avril, et dure six mois; il est sans gelée, mais continuellement pluvieux; les vents sont alors d'une extrême impétuosité du côté de l'ouest. Au contraire, il ne pleut jamais pendant les six mois de l'été, et les vents sont de l'est.

Ceux qui cherchent l'origine des Maldivois dans l'île de Ceylan ne se fondent pas sur d'assez fortes raisons pour nous persuader que deux nations qui n'ont aucune ressemblance entre elles, quoique situées à peu près sous le même climat, puissent venir d'une source commune. Les insulaires de Ceylan sont noirs et mal formés; les Maldivois sont olivâtres et d'une si belle taille, qu'à l'exception de la couleur, ils diffèrent peu des Européens. Il y a plus d'apparence qu'ils viennent des côtes de l'Inde, quoiqu'ils en soient plus éloignés que de Ceylan; et l'on trouverait le fond d'une comparaison plus juste, non-seulement entre leur figure et celle des Indiens, mais même entre leur caractère et leurs usages, surtout dans ceux qui habitent depuis Malé jusqu'à la pointe du nord. Les Maldivois du sud ont plus de grossièreté dans leurs manières et dans leur langage; on y voit encore des femmes qui n'ont pas honte d'être nues, avec une seule petite toile dont elles se couvrent le milieu du corps; au lieu que du côté du nord les usages diffèrent peu de ceux des Indes, et la civilité n'y est pas moins établie. C'est là que toute la noblesse fait sa demeure, et que le roi lève ordinairement sa milice. Il est vrai qu'indépendamment de l'origine, on peut en apporter pour raison le commerce avec les étrangers, qui a toujours été plus fréquent dans cette partie, et le passage de tous les navires qui enrichit et civilise tout à la fois le pays. Mais en général le peuple des Maldives est spirituel, industrieux, porté à l'exercice des arts, capable même de s'instruire dans les sciences, dont il fait beaucoup de cas, surtout de l'astronomie, qu'il cultive soigneusement. Il est courageux, exercé aux armes, ami de l'ordre et de la police. Les femmes sont belles; et quoique le plus grand nombre soient de couleur olivâtre, il s'en trouve d'aussi blanches qu'en Europe.

Tous les habitans de l'un et de l'autre sexe ont les cheveux noirs, et regardent cette couleur comme une beauté. Les filles ne portent jusqu'à l'âge de huit ou neuf ans qu'un petit pagne qui met l'honnêteté à couvert; et les garçons ne commencent aussi à se vêtir qu'à l'âge de sept ans, c'est-à-dire après qu'ils ont été circoncis. L'habillement commun des Maldivois est une sorte de haut-de-chausse, ou de caleçon de toile, qui leur pend depuis la ceinture jusqu'au-dessous des genoux, et par-dessus lequel ils portent un pagne de soie ou d'autre étoffe ornée diversement, suivant les degrés du rang ou de la richesse; le reste du corps est nu. L'habit des femmes est fort différent de celui des hommes; elles portent de véritables robes d'une étoffe légère de soie ou de coton, et la bienséance établie les oblige de se couvrir soigneusement le sein. Il n'y a point de barbiers publics aux Maldives; chacun se fait le poil avec des rasoirs d'acier, ou des ciseaux de cuivre et de fonte. Quelques-uns se rendent mutuellement ce service. Le roi et les principaux seigneurs se font raser par des gens de qualité, qui se font un honneur de cette fonction sans en tirer aucun salaire. Mais leur superstition est extrême pour les rognures de leur poil et de leurs ongles; ils les enterrent dans leurs cimetières avec beaucoup de soin pour n'en rien perdre; c'est une partie d'eux-mêmes qui demande, disent-ils, la sépulture comme le corps. La plupart vont se raser à la porte des mosquées.

La langue commune des Maldives est particulière à ces îles, mais plus grossière et plus rude dans les atollons du sud, quoiqu'elle y soit la même. L'arabe s'apprend dès l'enfance comme le latin en Europe. Ceux qui ont des liaisons de commerce avec les étrangers parlent les langues de Cambaye, de Guzarate, de Malacca, et même le portugais.

L'île principale, qui se nomme *Malé*, et dont toutes les autres tirent leur nom, auquel on joint *dives*, qui signifie amas de petites îles, est à peu près au centre de cet archipel: son circuit est d'environ une lieue et demie. Le séjour du roi, qui y tient sa cour, y attire tant de monde, que c'est la plus peuplée comme la plus fertile; mais elle est aussi la plus malsaine. La raison que les insulaires en apportent, est qu'il s'élève des vapeurs malignes de la multitude des corps qu'on y enterre. Les eaux y sont aussi fort mauvaises. Le roi et les seigneurs s'en font apporter de quelques autres îles où l'on n'accorde la sépulture à personne. Dans toutes les Maldives, sans en excepter l'île de Malé, il n'y a pas de villes qui soient environnées de murs: chaque île habitée est remplie de maisons, dont les unes sont séparées par des rues, et les autres dispersées. Celles du peuple sont composées de bois de cocotier et couvertes de feuilles du même arbre, cousues en double les unes dans les autres. Les seigneurs et les riches marchands en font bâtir d'une sorte de pierre blanche et polie, mais un peu dure à scier, qui se trouve en abondance au fond des canaux, et qui devient tout-à-fait noire après avoir été long-temps mouillée de la pluie ou de toute autre eau douce. La méthode qu'on emploie pour la tirer mérite d'être observée. Il croît dans les îles une sorte d'arbre qui se nomme *candou*, de la grosseur du noyer, semblable au tremble par les feuilles, et aussi blanc, mais extrêmement mou: il ne porte aucun fruit, et n'est pas même propre à brûler. Lorsqu'il est sec, on le scie en planches qui sont aussi légères que le liége. Si on a quelques grosses pierres à tirer du fond de l'eau, on y attache un câble, ce que les insulaires font d'autant plus aisément, qu'ils savent tous plonger; ensuite ils prennent une planche de candou, qu'ils lient ou enfilent au câble fort près de la pierre: ils en mettent par-dessus une ou plusieurs autres, en un mot, autant qu'il en est besoin, jusqu'à ce que le bois, flottant au-dessus de l'eau, soulève la pierre, qu'ils conduisent alors très-facilement jusqu'au bord de leur île. Pyrard assure qu'ils tirèrent ainsi jusqu'à l'artillerie de son navire submergé. Les planches du même bois leur servent à faire des radeaux bordés pour la pêche, qu'ils nomment *candoupatis*. Une autre propriété de ce bois, est qu'il produit du feu en frottant une pièce contre une autre, et les habitans n'emploient pas d'autre fusil pour en allumer. À l'égard de la chaux qui sert à lier les pierres des édifices, ils la font, comme dans la plus grande partie des Indes, d'écailles et de coquilles qui se trouvent au bord de la mer.

La religion des Maldives est le pur mahométisme, avec toutes ses fêtes et ses cérémonies. Chaque île a ses temples et ses mosquées. Ceux qui ont fait le voyage de la Mecque et de Médine reçoivent des marques particulières d'honneur et de respect, quelque vile que soit leur naissance, et jouissent de divers priviléges. On les nomme *hadgis*[3], c'est-à-dire saints; et pour être reconnus, ils portent des pagnes de coton blanc et de petits bonnets ronds de la même couleur, avec une sorte de chapelet qui leur pend à la ceinture.

L'éducation des enfans est un des principaux objets de la législation dans toutes ces îles. Aussitôt qu'un enfant est né, on le lave dans de l'eau froide six fois le jour, après quoi on le frotte d'huile; et cette pratique s'observe long-temps. Les mères doivent nourrir leurs enfans de leur propre lait, sans en excepter les reines: on ne les enveloppe d'aucun lange. Ils sont couchés nus et libres dans de petits lits de corde suspendus en l'air, où ils sont bercés par des esclaves. Cependant on n'en voit pas de contrefaits, et dès l'âge de neuf mois ils commencent à marcher. Ils reçoivent la circoncision à sept ans; à neuf, on doit les appliquer aux études et aux exercices du pays. Ces études sont d'apprendre à lire et à écrire, et d'acquérir l'intelligence de l'Alcoran. On leur enseigne trois sortes de lettres; l'arabique, avec quelques lettres et quelques points qu'ils y ont ajoutés pour exprimer les mots de leur propre langue; une autre, dont le caractère est particulier à la langue des Maldives; et une troisième, qui est en usage dans l'île de Ceylan et dans la plus grande partie des Indes. Ils écrivent leurs leçons sur de petits tableaux de bois qui sont blanchis; et lorsqu'ils les savent par cœur, ils effacent ce qu'ils ont écrit, et reblanchissent leurs tableaux. Ce qui doit durer est écrit sur une sorte de parchemin, composé des feuilles d'un arbre qui se nomme *macarequeau*: ces feuilles ont une brasse et demie de long sur un pied de large. Ils en font des livres qui résistent mieux au temps que les nôtres. Pour épargner le parchemin en montrant à écrire aux enfans, ils ont des planches de bois fort polies, sur lesquelles ils étendent du sable pour y former des lettres qu'ils font imiter à leurs élèves, et qu'ils effacent à mesure qu'elles ont été copiées. Quoique le temps des études soit borné, il se trouve parmi eux quantité de particuliers qui les continuent, surtout celle de l'Alcoran et des cérémonies de leur religion. Les mathématiques ne sont pas moins cultivées. Ils s'attachent principalement à l'astrologie; et leur superstition va si loin en ce genre, qu'ils n'entreprennent rien sans avoir consulté leurs astrologues. Le roi entretient à sa cour un grand nombre de ces mathématiciens, et se conduit souvent par leurs lumières, ou plutôt par leurs rêveries.

Le gouvernement de l'état des Maldives est royal et fort ancien; mais, quoique l'autorité du roi soit absolue, elle est exercée généralement par les prêtres. La division naturelle des treize atollons forme celle du gouvernement. On en a fait treize provinces, dont chacune a son chef qui porte le titre de *naïbe*. Ces naïbes sont des docteurs de la loi qui ont l'intendance de tout ce qui appartient et à la religion et à l'exercice de la justice. Chaque île, excepté celles qui contiennent moins de quarante et un habitans, est gouvernée par un autre docteur qui se nomme catibe, et qui a sous lui les prêtres particuliers des mosquées. Leurs revenus consistent dans une sorte de dîme qu'ils lèvent sur les fruits, et dans certaines rentes qu'ils reçoivent du roi suivant leur degré; mais l'administration principale est entre les mains des naïbes. Ils sont les seuls juges civils et criminels. Leur emploi les oblige de faire quatre fois l'année la visite de leur atollon. Ils ont néanmoins un supérieur qui fait sa résidence continuelle dans l'île de Malé, et qui ne s'éloigne jamais de la personne du roi. Il est distingué par le titre de pandiare. C'est tout à la fois le chef de la religion et le juge souverain du royaume. On appelle à son tribunal de la sentence des naïbes. Cependant il ne peut porter de jugement dans les affaires importantes sans être assisté de trois ou quatre graves personnages, qui se nomment *mocouris*, et qui savent l'Alcoran par cœur. Ces mocouris sont au nombre de quinze, et forment son conseil. Le roi seul a le pouvoir de réformer les jugemens de ce tribunal: lorsqu'on lui en fait quelques plaintes, il examine le cas avec six de ses principaux officiers, qui se nomment *moscoulis*, et la décision est exécutée sur-le-champ. Les parties plaident elles-mêmes leur cause: s'il est question d'un fait, on produit trois témoins, sans quoi l'accusé est cru sur le serment qu'il prête en touchant de la main le livre de la loi. Il est rigoureusement défendu au juge d'accepter le moindre salaire, même à titre de présent; mais ses sergens, qui se nomment *devanits*, ont droit de prendre la douzième partie des biens contestés. Un esclave ne peut servir de témoin devant les tribunaux de justice, et le témoignage de trois femmes, n'est compté que pour celui d'un homme.

Les esclaves sont ceux qui se vendent volontairement, ou ceux que la loi réduit à cette condition pour n'avoir pu payer leurs dettes, ou des étrangers amenés et vendus en cette qualité. Le naufrage ne donne aucun droit aux insulaires sur la liberté des étrangers. Malgré l'humanité de cette loi, le sort des esclaves est fort dur aux Maldives; ils ne peuvent prendre qu'une femme, quoique toutes les personnes libres puissent en avoir trois. Ceux qui les maltraitent ne reçoivent que la moitié du châtiment que les lois imposent pour avoir maltraité une personne libre. L'unique salaire de leurs services est leur nourriture et leur entretien. Ceux qui deviennent esclaves de leurs créanciers ne peuvent être vendus pour servir d'autres maîtres: mais, après leur mort, le créancier se saisit de tout ce qu'ils peuvent avoir acquis; et s'il reste à payer quelque chose de la dette, les enfans continuent d'être esclaves, jusqu'à ce qu'elle soit entièrement acquittée.

À l'égard des crimes, il faut que l'offensé se plaigne pour s'attirer l'attention de la justice, et qu'ils soient dénoncés formellement pour être punis. Si les enfans sont en bas âge lorsque leur père est tué par quelque meurtrier, on attend qu'ils aient atteint l'âge de seize ans pour savoir d'eux-mêmes s'ils veulent être vengés par la justice. Dans l'intervalle, celui qui est connu pour l'auteur du meurtre est condamné seulement à les nourrir et à leur faire apprendre quelque métier. Lorsqu'ils arrivent à l'âge réglé, il dépend d'eux, ou de demander justice, ou de pardonner au coupable, sans que dans la suite il puisse être recherché. Les peines ordinaires sont le bannissement dans quelqu'île déserte du sud, la mutilation de quelque membre, ou le fouet, qui est le châtiment le plus commun et le plus cruel: le plus souvent on en meurt. C'est le supplice ordinaire des grands crimes, tels que la sodomie, l'inceste et l'adultère. On coupe le doigt aux voleurs, lorsque le vol est considérable.

La nation est distinguée en quatre ordres, dont le premier comprend le roi et tout ce qui lui touche par le sang, les princes des anciennes races royales et les grands seigneurs. Le second ordre est celui des dignités et des offices, que le roi seul a le pouvoir de distribuer, et dans lesquels les rangs sont fort soigneusement observés. Le troisième est celui de la noblesse, et le quatrième celui du peuple. Comme la noblesse ne doit ses distinctions qu'à la naissance, c'est par elle qu'il est naturel de commencer. Outre les nobles d'ancienne race, dont quelques-uns font remonter leur origine jusqu'aux temps fabuleux, le roi est toujours libre d'anoblir ceux qu'il veut honorer de cette faveur. Il accorde des lettres, dont la publication se fait dans l'île de Malé au son d'une sorte de cloche, qui est une plaque de cuivre sur laquelle on frappe avec un marteau. Le nombre des nobles est fort grand. Ils sont répandus dans toutes les îles. Les personnes du peuple, sans en excepter les plus riches marchands, qui n'ont pas obtenu la noblesse, ne peuvent s'asseoir avec un noble, ni même en sa présence, lorsqu'il se tient debout. Ils doivent s'arrêter lorsqu'ils le voient paraître, le laisser passer devant eux; et s'ils étaient chargés de quelque fardeau, ils sont obligés de le mettre bas. Les femmes nobles, quoique mariées avec un homme du peuple, ne perdent pas leur rang, et communiquent la noblesse à leurs enfans. Celles de l'ordre populaire qui épousent un homme noble, ne sont pas anoblies par leur mariage, quoique les enfans qui viennent d'elles participent à la noblesse de leur père. Ainsi chacun demeure dans l'ordre où il est né; et n'en peut sortir que par la volonté du souverain.

L'honneur du pays consiste à manger du riz accordé par le roi. Les nobles mêmes obtiennent peu de considération lorsqu'ils ne joignent pas cet avantage à celui de la naissance. Tous les soldats en jouissent, surtout ceux de la garde du roi, qui sont au nombre de six cents, divisés en six compagnies, sous le commandement de six moscoulis. Le roi entretient habituellement dix autres compagnies, commandées par les plus grands seigneurs du royaume, mais qui ne le suivent qu'à la guerre, et qui sont employées à l'exécution de ses ordres. Leurs priviléges sont fort distingués. Ils portent leurs cheveux longs. Ils ont au doigt un gros anneau, pour les aider à tirer de l'arc, ce qui n'est permis qu'à eux. Outre le riz du roi, on assigne pour leur subsistance diverses petites îles, et certains droits sur les passages. La plupart des riches insulaires s'efforcent d'entrer dans ces deux corps; mais cette faveur ne s'accorde qu'avec la permission du roi, et se paie assez cher, comme la plupart des emplois civils et militaires.

Dans les quatre ordres il y a divers usages communs, auxquels les grands et les petits sont également attachés. Ils ne mangent jamais qu'avec leurs égaux en richesse comme en naissance ou en dignité; et comme il n'y a point de règle bien sûre pour établir cette égalité dans chaque ordre, il arrive de là qu'ils mangent bien rarement ensemble. Ceux qui veulent traiter leurs amis font préparer chez eux un service de plusieurs mets, qu'on arrange proprement sur une table ronde couverte de taffetas, et renvoient chez celui qu'ils veulent traiter. Cette galanterie est reçue comme une grande marque d'honneur. Lorsqu'ils mangent en particulier, ils seraient fâchés d'être vus; et se retirant dans leurs appartemens les plus intérieurs, ils abaissent toutes les toiles et les tapisseries qui sont autour d'eux. Leur table est le plancher d'une chambre, couvert à la vérité d'une natte fort propre, sur laquelle ils sont assis les pieds croisés. Ils ne se servent pas de linge: mais, pour conserver leur natte, ils emploient de grandes feuilles de bananier, qui tiennent lieu de nappes et de serviettes. Cependant leur propreté va si loin, qu'il ne leur arrive jamais de rien répandre. La vaisselle est une sorte de faïence qui leur vient de Cambaye, ou de la porcelaine qu'ils tirent de la Chine, et qui est fort commune dans toutes les conditions: mais on ne leur sert jamais un plat de porcelaine ou de terre qui ne soit dans une boîte ronde d'un assez beau vernis de leurs îles, avec son couvercle de la même matière; et cette boîte, toute fermée qu'elle est, ne se présente point sans être couverte encore d'une pièce de soie de même grandeur. Les plus pauvres ont l'usage de ces boîtes, non-seulement parce qu'elles coûtent fort peu, mais beaucoup plus à cause des fourmis, dont le nombre est si étrange, qu'il s'en trouve partout, et qu'il est difficile d'en préserver les alimens. La vaisselle d'or ou d'argent est défendue par la loi, quoique la plupart des grands seigneurs soient assez riches pour en user. Ils se servent de cuillères pour les choses liquides, mais ils prennent tout le reste avec les doigts. Leurs repas sont fort courts, et se passent sans qu'on leur entende prononcer un seul mot. Ils ne boivent qu'une fois après s'être rassasiés. La boisson la plus commune est de l'eau ou du vin de coco tiré le même jour. L'usage du bétel et de l'arec est aussi commun aux Maldives que dans le reste des Indes. Chacun en porte sa provision dans les replis de sa ceinture. On s'en présente mutuellement lorsqu'on se rencontre. Les grands et les petits ont les dents rouges à force d'en mâcher, et cette rougeur passe pour une beauté dans toute la nation. Dans leurs bains, qui sont fort fréquens, ils se nettoient les dents avec des soins particuliers, afin que la couleur du bétel y prenne mieux.

Leur médecine consiste plus dans des pratiques superstitieuses que dans aucune méthode. Cependant ils ont divers remèdes naturels, dont les Européens usent quelquefois avec succès. Pour le mal d'yeux, auquel ils sont fort sujets, après avoir été long-temps au soleil, ils font cuire le foie d'un coq et l'avalent. Pyrard et ses compagnons, attaqués du même mal, suivirent leur exemple, mais sans vouloir souffrir l'application des caractères et des charmes que les insulaires joignent à ce remède. Ils en reconnurent sensiblement la vertu. Pour l'opilation de la rate, maladie commune qu'on attribue à la mauvaise qualité de l'air, et qui est accompagnée d'une enflure très-douloureuse, ils appliquent un bouton de feu sur la partie enflée, et mettent sur la plaie du coton trempé dans de l'huile. Pyrard ne put se résoudre à faire usage de ce remède, quoiqu'il en reconnût la bonté par l'expérience d'autrui; mais il se guérit des ulcères qui lui étaient venus aux jambes en y appliquant des lames de cuivre, à l'exemple des insulaires. Ils ont aussi des simples et des drogues d'une vertu éprouvée, surtout pour les blessures. L'application s'en fait en onguent, dont ils frottent les parties affligées sans aucun bandage. Ils guérissent la maladie vénérienne avec la décoction d'un bois qu'ils tirent de la Chine; et ce qui doit nous paraître aussi surprenant qu'à Pyrard, ils prétendent que cette maladie leur est venue de l'Europe, et l'appellent *frangui haescour*, c'est-à-dire, *mal français*, ou *des Francs*. Outre une espèce de fièvre, si commune et si dangereuse dans toutes leurs îles, qu'elle est connue par toute l'Inde sous le nom *de fièvre des Maldives*, de dix en dix ans, il s'y répand une sorte de petite-vérole dont la contagion les force de s'abandonner les uns les autres, et qui emporte toujours un grand nombre d'habitans. Tels sont les présens de la zone torride.

Le déréglement de leurs mœurs ne contribue pas moins que les qualités du climat à ruiner leur santé et leur constitution. Les hommes et les femmes sont d'une lasciveté surprenante. Malgré la sévérité des lois, on n'entend parler que d'adultères, d'incestes et de sodomie. La simple fornication n'est condamnée par aucune loi, et les femmes qui ne sont pas mariées s'y abandonnent aussi librement que les hommes. Elles sortent rarement le jour. Toutes leurs visites se font la nuit, avec un homme qu'elles doivent toujours avoir à leur suite, ou pour les accompagner. Jamais on ne frappe à la porte d'une maison. On n'appelle pas même pour la faire ouvrir. La grande porte est toujours ouverte pendant la nuit. On entre jusqu'à celle du logis, qui n'est fermée que d'une tapisserie de toile de coton, et toussant pour unique signe, on est entendu des habitans, qui se présentent aussitôt et reçoivent ceux qui demandent à les voir.

Les appartemens intérieurs du palais sont ornés des plus belles tapisseries de la Chine, de Bengale et de Masulipatan. L'or et la soie y éclatent de toutes parts avec une diversité admirable dans les couleurs et dans l'ouvrage. Les Maldives ont aussi leurs manufactures de tapisseries et d'étoffes, mais la plupart de coton, pour l'usage du peuple. Les lits du roi, comme ceux de ses principaux sujets, sont suspendus en l'air par quatre cordes à une barre de bois qui est soutenue par deux piliers. Les coussins et les draps sont de soie et de coton, suivant l'usage général de l'Inde. On donne cette forme aux lits, parce que l'usage des seigneurs et des personnes riches est de se faire bercer, comme un remède ou préservatif pour le mal de rate dont la plupart sont attaqués. Les gens du commun couchent sur des matelas de coton posés sur des ais montés sur quatre piliers.

Lorsque le roi sort accompagné de sa garde, on soutient sur sa tête un parasol blanc, qui est aux Maldives la principale marque de la majesté royale. Le roi a un droit exclusif sur tout ce que la mer jette au rivage, soit par le naufrage des étrangers, soit par le cours naturel des flots, qui amènent au bord des îles quantité d'ambre gris et de corail, surtout une sorte de gros cocos que les Maldivois nomment *tavarcarré*, et les Portugais *coco des Maldives*. Pyrard ne nous en apprend pas l'origine; mais ses vertus sont vantées par les médecins, et il le représente aussi gros que la tête d'un homme; il s'achète à grand prix. Lorsqu'un Maldivois fait fortune, on dit en proverbe qu'il a trouvé de l'ambre gris ou du tavarcarré, pour faire entendre qu'il a découvert quelque trésor.

La monnaie des Maldives est d'argent, et ne consiste qu'en une seule espèce, qui se bat dans l'île de Malé, et qui porte le nom du roi en caractères arabesques. Ce sont des pièces qu'on nomme *larins*, de la valeur d'environ huit sous de France. Au lieu de petite monnaie, on se sert de bolys, petites coquilles qui sont une des richesses de ces îles. Elles ne sont guère plus grosses que le bout du petit doigt; leur couleur est blanche et luisante. La pêche s'en fait deux fois chaque mois, trois jours avant la nouvelle lune et trois jours après. On laisse ce soin aux femmes, qui se mettent dans l'eau jusqu'à la ceinture pour les ramasser dans le sable de la mer. Il en sort tous les ans des Maldives la charge de trente ou quarante navires, dont la plus grande partie se transporte dans le Bengale, où l'abondance de l'or, de l'argent et des autres métaux, n'empêche pas qu'elles ne servent de monnaie commune. Les rois mêmes et les seigneurs font bâtir exprès des lieux où ils conservent des amas de ces fragiles richesses, qu'ils regardent comme une partie de leur trésor. On les vend en paquets de douze mille qui valent un larin, dans de petites corbeilles de feuilles de cocotier, revêtues en dedans de toile du même arbre. Ces paquets se livrent comme des sacs d'argent dans le commerce de l'Europe, c'est-à-dire sans compter ce qu'ils contiennent[4].

Les autres marchandises des Maldives sont les cordages et les voiles de cocotier, l'huile et le miel du même arbre, et les cocos mêmes, dont on transporte chaque année la charge de plus de cent navires, le poisson cuit et séché, les écailles d'une sorte de tortues qui se nomment *cambes*, et qui ne se trouvent qu'aux environs de ces îles et des Philippines; les nattes de jonc colorées; diverses étoffes de soie et de coton qu'on y apporte crues, et qu'on y met en œuvre, de toute sorte de grandeur, pour en faire des pagnes, des turbans, des mouchoirs et des robes. Enfin l'industrie des habitans est renommée pour toutes les marchandises qui sortent de leurs îles, et cette réputation leur procure en échange ce que la nature leur a refusé, du riz, des toiles de coton blanches, de la soie et du coton cru, de l'huile d'une graine odoriférante qui leur sert à se frotter le corps, de l'arec pour le bétel, du fer et de l'acier, des épiceries, de la porcelaine, de l'or même et de l'argent qui ne sortent jamais des Maldives, lorsqu'une fois ils y sont entrés, parce que les habitans n'en donnent jamais aux étrangers, et qu'ils l'emploient en ornemens pour leurs maisons, ou en bijoux pour leurs parures et pour celles de leurs femmes. Les Portugais, ayant profité des divisions de quelques princes maldivois, s'étaient rendus maîtres de la plupart des îles, et jouirent paisiblement de leurs conquêtes l'espace d'environ dix ans; mais ils en furent chassés sans retour.

CHAPITRE III.

Île de Ceylan.

Des îles Maldives, en remontant vers le nord et au delà du cap Comorin, on trouve l'île de Ceylan, située entre le 6ᵉ. et le 10ᵉ. degré de latitude nord. Les Portugais ont possédé autrefois une partie de ces côtes, d'où ils faisaient des incursions jusqu'à la capitale, qu'ils brûlèrent plus d'une fois, sans épargner le palais du roi ni les temples. Ils s'y étaient rendus si formidables, qu'ils avaient forcé le roi de leur payer un tribut annuel de trois éléphans, et d'acheter la paix à d'autres conditions humiliantes. Ce prince eut enfin recours aux Hollandais de Batavia qui, ayant joint leurs armes aux siennes, battirent les Portugais, et les chassèrent de tous les lieux où ils s'étaient fortifiés; mais ce fut pour s'établir à leur place. Ils refusèrent après la guerre, surtout après s'être rendus maîtres de Colombo en 1655, d'abandonner une conquête dont ils se voyaient en possession; et depuis ce temps-là ils ont apporté tous leurs soins à se fortifier sur les côtes. Leurs principaux établissemens sont Jafnapatan et l'île de Manaar au nord, Trinquemale et Batticalon à l'est, la ville de Pointe-de-Galle au sud, et Colombo à l'ouest, sans parler de Negombo et Calpentine, qui sont deux autres villes, et de plusieurs forts à l'embouchure des rivières, ou dans les ouvertures des montagnes pour la garde des passages. On peut donc regarder les Hollandais comme les maîtres absolus de la plus grande partie des côtes, dans une île qui a cent lieues de long, et cinquante dans sa plus grande largeur. Sa figure est à peu près celle d'une poire.

L'intérieur de l'île, qui avait été peu connu avant la relation de l'Anglais Knox, dont nous tirons ce morceau, est soumis à un seul souverain qui porte le titre de roi de *Candy* ou *Candiuda*. Les habitans se nomment *Chingulais*. Le pays est arrosé d'un grand nombre de belles rivières qui tombent des montagnes. La plupart sont trop remplies de rochers pour être navigables; mais il s'y trouve du poisson en abondance.

Le royaume de Canduida est défendu naturellement par sa situation. Dès l'entrée on va presque toujours en montant, et l'accès des montagnes n'est ouvert que par de petits sentiers où deux hommes ne passeraient pas de front. Elles sont entrecoupées de grands rochers qui font éprouver beaucoup de difficulté pour parvenir au sommet, et chaque ouverture est munie d'une forte barrière d'épines, avec quelques gardes qui veillent continuellement au passage.

C'est une variété fort remarquable que celle de l'air et des pluies dans les différentes parties de l'île. Quand les vents d'ouest commencent à souffler, la partie occidentale a de la pluie, et c'est alors qu'on y remue et laboure la terre. Mais dans le même temps la partie orientale jouit d'une température fort sèche, et c'est alors qu'on y fait la moisson. Au contraire, lorsque le vent d'est règne, on laboure les parties orientales de l'île, et les grains se récoltent dans la partie exposée à l'occident. Ainsi la moisson et le labourage occupent pendant toute l'année les insulaires, quoique dans des saisons opposées. Le partage de la pluie et de la sécheresse se fait ordinairement au milieu de l'île; et souvent il est arrivé à Knox d'avoir de la pluie d'un côté de la montagne de Cauragahing, tandis qu'il faisait très-sec et très-chaud de l'autre côté. Il remarque même que cette différence n'est pas aussi légère qu'elle est prompte: car, en sortant d'un lieu mouillé, il se trouvait tout d'un coup sur un terrain qui brûlait les pieds. Il pleut beaucoup plus sur les terres hautes que sur celles qui sont au-dessous des montagnes. Cependant la partie septentrionale de l'île n'est pas sujette à la même humidité. On y voit quelquefois pendant trois ou quatre ans entiers une si grande sécheresse, que la terre n'y peut recevoir de culture. Il est même difficile d'y creuser des puits assez profonds pour en tirer de l'eau qu'on puisse boire; et la meilleure conserve une âcreté qui la rend fort désagréable. Quoique les bourgs et les villages de Ceylan soient en fort grand nombre, il y en a peu qui méritent l'attention d'un voyageur. Les habitans les abandonnent lorsque les maladies y deviennent un peu fréquentes, et qu'ils y voient mourir en peu de temps deux ou trois personnes. Ils s'imaginent que le diable en a pris possession, et, cherchant à s'établir dans des lieux plus heureux, ils laissent leurs maisons et leurs terres.

Knox distingue dans le royaume de Candy deux sortes d'habitans: les uns, qu'il nomme *Vadas*, et qui paraissent avoir été le premier peuple de l'île. C'est une sorte de sauvages qui sont encore répandus dans les bois de plusieurs provinces, et qui se conduisent par des lois particulières. Quelques-uns sont soumis au roi, et lui paient un tribut; les autres ne reconnaissent pas de maîtres, et n'ont ni maisons ni villes. Ils ne labourent jamais la terre, et ne se nourrissent que de leur chasse. Leur demeure est sur les bords des rivières, où ils passent la nuit sous le premier arbre que le hasard leur présente, avec la seule précaution de mettre quelques branches autour d'eux pour être avertis de l'approche des bêtes féroces par le bruit qu'elles font en les traversant. Knox vit dans sa fuite divers lieux où quelques troupes de ces sauvages avaient passé la nuit. C'est apparemment des Vadas qu'il faut entendre ce qu'on lit dans le journal de Pyrard, qui compare la figure des insulaires de Ceylan à celle des Nègres d'Afrique.

La nation principale est celle des Chingulais, qui ressemblent moins aux Nègres d'Afrique qu'à de véritables Européens. Knox est moins porté à suivre l'opinion des Portugais, qui les font venir de la Chine, qu'à les croire sortis des Malabares, avec lesquels il convient néanmoins qu'ils ont peu de ressemblance. Ils sont fort bien faits, et mieux même que la plupart des Indiens. Ils ont beaucoup d'adresse et d'agilité. Leur contenance est grave, comme celle des Portugais. Ils ont l'esprit fin, un langage agréable et des manières obligeantes: mais ils sont naturellement trompeurs et remplis d'une présomption insupportable. Ils ne regardent pas le mensonge comme un vice honteux. Le larcin est celui qu'ils abhorrent le plus, et il n'est presque pas connu parmi eux. Ils estiment la chasteté, quoiqu'ils l'observent peu; la tempérance, la douceur, le bon ordre dans les familles. On ne leur voit guère d'emportement dans le caractère; et s'ils se fâchent, on les apaise facilement. Ils sont propres dans leurs habits et dans leurs alimens. Enfin, leurs inclinations et leurs usages n'ont rien de barbare. Knox met néanmoins de la différence entre ceux qui habitent les montagnes et ceux qui font leur demeure dans les vallées et les plaines. Ceux-ci sont obligeans, honnêtes envers les étrangers; mais les autres sont de mauvais naturel, trompeurs et désobligeans, quoiqu'ils affectent de paraître civils et officieux, et que leur langage et leurs manières aient même plus d'agrémens que dans les vallées.

L'habillement commun des Chingulais est un linge autour des reins, et un pourpoint semblable, dit Knox, à celui des Français, avec des manches qui se boutonnent au poignet, et se plissent sur l'épaule comme celles d'une chemise[5]. Ils portent au côté gauche une espèce de coutelas, et un couteau dans leur sein, aussi du côté gauche. Les femmes ont ordinairement une camisole de toile qui leur couvre tout le corps, et qui est parsemée de fleurs bleues et rouges; elles est plus ou moins longue, suivant leur qualité. La plupart portent un morceau d'étoffe de soie sur la tête, des joyaux aux oreilles, et d'autres ornemens autour du cou, des bras et de la ceinture. Elles n'ont pas la figure moins agréable que les Portugaises. L'usage du pays leur accorde une liberté dont il est rare qu'elles abusent. Elles peuvent recevoir des visites et s'entretenir avec des hommes sans être gênées par la présence de leurs maris. Quoiqu'elles aient des suivantes et des esclaves pour exécuter leurs ordres, elles se font honneur du travail, et ne se croient pas avilies par les soins domestiques.

Le luxe des femmes de qualité surpasse beaucoup celui des maris, et les hommes mettent même une partie de leur gloire à faire paraître leurs femmes avec éclat; mais, avec tous leurs ornemens, elles ne portent pas de souliers, non plus que les hommes, parce que cet honneur est réservé au roi seul. Les rangs ou les degrés de distinction ne viennent ni des richesses ni des emplois, mais de la seule naissance, et sont par conséquent héréditaires. De là vient que personne ne se marie et ne mange avec un inférieur. Une fille qui se laisserait séduire par un homme de moindre condition qu'elle perdrait la vie par les mains de sa famille, qui ne croirait cette tache bien lavée que dans son sang. Il y a néanmoins quelque différence en faveur des hommes. On ne leur fait pas un crime d'un commerce d'amour avec une femme de la plus basse extraction, pourvu qu'ils ne mangent ni ne boivent avec elle, et qu'ils ne lui accordent pas la qualité d'épouse: autrement, ils sont punis par le magistrat, qui leur impose quelque amende ou les met en prison. Celui qui porte l'oubli de son rang jusqu'à contracter un mariage de cette nature est exclus de sa famille, et réduit à l'ordre de la femme qu'il épouse.

La plus haute noblesse est composée de ceux qui se nomment *hondreous*, nom tiré apparemment de celui de *hondreoune*, qui est le titre qu'on donne au roi, et qui signifie *majesté*. C'est dans cet ordre que le roi choisit ses grands officiers et les gouverneurs des provinces. Ils sont distingués par leurs noms et par la manière dont ils portent leurs habits. Les hommes les portent jusqu'à la moitié de la jambe, et leurs femmes jusqu'aux talons. Elles font passer aussi un bout de leur robe sur leur épaule, et le font descendre négligemment sur leur sein, au lieu que les autres femmes vont nues depuis la tête jusqu'à la ceinture, et que leurs jupes ne passent pas leurs genoux, à moins qu'il ne fasse un froid extrême; car alors tout le monde a la liberté de se couvrir le dos, et n'est obligé qu'à faire des excuses aux hondreous qui se trouvent dans les lieux publics. Une autre distinction est celle de leurs bonnets, qui sont en forme de mitres avec deux oreilles au-dessus de la tête, et d'une seule couleur, soit blanche ou bleue. La couleur du bonnet et des oreilles doit être différente pour ceux d'une naissance inférieure.

Knox s'étend sur ces différences. L'ordre qui suit les hondreous, est celui des orfévres, des peintres, des taillandiers et des charpentiers. Ces quatre professions tiennent le même rang entre elles, et sont peu distinguées de la noblesse par leurs habits, mais ne peuvent manger ni s'allier avec elle par des mariages. Les taillandiers ont perdu néanmoins quelque chose de leur ancienne considération; et Knox en rapporte la cause comme une preuve singulière de la délicatesse des Chingulais sur le rang. Un jour quelques hondreous étant allés chez un taillandier pour faire raccommoder leurs outils, cet artisan, qui était appelé par l'heure de son dîner, les fit attendre si long-temps dans sa boutique, qu'indignés de cet affront, ils sortirent pour l'aller publier; sur quoi il fut ordonné que les personnes de ce rang-là seraient pour jamais privées de l'honneur qu'elles avaient eu jusqu'alors, de faire manger les hondreous dans leurs maisons. Cependant les taillandiers ont peu rabattu de leur fierté, surtout ceux qui sont employés pour les ouvrages du roi. Ils ont un quartier de la ville dans lequel d'autres qu'eux n'osent travailler; et leur ouvrage ordinaire consistant à raccommoder les outils, ils reçoivent pour paiement, au temps de la moisson, une certaine quantité de grains, en forme de rente. Les outils neufs se paient à part, suivant leur valeur, et le prix est ordinairement un présent de riz, de volaille ou d'autres provisions. Ceux qui ont besoin de leurs services apportent du charbon et du fer. Le taillandier est assis gravement, avec son enclume devant lui, la main gauche du côté de la forge, et un petit marteau dans la main droite. On est obligé de souffler le feu, et de battre le fer avec le gros marteau, tandis que, le tenant, il se contente de donner quelques coups pour lui faire prendre la forme nécessaire. S'il est question d'émoudre quelque chose, on fait la plus grosse partie du travail, et le taillandier donne la dernière perfection. C'est la nécessité qui paraît avoir attiré tant de distinction à ce métier, parce que les Chingulais, ayant peu de commerce au dehors, ne peuvent tirer leurs instrumens que de leurs propres ouvriers.

Après ces quatre professions vient celle des barbiers, qui peuvent porter des camisoles, mais avec lesquels personne ne veut manger, et qui n'ont pas le droit de s'asseoir sur des chaises. Cette dernière distinction n'appartient qu'aux rangs qui les précèdent. Les potiers sont au-dessous des barbiers. Ils ne portent point de camisoles, et leurs habits ne passent point le genou. Ils ne s'asseyent point sur des chaises, et personne ne mange avec eux. Cependant, par ce qu'ils font les vaisseaux de terre, ils ont ce privilége, qu'étant chez un hondreou, ils peuvent se servir de son pot pour boire à la manière du pays, qui consiste à se verser de l'eau dans la bouche sans toucher au pot du bord des lèvres. Les lavandiers, qui viennent après eux, sont en très-grand nombre dans la nation; ils ne blanchissent que pour les rangs supérieurs à eux.

Les tisserands forment le degré suivant. Outre le travail de leur profession, ils sont astrologues, et prédisent les bonnes saisons, les jours heureux et malheureux, le sort des enfans à l'heure de leur naissance, le succès des entreprises, tout ce qui appartient à l'avenir. Ils battent du tambour, ils jouent du flageolet, ils dansent dans les temples et pendant les sacrifices; ils emportent et mangent toutes les viandes qu'on offre aux idoles. Les *kildoas*, ou les faiseurs de paniers, sont au-dessous des tisserands. Ils font des vans pour nettoyer les grains, des paniers, des lits et des chaises de canne. On compte ensuite les faiseurs de nattes, nommés *rinnerasks*, qui travaillent avec beaucoup d'adresse et de propreté; mais dans cet ordre il est défendu aux personnes de l'un et de l'autre sexe de se couvrir la tête. Les gardes d'éléphans forment aussi une profession particulière, comme les djagheris, qui font le sucre. Jamais ces artisans ne changent de métier. Le fils demeure attaché à la profession de son père. La fille se marie à un homme de son ordre. On leur donne pour principale dot les outils qui appartiennent au métier de leur famille.

Les *poddas* forment le dernier ordre du peuple, qui est composé de manœuvres et de soldats, gens dont l'extraction passe pour la plus vile, sans qu'on en puisse donner d'autre raison que d'être nés tels de père en fils. Knox, en parlant des esclaves, ne nous apprend pas mieux comment ils se trouvent réduits à cette condition. Leurs maîtres, dit-il, leur donnent des terres et des bestiaux pour leur subsistance; mais plusieurs d'entre eux méprisent cette manière de gagner leur vie, et ne sont guère moins riches que leurs maîtres, excepté qu'on ne leur permet pas de se faire servir eux-mêmes par d'autres esclaves. On ne leur ôte jamais ce qu'ils ont amassé par leur diligence et leur industrie. Lorsqu'on achète un nouvel esclave, on le marie d'abord, et on lui forme un établissement pour lui faire perdre l'envie de s'enfuir. Les esclaves qui descendent des hondreous conservent l'honneur de leur naissance. Ce qu'on peut recueillir d'une observation si vague, c'est qu'il n'y a point de pays connu où l'esclavage ait moins de rigueur. Knox donne des idées plus claires d'une autre partie de la nation, qui forme encore une particularité de l'île de Ceylan. Ce sont, dit-il, les gueux qui, pour leurs mauvaises actions, ont été réduits par les rois au dernier degré de l'abjection et du mépris. Ils sont obligés de donner à tous les autres insulaires les titres que ceux-ci donnent aux rois et aux princes, et de les traiter avec le même respect. On raconte que leurs ancêtres étaient des *dodda vaddas*, c'est-à-dire des chasseurs, qui fournissaient le gibier pour la table du roi; mais qu'un jour, au lieu de venaison, ils présentèrent de la chair humaine à ce prince, qui, l'ayant trouvée excellente, demanda qu'on lui en servît de la même espèce. Mais cette horrible tromperie fut découverte, et le ressentiment du roi en fut si vif, qu'il regarda la mort des coupables comme un châtiment trop léger. Il ordonna par un décret public que tous ceux qui étaient de cette profession ne pourraient plus jouir d'aucun bien ni exercer aucun métier dont ils puissent tirer leur subsistance, et qu'étant privés de tout commerce avec les autres hommes, pour avoir outragé si barbarement l'humanité, ils demanderaient l'aumône, de génération en génération, dans toutes les parties du royaume, enfin seraient regardés de tout le monde comme des infâmes, et en horreur dans la société civile. En effet, ils sont si détestés, qu'on ne leur permet pas de puiser de l'eau dans les puits. Ils sont réduits à celle des trous et des rivières. On les voit mendier en troupes, hommes, femmes, enfans, portant leurs bagages et leurs alimens dans des paniers au bout d'un bâton. Leurs femmes ne portent rien. Elles dansent et font divers tours de souplesse pendant que les hommes battent du tambour; elles font tourner un bassin de cuivre sur le bout du doigt avec une vitesse incroyable; elles ont l'adresse de jeter successivement neuf balles, et de les recevoir l'une après l'autre, de sorte qu'il y en a toujours sept en l'air. Lorsqu'ils demandent l'aumône, ils donnent aux hommes le titre d'altesse, de majesté, et aux femmes celui de comtesse et de reine; ce qui n'est pas rare non plus parmi nous. Leurs demandes sont aussi pressantes que s'ils étaient autorisés à les faire par des lettres-patentes du roi. Ils ne peuvent souffrir qu'on les refuse. D'un autre côté, comme il n'est pas permis de les maltraiter ni de lever même la main sur eux, on est obligé malgré soi de tout accorder à leurs importunités. Ils se bâtissent des cabanes sous des arbres, dans des lieux éloignés des villes et des grands chemins. Les aumônes qu'ils arrachent de toutes parts leur font mener une vie d'autant plus aisée qu'ils sont exempts de toutes sortes de droits et de services. On ne les assujettit qu'à faire des cordes de la peau des vaches mortes, pour prendre et lier les éléphans; ce qui leur procure un autre privilége, qui est d'en prendre la chair et de l'enlever aux tisserands. Ils prétendent qu'ils ne peuvent servir le roi et faire de bonnes cordes lorsque les peaux sont déchiquetées par d'autres mains; et, sous ce prétexte, ils résistent aux tisserands, qui, dans la crainte de se souiller en touchant une race détestée, prennent le parti de fuir et d'abandonner leurs droits. Pour donner une idée plus affreuse encore de cette étrange sorte de vagabonds, Knox ajoute qu'ils ne connaissent aucune loi de parenté, et qu'ils ne font pas difficulté de coucher librement, les pères avec leurs filles, et les garçons avec leurs mères. Souvent, lorsque le roi condamne au dernier supplice quelques grands officiers qui l'ont mérité par leurs crimes, il livre leurs femmes et leurs filles aux gueux, et ce châtiment paraît plus terrible que la mort. Il cause tant d'horreur aux femmes que, dans le choix que le roi leur a quelquefois laissé de se précipiter dans la rivière ou d'être abandonnées à cette odieuse race, elles n'ont jamais balancé à préférer le premier de ces deux supplices.

Le gouvernement du royaume de Candy a ses lois et ses maximes, qui rendent la nation fort heureuse, lorsque le roi n'abuse pas de son autorité pour les violer. Il y a deux officiers principaux, ou deux premiers juges, qui se nomment *adigars*, qui sont chargés de l'administration civile et militaire. C'est à leur tribunal qu'on appelle en dernier ressort dans toutes les affaires où l'on ne s'en tient pas au jugement des gouverneurs particuliers des provinces ou des villes. Ces deux officiers en ont de subalternes, qui portent pour marque de leur dignité un bâton crochu par le haut. De quelques ordres qu'on leur confie l'exécution, la vue de ce bâton est aussi respectée que le sceau même des adigars. Si l'adigar ignore ses fonctions, ces officiers l'en instruisent. Dans toutes les autres charges, il y a des officiers inférieurs qui suppléent à l'ignorance du premier par leur expérience et leurs lumières. Il ne faut pas aller si loin qu'à Ceylan pour voir la même chose.

Les noms d'honneur qu'on donne aux grands sont celui d'*oussai*, lorsqu'ils sont à la cour; ce qui revient à notre *messire*; et lorsqu'ils sont éloignés du roi, ceux de *sibatta* et de *dishoudren*, qui signifient seigneurie ou excellence. S'ils sortent à pied, c'est toujours en s'appuyant sur le bras d'un écuyer. L'adigar joint à cette marque de grandeur un homme qui marche devant lui avec un grand fouet qu'il fait claquer, pour avertir le peuple de se tenir à l'écart. Ces courtisans, au milieu de leurs plus grands honneurs, sont exposés à des infortunes qui rendent leur situation peu digne d'envie. C'est une disgrâce fort ordinaire pour un seigneur d'être enchaîné dans une obscure prison. Ils sont toujours prêts à mettre la main l'un sur l'autre pour exécuter l'ordre du roi, et ravis même d'en être chargés, parce que celui dont le ministère est employé pour la ruine d'autrui est revêtu ordinairement de sa dépouille.

Le pouvoir du roi consiste dans la force naturelle de son pays, dans ses gardes, et dans l'artifice plutôt que dans le courage des soldats. Il n'a pas d'autres châteaux fortifiés que ceux qui le sont par la nature. La milice est composée des gardes du roi, qui viennent faire alternativement leur service à la cour, et de ce qu'on appelle soldats du pays haut, qui sont dispersés dans toutes les parties de l'île. Les gardes se succèdent de père en fils, sans être enrôlés, et jouissent, au lieu de paie, de certaines terres qu'on leur abandonne, mais qu'ils perdent lorsqu'ils négligent leur devoir. S'ils veulent quitter leur service, ils en ont la liberté, en renonçant à leurs terres, qui sont données à d'autres pour les remplacer. Leurs armes sont l'épée, la pique, une arc, des flèches et de bons fusils. Ils n'ont jamais pu défendre les côtes de leur île, qui sont plus nues que leurs montagnes. Cependant ils ont acquis beaucoup d'expérience par les longues guerres qu'ils ont eues avec les Portugais et les Hollandais. La plupart de leurs généraux, ayant servi sous les Européens dans les intervalles de la paix, ont pris le goût de notre discipline, qui les a rendus capables de battre quelquefois les Hollandais et de leur enlever plusieurs forts. Le roi donnait autrefois un prix réglé à ceux qui lui apportaient la tête d'un ennemi; mais ce barbare usage ne subsiste plus.

La religion des Chingulais est l'idolâtrie. Ils rendent des adorations à plusieurs divinités qu'ils distinguent par différens noms, et dont la principale est celle qu'ils appellent *Ossapolla-maoup*, c'est-à-dire, dans leur langue, créateur du ciel et de la terre. Ils croient que ce dieu suprême envoie d'autres dieux sur notre globe pour y faire exécuter ses ordres, et que ces dieux inférieurs sont les âmes des gens de bien qui sont morts dans la pratique de la vertu. Une autre divinité du premier ordre est celle qu'ils nomment *Bouddou*, à laquelle il appartient de sauver les âmes, et qui, étant descendue autrefois sur la terre, se montrait de temps en temps sous un grand arbre nommé *bogaha*, qui est depuis ce temps-là un des objets de leur culte. Elle remonta au ciel du sommet d'une haute montagne où l'on voit encore l'empreinte d'un de ses pieds. Le soleil et la lune sont aussi des dieux pour les Chingulais. Ils donnent au soleil le nom d'*Irri*, et à la lune celui de *Haouda*, auquel ils joignent quelquefois celui de *Hamui*, titre d'honneur des personnes les plus relevées; et celui de *Dio*, qui signifie dieu dans leur langue, mais qu'ils ont emprunté apparemment des Portugais.

Le nombre de leurs pagodes et de leurs temples est immense. On en voit plusieurs d'un travail exquis, bâtis de pierres de taille, ornés de statues et d'autres figures, mais si anciens, que les habitans mêmes en ignorent l'origine. Ce qui peut faire croire qu'ils les doivent à des ouvriers plus habiles que les Chingulais, c'est que, la guerre en ayant ruiné plusieurs, ils n'ont pas été capables de les rebâtir.

Les Chingulais ont trois sortes de prêtres, comme trois sortes de dieux et de temples. Le premier ordre du sacerdoce est celui des *tirinanxes*, qui sont les prêtres de Bouddou; leurs temples se nomment *ælsars*; ils ont une maison à Diglighi, où ils tiennent leurs assemblées. On ne reçoit dans cet ordre que des personnes d'une naissance et d'un savoir distingués; ce n'est pas même tout d'un coup qu'elles sont élevées au rang sublime des tirinanxes: ceux qui portent ce titre ne sont qu'au nombre de trois ou quatre, qui font leur demeure à Diglighi, où ils jouissent d'un immense revenu, et sont comme les supérieurs de tous les prêtres de l'île. On nomme *gonnis* les autres ecclésiastiques du même ordre. L'habit des uns et des autres est une casaque jaune, plissée autour des reins, avec une ceinture de fil. Ils ont les cheveux rasés, et vont nu-tête, portant à la main une espèce d'éventail rond pour se garantir de l'ardeur du soleil. Ils sont également respectés du roi et du peuple. Leur règle les oblige de ne manger de la viande qu'une fois le jour; mais il ne faut pas qu'ils ordonnent la mort des animaux dont ils mangent, ni qu'ils consentent qu'on les tue. Quoiqu'ils fassent profession du célibat, ils sont libres de renoncer à leur ordre lorsqu'ils veulent se marier. Le second ordre des prêtres est de ceux qui se nomment *koppouhs*, et qui appartiennent aux temples des autres divinités. Leur habit n'est pas différent de celui du peuple, lors même qu'ils exercent leurs fonctions; ils ne sont obligés qu'à se laver et à changer de linge avant la cérémonie. Comme on ne sacrifie jamais de chair aux dieux dont ils sont les ministres, tout leur service se réduit à présenter à l'idole du riz bouilli et d'autres provisions. Leurs temples, qui se nomment *deovels*, ont peu de revenu; aussi labourent-ils la terre et ne sont-ils pas exempts des charges de la société. Les prêtres du troisième ordre sont les *djaddeses*, employés au service des esprits qui se nomment *dagoutans*, et dont les temples s'appellent *cavels*. Un homme dévot bâtit à ses dépens un temple, dont il devient le prêtre ou le djaddese. Il fait peindre sur les murs des hallebardes, des épées, des flèches, des boucliers et des images; mais ces temples sont peu respectés du peuple.

L'emploi le plus commun des djaddeses est pour les sacrifices qui sont offerts au diable dans les maladies ou dans d'autres dangers, non que les Chingulais prétendent l'adorer; mais ils le croient redoutable; et, pour écarter les maux qu'ils le croient capable de leur causer, ils lui sacrifient souvent de jeunes coqs. Si l'on veut voir un exemple de la crédulité et des raisonnemens étranges où elle conduit, il n'y a qu'à lire ce que dit le voyageur Knox, zélé protestant, sur les possédés de Ceylan.

«J'ai vu souvent des hommes et des femmes si étrangement possédés, qu'on ne pouvait s'empêcher de reconnaître que leur agitation venait d'une cause surnaturelle. Dans cet état, les uns fuyaient au milieu des bois en poussant des cris ou plutôt des hurlemens; d'autres demeuraient muets et tremblans, faisant des contorsions ou parlant comme des fous sans aucune liaison dans leurs discours: quelques-uns en guérissent, d'autres en meurent. Je puis affirmer que souvent le diable crie la nuit d'une voix inintelligible qui ressemble à l'aboiement d'un chien. Je l'ai moi-même entendu. Les habitans du pays remarquent, et j'ai fait la même observation, qu'immédiatement avant qu'on l'entende, ou bientôt après, le roi fait toujours mourir quelqu'un. Les raisons qu'on a de croire que c'est la voix du diable, sont celles-ci: 1°. qu'il n'y a point de créature dans l'île dont la voix ressemble à celle qu'on entend; 2°.

qu'on l'entend souvent dans un lieu d'où elle part tout d'un coup pour aller se faire entendre dans un autre plus éloigné, et plus vite qu'aucun oiseau ne peut voler; 3°. que les chiens mêmes tremblent à ce bruit; enfin que c'est l'opinion de tout le monde.» Il est aisé de juger que, dans ces idées, l'auteur devait trembler autant que les Chingulais et leurs chiens: mais voilà de singulières preuves. Knox est-il bien sûr de connaître le cri de tous les animaux d'une île aussi vaste que Ceylan? Ignorait-il que les habitans de la zone torride ne connaissent pas à beaucoup près tous les animaux de leur contrée? Et d'ailleurs, quand on se souvient du moumbo-diombo et des ventriloques de l'Afrique, est-on si étonné des diables de Ceylan?

Les Chingulais croient à la résurrection des corps, l'immortalité de l'âme et un état futur de récompense et de punition.

Leurs livres ne traitent que de religion et de médecine, et sont écrits sur des feuilles de talipot. Ils se servent, pour leurs lettres et leurs écrits ordinaires, d'une sorte de feuilles qui se nomment *taoucoles*, et qui reçoivent plus aisément l'impression, quoiqu'elles n'aient pas tant de facilité à se plier. Leurs plus habiles astronomes sont des prêtres du premier ordre, ce qui n'empêche pas que les opérations annuelles d'astronomie ne soient réservées aux tisserands: ils prédisent les éclipses de soleil et de lune. Knox aurait bien dû nous dire si leurs prédictions sont justes. Cette connaissance annoncerait un peuple beaucoup plus avancé dans les sciences qu'on ne suppose celui de Ceylan. Ils font pour le cours de chaque mois des almanachs où l'on voit l'âge de la lune, les bonnes saisons pour labourer et semer la terre, les jours heureux pour commencer un voyage et d'autres entreprises. Ils se prétendent fort versés dans la science des étoiles, qui est la source de leurs lumières sur tout ce qui appartient à la santé et à la bonne fortune; ils comptent neuf planètes, c'est-à-dire sept comme nous, auxquelles ils ajoutent la tête et la queue du dragon. Le temps se compte parmi eux depuis un ancien roi qu'ils nomment *Sacavarly*. Leur année est de trois cent soixante-cinq jours, et commence le 28 du mois de mars, mais quelquefois le 27 ou le 29, pour l'ajuster au cours du soleil. Elle est divisée en douze mois, et leur mois en semaines, qui sont de sept jours comme les nôtres. Les Chingulais partagent le jour en trente heures, qui commencent au lever du soleil, et la nuit en autant de parties, qui commencent au coucher de cet astre; mais, n'ayant ni horloges ni cadrans solaires, ils ne jugent du temps que par conjecture ou par l'état d'une fleur commune, qui s'ouvre régulièrement sept heures avant la nuit. Le roi est le seul qui emploie pour la mesure du temps une espèce de clepsydre dont le soin forme un emploi particulier du palais: c'est un plat de cuivre percé d'un petit trou, qu'on fait nager dans un vase plein d'eau jusqu'à ce qu'il se remplisse et qu'il aille au fond.

En général, l'argent étant fort rare dans le royaume, tout se vend et s'achète ordinairement par des échanges. Les habitans, dit Robert Knox, font très-peu de commerce avec les étrangers. Le négoce des Chingulais est resserré entre eux; il se borne aux productions du pays, parce que celles d'un canton ne ressemblent point à celles d'un autre. En rassemblant ainsi tout ce que la nature accorde aux différentes parties du royaume, ils ont de quoi subsister sans le secours des régions étrangères. L'agriculture est leur principal emploi, et les grands ne dédaignent pas de s'y appliquer. Un homme de la première qualité travaille sans honte à la terre, pourvu que ce soit pour lui-même; mais il se déshonore s'il travaille pour autrui, ou dans la vue de quelque salaire. La seule profession qu'il ne puisse exercer, sous aucun prétexte, est celle de portefaix, parce qu'elle passe pour la plus vile. Il n'y a point de marché dans l'île entière. Les villes ont quelques boutiques où l'on vend de la toile, du riz, du sel, du tabac, de la chaux, des drogues, des fruits, des épées, de l'acier, du cuivre et d'autres marchandises.

Leur langue est si particulière à leur nation, que Knox ne connaît aucune partie des Indes où elle soit entendue. Ils ont, à la vérité, quelques expressions qui leur sont communes avec les Malabares; mais le nombre en est si petit, qu'ils ne peuvent mutuellement s'entendre. Leur idiome tient du caractère de ces insulaires, qui aiment la flatterie, les titres et les complimens. Ils n'ont pas moins de douze titres pour les femmes, suivant le rang et la qualité. *Toi* et *vous* s'expriment de sept ou huit manières différentes, qui sont proportionnées aussi à l'état, à l'âge, au caractère de ceux à qui l'on parle et qu'on veut honorer. Ces affectations de politesse ne sont pas moins familières aux laboureurs et aux manœuvres qu'aux courtisans. Ils donnent au roi des titres qui l'égalent à leurs dieux; et lorsqu'ils lui parlent d'eux-mêmes, c'est avec un excès d'humiliation. Ils éloignent jusqu'à l'idée de leurs personnes, en y substituant les êtres les plus vils. Ainsi, au lieu de dire, j'ai fait, ils disent, le membre d'un chien a fait telle chose. S'il est question de leurs enfans, ils les transforment de même; et quand le prince leur demande combien ils en ont, ils répondent qu'ils ont tel nombre de chiens et de chiennes. Faut-il qu'en parcourant la terre on trouve si souvent cette incroyable dégradation de la nature humaine!

Avec un respect si extraordinaire pour leur souverain, on ne sera pas surpris qu'ils n'aient pas d'autres lois que sa volonté. Cependant ils ont un certain nombre de vieilles coutumes qui se conservent par la force de l'habitude. Leurs terres passent des pères aux enfans, à titre d'héritage, et le partage dépend du père; mais si l'aîné demeure seul possesseur, il est obligé d'entretenir sa mère, ses frères et ses sœurs, jusqu'à ce qu'ils soient autrement pourvus.

Les règles fixées par l'habitude ne sont pas moins constantes pour la distinction des biens, pour le paiement des dettes, pour les mariages et les divorces. Leurs mariages sont une pure cérémonie qui consiste dans quelques présens qu'un homme fait à sa femme, et qui lui donnent droit sur elle lorsqu'ils sont acceptés. Les pères ne laissent pas de donner pour dot à leurs filles des bestiaux, des esclaves, de l'argent; mais, si les deux partis ne se conviennent pas, une prompte séparation leur rend la liberté, et le mari en est quitte pour rendre ce qu'il a reçu. Cependant la femme ne peut disposer d'elle-même qu'après qu'il s'est engagé dans un autre mariage. S'ils ont des enfans, les garçons demeurent au père, et les filles suivent la mère. Les hommes et les femmes se marient ordinairement quatre ou cinq fois avant de se fixer solidement. Il est rare qu'un homme ait plus d'une femme; mais ce qui est très-rare partout ailleurs et très-remarquable, une femme a souvent deux maris. L'usage permet à deux frères qui veulent vivre ensemble de n'avoir qu'une femme entre eux. Les enfans communs les reconnaissent tous deux pour leurs pères, et leur en donnent le nom. Un homme qui surprend sa femme au lit avec un amant peut les tuer tous deux; mais les Chingulais connaissent peu les tourmens de la jalousie, et ne se croient pas déshonorés lorsque leurs femmes se livrent à des hommes d'une égale condition. Ces commerces d'amour ne passent pour un crime qu'avec des amans d'une naissance inférieure. La plus grande injure, dit l'auteur, qu'on puisse faire à une femme, est de lui dire qu'elle a couché avec dix hommes de la lie du peuple; et en effet l'injure est assez forte. D'ailleurs la complaisance des hommes est extrême pour les femmes. Les terres dont elles héritent ne paient rien au roi; elles sont exemptes des droits de la douane dans les ports et sur les passages. Leur sexe est respecté jusque dans les animaux; et par une loi qui est peut-être sans exemple, on ne paie rien non plus pour ce que porte une bête de charge femelle. Mais des usages si galans n'empêchent pas que, pour conserver la subordination de la nature, il ne soit défendu aux femmes, sans aucune distinction de naissance et de qualité, de s'asseoir sur un siége en présence d'un homme. L'autorité des pères sur leurs enfans va jusqu'à pouvoir les donner, les vendre, ou leur ôter la vie dans l'enfance, lorsqu'ils les prennent en aversion, ou qu'ils se trouvent incommodés du nombre.

Les Chingulais brûlent leurs morts avec beaucoup de cérémonies, du moins leurs morts de qualité: le peuple est enterré fort simplement dans les bois. On voit que partout il faut payer sa bière ou son bûcher. Ils n'ont ni médecins ni chirurgiens; mais ils trouvent au milieu de leurs bois, dans l'écorce et les feuilles de leurs arbres, des remèdes et des préservatifs pour tous les maux dont ils sont affligés. Leur régime sert aussi beaucoup à la conservation de leur santé. Ils se tiennent le corps fort net; ils dorment peu; et la plupart de leurs alimens sont simples. Du riz à l'eau et au sel, avec quelques feuilles vertes et du jus de citron, passe pour un bon repas. Ils ne mangent point de bœuf, et cette chair est en abomination parmi eux. Les autres viandes et le poisson même les tentent si peu, qu'ils les vendent ou les abandonnent aux étrangers qui se trouvent dans leur pays. Ils auraient des bestiaux et de la volaille en abondance, si les bêtes féroces ne leur en enlevaient beaucoup, sans compter que le roi croit son repos intéressé à tenir ses sujets dans la misère, et permet même à ses officiers de prendre à très-vil prix leurs poules et leurs porcs.

Cette vie sobre entretient également leur santé et la gaîté de leur humeur. Ils chantent sans cesse, jusqu'en se mettant au lit, et la nuit même lorsqu'ils s'éveillent. Leur manière de se saluer est libre et ouverte; elle consiste à lever les mains, la paume en haut, et à baisser un peu la tête. Le plus distingué ne lève qu'une main pour son inférieur; et s'il est fort au-dessus par la naissance, il remue seulement la tête. Les femmes se saluent en portant les deux mains au front. Leur compliment est *ay*, qui signifie comment vous portez-vous? Ils répondent *hundoï*, c'est-à-dire fort bien. Tous leurs discours ont le même air de politesse.

Avec tant d'humanité dans le fond du caractère, Knox admira long-temps que ces insulaires eussent besoin d'être conduits avec beaucoup de rigueur, et que la justice du roi s'exerçât par des supplices cruels. Mais il reconnut enfin qu'il ne fallait en accuser que le penchant de ce prince, qui le portait naturellement à la cruauté. Cette malheureuse inclination se déclarait non-seulement par la nature des peines, mais encore par leur étendue. Souvent des familles entières étaient punies des fautes d'un seul. Le roi, dans sa colère, ne condamnait pas sur-le-champ un criminel à la mort. Il commençait par le faire tourmenter, en lui faisant arracher avec des tenailles ou brûler avec un fer chaud diverses parties de la chair, pour lui faire nommer ses complices. Ensuite il lui faisait lier les mains autour du cou, et le forçait de manger ses membres. On vit des mères manger ainsi leur propre chair et celle de leurs enfans. Ces misérables étaient menés ensuite par la ville jusqu'au lieu de l'exécution, suivis des chiens dont ils devaient être la proie, et qui étaient si accoutumés à cette boucherie, que d'eux-mêmes ils suivaient les prisonniers lorsqu'ils les voyaient traîner au supplice. On voyait ordinairement dans ce lieu plusieurs personnes empalées, et d'autres pendues ou écartelées. Le roi se servait aussi des éléphans pour exécuter les sentences de mort. Ils percent le corps d'un homme, le déchirent en pièces et dispersent ses membres. On couvre leurs dents d'un fer bien aiguisé, à trois tranchans; car les éléphans apprivoisés ont les dents coupées par le bout, afin qu'elles croissent mieux. Les prisons n'étaient jamais sans un grand nombre de malheureux, les uns chargés de chaînes, et à qui l'on fournissait leur subsistance; d'autres qui avaient la permission de l'aller demander de porte en porte avec un garde. On en faisait toujours mourir quelques-uns sans aucune forme de procès, et toute leur famille était souvent enveloppée dans leur châtiment. Ceux qui étaient capables de travailler obtenaient la permission d'élever une boutique dans la rue, vis-à-vis la prison, et de sortir pendant le jour pour vendre leur ouvrage; mais ils étaient renfermés à l'approche de la nuit. Enfin ce roi sanguinaire fit mourir son propre fils sur le simple soupçon d'un projet de révolte, et prenait souvent plaisir à faire couper la tête à de jeunes gens des meilleures familles du royaume, pour la faire mettre ensuite dans leur ventre, sans déclarer de quels crimes il les croyait coupables. On lit dans le journal de Knox qu'il se nommait *Radiasinga*, mot qui signifie *le roi lion*, et qui certainement était beaucoup trop noble pour lui. Mais quel nom donner à de pareils monstres?

Ce qu'on raconte du riz et de la manière de le cultiver prouve peu l'industrie des habitans. On sait que l'eau est nécessaire pour la culture du riz, et l'on conçoit facilement qu'avec le secours des réservoirs et des canaux, les plaines du royaume de Candy peuvent devenir aussi fertiles que les plus humides vallées. Mais si l'on se rappelle que le pays est un amas de montagnes, il paraît surprenant qu'elles n'en soient pas moins cultivées. Les insulaires ont trouvé le moyen de les aplanir en forme d'amphithéâtre, dont les siéges ont depuis trois pieds jusqu'à huit de largeur, les uns plus ou moins bas que les autres, à proportion que la colline a plus ou moins de raideur. On les unit en les rendant un peu creux; ce qui forme une sorte d'escaliers par lesquels on peut monter jusqu'au dernier siége. Comme l'île est fort pluvieuse, et que, d'un autre côté, les sources sont si communes sur les montagnes, qu'il s'en forme un grand nombre de rivières, on a pratiqué de grands réservoirs jusqu'au niveau des plus hautes sources, d'où l'on fait tomber l'eau sur les premiers siéges, et couler par degrés aux autres rangs. Ces réservoirs sont en très-grand nombre et de différentes grandeurs. Les uns ont une demi-lieue de long, d'autres un quart de lieue seulement, et leur profondeur est de deux ou trois brasses. À présent qu'ils sont bordés d'arbres, on les prendrait pour de simples coteaux. On ne les fait pas plus profonds, parce que l'expérience a fait connaître qu'ils seraient moins commodes, et qu'après les grandes sécheresses, qui tarissent quelquefois jusqu'aux sources, ils seraient plus difficiles à remplir. Dans les parties septentrionales du royaume on ne trouve ni sources ni rivières; on est borné à l'eau de pluie, qu'on retient dans des réservoirs en forme de croissant. Chaque village a le sien; et, lorsqu'ils sont pleins, on regarde la moisson comme assurée.

Les Chingulais ont quantité d'excellens fruits: mais ils en auraient beaucoup davantage, s'ils les aimaient assez pour donner quelque soin à leur culture. Ils s'attachent peu à ceux qui n'ont d'agréable que le goût, et qui ne sont pas propres à leur servir d'aliment lorsque le grain commence à leur manquer; ce qui semble prouver une grande population. Ainsi les seuls arbres qu'ils plantent sont ceux qui produisent des fruits nourrissans. Les autres croissent d'eux-mêmes; et ce qui diminue encore les soins des habitans, c'est que, dans tous les lieux où la nature fait croître des fruits délicats, les officiers du pays attachent, au nom du roi, une feuille autour de l'arbre, et font trois nœuds à l'extrémité de cette feuille. On ne peut alors y toucher sans s'exposer aux plus sévères châtimens, et quelquefois même à la mort. Lorsque le fruit est mûr, l'usage est de le porter dans un linge blanc au gouverneur de la province, qui met le plus beau dans un autre linge, et l'envoie soigneusement à la cour, sans qu'il en revienne rien au propriétaire. L'île produit d'ailleurs tous les fruits qui croissent aux Indes. Mais elle en a de particuliers, tels que le mango, fruit du manguier, qui est commun aux environs de Columbo; le jack, qui se nomme *polos* lorsqu'il commence à pousser, *cose* lorsqu'il est tout vert, et *ouaracha* ou *vellas* dans sa maturité. Ce fruit, qui est d'un grand secours pour la nourriture du peuple, croît sur un très-grand arbre. Sa couleur est verdâtre. Il est hérissé de pointes, et de la grosseur d'un pain de huit livres. Sa graine, à laquelle on donne le nom d'œufs, est éparse comme les pepins dans une citrouille. On mange le jack comme nous mangeons le chou, et son goût en approche. Un seul suffit pour rassasier six ou sept personnes. Il peut se manger cru lorsqu'il est mûr. Sa graine ou ses œufs ressemblent aux châtaignes par la couleur et le goût[6].

L'iombo est encore un fruit que Knox n'a, vu dans aucun endroit des Indes; il a le goût d'une pomme; il est plein de jus, et n'est pas moins sain qu'agréable; sa couleur est un blanc mêlé de rouge qu'on prendrait pour l'ouvrage du pinceau. Entre les fruits sauvages qui viennent dans les bois, on distingue les mouvros, qui sont ronds, de la grosseur d'une cerise, et dont le goût est très-agréable; les dongs, qui ressemblent aux cerises noires; les ambellos, qu'on peut comparer à nos groseilles; des carollos, des cabellas, des poukes, qui peuvent passer pour autant d'espèces de bonnes prunes; des parraghiddes, qui ont quelque ressemblance avec nos poires.

L'île de Ceylan produit trois arbres dont les fruits, à la vérité, ne peuvent se manger, mais qui sont remarquables par d'autres utilités. Le premier, qui se nomme *talipot*, est fort droit, et ne peut être comparé, pour la hauteur et la grosseur, qu'à un mât de vaisseau. Ses feuilles sont si grandes, qu'une seule peut couvrir quinze ou vingt hommes et les défendre de la pluie. Elles se fortifient en séchant, sans cesser d'être souples et maniables. La nature ne pouvait faire un présent plus convenable au pays. Quoique ces feuilles aient beaucoup d'étendue lorsqu'elles sont vertes, elles peuvent être resserrées comme un éventail; et, n'étant pas alors plus grosses que le bras, elles pèsent fort peu dans la main. Elles sont naturellement rondes; mais les insulaires les coupent en pièces triangulaires dont ils se couvrent en voyageant, avec le soin de mettre le bout pointu par-devant pour s'ouvrir le passage au travers des buissons. Elles les garantissent tout à la fois de la pluie et du soleil. Les soldats en font des tentes. Knox apporta dans sa patrie une de ces feuilles. Elles croissent au sommet de l'arbre, comme celles du cocotier; mais il ne porte de fruit que l'année de sa mort. C'est une autre singularité qui doit attirer d'autant plus d'attention, qu'alors uniquement il pousse de grandes branches chargées de très-belles fleurs jaunes, d'une odeur à la vérité trop forte, qui se changent en un fruit rond et dur, de la grosseur de nos belles cerises; mais ce fruit n'est bon que pour semer. Le talipot ne porte donc qu'une seule fois; mais il est si couvert de fruits et de graines, qu'un seul arbre suffit pour ensemencer toute une province. Cependant l'odeur des fleurs est si insupportable près des maisons, qu'on ne manque jamais d'y abattre ces arbres lorsqu'ils commencent à pousser des boutons, d'autant plus que, si on les coupe auparavant, on y trouve une fort bonne moelle, qu'on réduit en farine pour faire des gâteaux qui ont le goût du pain blanc. C'est encore une ressource pour les insulaires lorsque le riz leur manque vers le temps de la moisson.

Le second arbre dont Knox parle avec admiration, c'est le *kétoule*, qu'il représente aussi droit que le cocotier, mais moins haut et beaucoup moins gros. Sa principale propriété consiste à rendre une espèce de liqueur qui se nomme *telléghie*, extrêmement douce, très-saine et très-agréable, mais sans aucune force. On la reçoit deux fois par jour, et trois fois des meilleurs arbres, qui en donnent jusqu'à douze pintes dans un seul jour. On la fait bouillir jusqu'à la réduire en consistance, et c'est alors une espèce de cassonade noire, que les habitans nomment *djaggory*. Avec un peu de peine, ils peuvent la rendre aussi blanche que le sucre, auquel d'ailleurs elle ne cède rien en bonté. Knox explique la manière dont on tire cette liqueur. Lorsque l'arbre est dans sa maturité, il pousse vers sa pointe un bouton qui se change en un fruit rond, et qui est proprement sa semence; mais on ouvre ce bouton en y mettant divers ingrédiens, tels que du sel, du poivre, du citron, de l'ail et diverses feuilles qui l'empêchent de mûrir. Chaque jour on en coupe un petit morceau vers le bout, et la liqueur en tombe. À mesure qu'il mûrit et qu'il se fane, il en croît d'autres plus bas chaque année, jusqu'à ce qu'ils gagnent la tête des branches; mais alors l'arbre cesse de porter, et meurt après avoir subsisté huit ou dix ans. Ses feuilles ressemblent à celles du cocotier, et tiennent à une écorce fort dure et pleine de filets, dont on se sert pour faire des cordes. Elles tombent pendant tout le temps qu'il croît; mais, lorsqu'il est arrivé à sa grosseur, elles demeurent plusieurs années sur l'arbre sans tomber; et lorsqu'elles tombent, la nature ne lui en rend pas d'autres. Son bois, qui n'a pas plus de trois pouces d'épaisseur, sert comme d'enveloppe à une moelle fort blanche. Il est fort dur et fort lourd, mais sujet à se fendre de lui-même. La couleur en est noire. On le croirait composé de pièces de rapport. Les insulaires en font des pilons pour battre le riz.

Le troisième arbre est celui qui porte la cannelle, et qui rend l'île de Ceylan si chère aux Hollandais. On le nomme, dans le pays, *goronda-gouhah*. Il croît dans les bois comme les autres arbres; et, ce qui doit paraître surprenant, les Chingulais n'en font pas plus de cas. On en trouve beaucoup dans diverses parties de l'île, surtout à l'ouest de la grande montagne de Mavelagongue, fort peu dans d'autres, et quelques-unes n'en portent pas du tout. L'arbre est d'une grandeur médiocre. Son écorce est la cannelle, qui paraît blanche sur le tronc, mais qu'on enlève et qu'on fait sécher au soleil. Les insulaires ne la prennent que sur de petits arbres, quoique l'écorce des grands ait l'odeur aussi douce, et le goût de la même force. Le bois est sans odeur; il est blanc, et de la dureté du sapin. On s'en sert à toutes sortes d'usages. Sa feuille ressemble à celle du laurier par la couleur et l'épaisseur, avec cette seule différence que la feuille du laurier n'a qu'une côte droite, sur laquelle le vert s'étend des deux côtés, et que celles de la cannelle en ont trois, par le moyen desquelles elles s'élargissent. En commençant à pousser, elles ont la rougeur de l'écarlate. Frottées entre les mains, elles ont l'odeur du clou de girofle plus que celle de la cannelle. Le fruit, qui mûrit ordinairement au mois de septembre, ressemble au gland, mais il est plus petit. Il a moins d'odeur et de goût que l'écorce. On le fait bouillir dans l'eau pour en tirer une huile qui surnage, et qui, étant congelée, devient aussi blanche et aussi dure que du suif. L'odeur en est fort agréable: les habitans s'en oignent le corps; ils en brûlent aussi dans leurs lampes; mais on n'en fait des chandelles que pour le roi.

Knox parle, dans son journal, du *bogahas*, que les Européens ont nommé l'arbre-dieu, parce que les Chingulais le croient sacré et lui rendent une sorte d'adoration. Cet arbre est fort grand, et ses feuilles tremblent sans cesse comme celles du peuplier. Toutes les parties de l'île en offrent un grand nombre, que les Chingulais se font un mérite de planter, et sous lesquels ils allument des lampes et placent des images. On en trouve dans les villes et sur les grands chemins, la plupart environnés d'un pavé, qui est entretenu fort proprement: ils ne portent aucun fruit, et ne sont remarquables que par la superstition qui les a fait planter. Cet arbre est le figuier des pagodes.

Les Chingulais ont un nombre extraordinaire de simples ou d'herbes médicinales. Leurs boutiques de pharmacie sont dans les bois: c'est là qu'ils composent leurs médecines et leurs emplâtres avec des herbes, des feuilles et des écorces. L'auteur vante, sans les nommer, celles qui guérissent si promptement un os rompu, qu'il se rejoint dans l'espace d'une heure et demie. Il vérifia par sa propre expérience la vertu d'une écorce d'arbre qui se nomme *amaranga*, et qui s'emploie pour les abcès dans la gorge. On lui en fit mâcher pendant un jour ou deux, en avalant sa salive; et quoiqu'il fût très-mal, il se trouva guéri en vingt-quatre heures.

Ils ont quantité de belles fleurs sauvages, qu'un peu de culture ne manquerait pas d'embellir, surtout leurs fleurs odoriférantes, que les jeunes gens des deux sexes se contentent de cueillir pour orner leurs cheveux et les parfumer. Leurs roses rouges et blanches ont l'odeur des nôtres. Rien ne mérite tant d'attention qu'une fleur nommée *sindriè-mal*, qui croît dans les bois, et que son utilité fait transporter dans les jardins. Sa couleur est rouge ou blanche; elle s'ouvre sur les quatre heures après midi, et, demeurant épanouie jusqu'au matin, elle se ferme alors pour ne s'ouvrir qu'à quatre heures: c'est une sorte d'horloge qui sert à faire connaître l'heure dans l'absence du soleil. Le pikhamols est une fleur blanche dont l'odeur tire sur celle du jasmin. On en apporte au roi chaque matin un bouquet enveloppé dans un linge blanc et suspendu à un bâton. Ceux qui le rencontrent en chemin sont obligés de se détourner, dans la crainte apparemment qu'ils ne l'infectent par leur haleine. Quelques officiers tiennent des terres du roi pour ce service; et leur charge les obligeant de planter ces fleurs dans les lieux où elles croissent le mieux, ils ont le droit de choisir le terrain qui est de leur goût, sans examiner à qui il appartient.

Knox vit parmi les animaux du roi un tigre noir, un daim blanc et un éléphant moucheté. Les singes sont non-seulement en grande abondance dans les bois, mais de diverses espèces, dont quelques-unes ne peuvent être comparées à celles des autres pays. La variété des fourmis n'est pas moins admirable dans l'île de Ceylan que leur abondance: elles y exercent les mêmes ravages que dans toute l'Afrique.

On voit dans le pays une sorte de sangsues noirâtres qui vivent sous l'herbe, et qui sont fort incommodes aux voyageurs qui vont à pied. Elles ne sont pas d'abord plus grosses qu'un crin de cheval; mais en croissant elles deviennent de la grosseur d'une plume d'oie, et longues de deux ou trois pouces: on n'en voit que dans la saison des pluies; c'est alors que, montant aux jambes de ceux qui voyagent pieds nus, suivant l'usage du pays, elles les piquent et leur sucent le sang avec plus de vitesse qu'ils n'en peuvent avoir à s'en délivrer. On aurait peine à concevoir une action si prompte, si l'auteur n'ajoutait que le principal embarras vient de leur multitude, qui ferait perdre le temps, dit-il, à vouloir leur faire quitter prise. Aussi prend-on le parti de souffrir leurs morsures, d'autant plus qu'on les croit fort saines. Après le voyage, on se frotte les jambes avec de la cendre, ce qui n'empêche pas qu'elles ne continuent de saigner long-temps. On voit aussi des sangsues d'eau qui ressemblent aux nôtres.

Les petits perroquets verts y sont en grand nombre et ne peuvent apprendre à parler. En récompense, le malcrouda et le cancouda, deux autres oiseaux de la grosseur d'un merle, dont le premier est noir, et l'autre d'un beau jaune d'or, apprennent très-facilement. Les bois et les champs sont remplis de plusieurs sortes de petits oiseaux remarquables par la variété et l'agrément de leur plumage. Leur grosseur est celle de nos moineaux; on en voit de blancs comme la neige, qui ont la queue d'un pied de long et la tête noire, avec une touffe de plumes qui les couronne. D'autres, qui ne diffèrent qu'en couleur, sont rougeâtres comme une orange mûre, et couronnés d'une touffe noire. L'oiseau qu'on nomme *carlo* ne se pose jamais à terre, et se perche toujours sur les plus, hauts arbres: il est aussi gros qu'un cygne, de couleur noire, a les jambes courtes, la tête d'une prodigieuse grosseur, le bec rond, avec du blanc des deux côtés de la tête, qui lui forme comme deux oreilles, et une crête blanche de la figure de celle d'un coq.

Un pays chaud, pluvieux et rempli d'étangs et de bois, ne saurait manquer de produire un grand nombre de serpens. Celui que les habitans nomment *pimberah* est de la grosseur d'un homme et d'une longueur proportionnée. C'est un boa qui ressemble à ceux que nous avons déjà décrits. Le noya est grisâtre, et n'a pas plus de quatre pieds de longueur; il tient quelquefois la moitié de son corps élevée pendant deux ou trois heures, ouvrant sa gueule entière, au-dessus de laquelle on croit lui voir une paire de lunettes; cependant il n'est pas nuisible, et par cette raison les Indiens lui donnent le nom de *noya rodgherah*, qui signifie *serpent royal*. Lorsqu'il rencontre le polonga, autre serpent qui est venimeux, ils commencent un combat qui ne finit que par la mort de l'un ou de l'autre. Le caroula, long d'environ deux pieds et fort venimeux, se cache dans les trous et les couvertures des maisons, où les chats lui donnent la chasse et le mangent. Les gherendés sont en grand nombre, mais sans venin, et ne font la guerre qu'aux œufs des petits oiseaux. L'hiécanella est une sorte de lézard venimeux, qui se cache dans le chaume des maisons, mais qui n'attaque pas les hommes, s'il n'est provoqué. On ne se représente pas sans frémir une grosse araignée de Ceylan nommée *démocoulo*, longue, noire, velue, tachetée et luisante, qui a le corps de la grosseur du poing, et les pieds à proportion. Elle se cache ordinairement dans le creux des arbres et dans d'autres trous. Rien n'est plus venimeux que cet insecte; sa blessure n'est pas mortelle; mais la qualité de son venin trouble l'esprit et fait perdre la raison. Les bestiaux sont souvent mordus ou piqués de cet insecte monstrueux, et meurent sans qu'on y puisse remédier. Les hommes trouvent du secours dans leurs herbes et leurs écorces, lorsqu'ils emploient promptement cette ressource.

L'île de Ceylan a plusieurs sortes de pierres précieuses; mais le roi, qui en possède en fort grand nombre, ne permet pas qu'on en cherche de nouvelles. Dans les lieux où l'on sait qu'elles se trouvent, il fait planter des pieux pointus, qui menacent ceux qui en approcheraient d'être empalés vifs. On tire de plusieurs rivières, des rubis, des saphirs et des yeux de chat pour ce prince. Knox vit plusieurs petites pierres transparentes de diverses couleurs, dont quelques-unes étaient de la grosseur d'un noyau de cerise, et d'autres plus grosses. Il vit aussi des rubis et des saphirs. Le fer et le cristal sont communs dans l'île, et les habitans font de l'acier de leur fer. Ils ont aussi du soufre; mais le roi défend qu'on le tire des mines. Ils ont quantité d'ébène, beaucoup de bois à bâtir, de la mine de plomb, des dents d'éléphant, du turmeric, du musc, du coton, de la cire, de l'huile, du riz, du sel, du poivre, qui croît fort bien, et qu'ils recueilleraient en abondance, s'ils avaient occasion de s'en défaire. Mais les marchandises qui sont véritablement propres au pays sont la cannelle et le miel sauvage.

Un roi de Candy avait conçu une telle haine contre les Portugais, que, lorsqu'en 1602 l'amiral hollandais Spilberg aborda à Ceylan, ce prince, ne voyant dans ces nouveaux venus que les ennemis naturels du Portugal, et apprenant qu'ils avaient des vues d'établissement dans l'île, leur dit ces propres paroles: «Vous devez compter que, s'il plaît aux états et aux princes vos maîtres de faire bâtir une forteresse sur mes terres, la reine, le prince et la princesse que vous voyez ici seront les premiers à porter sur leurs épaules des pierres de la chaux, et tous les matériaux nécessaires. Ceux qui seront envoyés de la part de vos maîtres auront la liberté de choisir la baie ou le lieu qui leur conviendront.» Les rois de Ceylan durent s'apercevoir dans la suite qu'ils n'avaient fait que changer de tyrans. Les Hollandais sont depuis long-temps seuls en possession de tout le commerce de l'île, et en état de donner des lois à ses souverains, quoiqu'ils paraissent borner leur domaine le long des côtes, à douze lieues d'étendue dans les terres.

CHAPITRE IV.

Île de Sumatra.

De Ceylan, située comme nous l'avons vu, presque vis-à-vis le cap Comorin, à l'entrée du golfe de Bengale, en voguant directement vers l'est, vous rencontrez à l'autre extrémité de ce golfe l'île de Sumatra, séparée de Malacca par le détroit qui porte ce nom.

Sumatra, île plus grande que l'Angleterre et l'Écosse, s'étend depuis la pointe d'Achem, à 5 degrés et demi de latitude du nord, jusqu'au détroit de la Sonde, vers 5 degrés et demi du sud, ce qui fait environ trois cents lieues françaises pour sa longueur. L'intérieur du pays est rempli de hautes montagnes; mais, proche la mer, la plus grande partie de l'île est basse, et ne manque ni de bons pâturages, ni d'excellentes terres pour le riz et pour les fruits des Indes. Elle est arrosée de plusieurs belles rivières. Les petites sont en si grand nombre, qu'elles rendent la terre continuellement humide, et dans quelques endroits fort marécageuse, indépendamment des pluies qui commencent régulièrement au mois de juin, et qui ne finissent que dans le cours d'octobre. L'air est dangereux alors pour les étrangers, surtout dans les parties les plus proches de la ligne, telles que le pays de Tikou et de Passaman. Les Achémois mêmes n'y demeurent pas sans crainte, surtout pendant les pluies. Les vents qui règnent alors sur cette côte s'y rompent avec de grands tourbillons et d'horribles tempêtes. Des calmes succèdent presque tout d'un coup, pendant lesquels l'air n'étant plus agité, et la terre continuant d'être abreuvée de pluies continuelles, le soleil attire des vapeurs très-puantes, qui causent des fièvres pestilentielles, dont l'effet le plus commun est d'emporter les étrangers dans l'espace de deux ou trois jours, ou de leur laisser des enflures douloureuses et très-difficiles à guérir.

La ville d'Achem étant à la pointe du nord, on y respire un air plus pur et plus tempéré. Elle est située sur une rivière de la grandeur de la Somme, à la distance d'environ une demi-lieue du rivage de la mer, au milieu d'une grande vallée large de six lieues. La terre est propre à y produire toutes sortes de grains et de fruits; mais on n'y sème que du riz, qui est la principale nourriture des habitans. Quoique les cocotiers y soient les arbres les plus communs, on y trouve, comme dans le reste de l'île, tous les arbres fruitiers des Indes, mais peu de légumes et d'herbes potagères. Les pâturages, qui sont d'une beauté admirable, nourrissent quantité de buffles, de bœufs et de cabris. Les chevaux y sont en grand nombre, mais de petite taille. Les moutons n'y profitent point. L'abondance des poules et des canards est extraordinaire. On les nourrit avec soin pour en vendre les œufs. Beaulieu parle avec étonnement du nombre des sangliers, qu'il dit être infini. Ils se trouvent, dit-il, dans les campagnes, dans les pâturages, et jusque dans les haies des maisons; ils ne sont ni si grands ni si furieux qu'en France. Les cerfs et les daims surpassent les nôtres en grandeur. Les lièvres et les chevreuils sont rares dans toutes les parties de l'île; mais tout autre gibier de chasse y est fort commun. On voit beaucoup d'éléphans sauvages dans les montagnes et dans les bois; des tigres, des rhinocéros, des buffles sauvages, des porcs-épics, des civettes, des singes, des couleuvres et de fort gros lézards. Les rivières sont assez poissonneuses; mais la plupart sont infestées de crocodiles.

Le roi d'Achem possède la meilleure et la plus grande partie de l'île; le reste est divisé en cinq ou six rois, dont toutes les forces réunies n'approchent pas des siennes. La côte occidentale est bordée d'un grand nombre d'îles, quelques-unes assez grandes, mais à dix-huit ou vingt lieues de Sumatra; d'autres plus petites, qui n'en sont qu'à trois ou quatre lieues. Les habitans de celles qui ne sont pas désertes paraissent de la même race que les anciens originaires de la grande île, dont ils ont été chassés apparemment par les Malais. Vers 5 degrés de latitude sud est l'île d'Enganno, habitée par une espèce de sauvages très-cruels, qui sont nus, avec une longue chevelure, et qui massacrent sans pitié tous les étrangers dont ils peuvent se saisir. À 3 degrés et demi on trouve une île de quatorze ou quinze lieues de longueur, que les Hollandais ont nommée l'*île de Nassau*. Quatre ou cinq lieues au-dessus, vers la ligne équinoxiale, est une autre île habitée et longue de sept ou huit lieues. Elle est suivie de celle de Mintou, qui n'est qu'à 1 degré et demi de la ligne. Les habitans sont vêtus, et font un commerce régulier avec ceux de Tikou, quoiqu'ils n'aient pas le même langage.

Le royaume d'Achem avait autrefois quantité de poivre; mais un de ses rois, ayant observé que le commerce faisait négliger l'agriculture aux habitans, fit détruire la plus grande partie des poivriers. À six lieues de la capitale, vers Pédir, s'élève une haute montagne en forme de pic, d'où l'on tire quantité de soufre. Poulo-ouai, une des îles de la rade d'Achem, en fournit beaucoup; et c'est de ces deux sources que toute l'Inde le reçoit pour faire de la poudre. Le territoire de Pédir est si fertile en riz, qu'on le nomme *le grenier d'Achem*. Il n'est pas moins favorable aux vers à soie, qui fournissent de la matière aux manufactures d'Achem pour fabriquer diverses étoffes, dont le commerce est considérable dans toutes les parties de l'île. Les habitans de la côte de Coromandel achètent le reste de la soie crue. Elle n'est pas blanche comme celle de la Chine, ni si fine et si bien préparée; mais, quoique jaune et dure, on en fait d'assez beau taffetas. De Pacem jusqu'à Délhi, on trouve plusieurs cantons assez riches des bienfaits de la nature pour aider ceux qui sont moins heureusement partagés. Beaulieu vante, à Délhi, une source d'huile inextinguible, c'est-à-dire qui, ne cessant point de brûler lorsqu'une fois elle est allumée, conserve son ardeur jusqu'au milieu de la mer. Le roi d'Achem s'en était servi dans un combat contre les Portugais, pour mettre le feu à deux galions qui furent entièrement consumés. Daya est fertile en riz et très-riche en bestiaux. Cinquel produit beaucoup de camphre, que les marchands de Surate et de la côte de Coromandel achètent à grand prix. Barros est une fort belle ville située sur une grosse rivière, dans une campagne bien cultivée. On y fait beaucoup de benjoin, qui sert de monnaie aux habitans, et qui est célèbre aux Indes sous le nom même de la ville dont il vient. Le plus blanc est le plus estimé. On recueille beaucoup de camphre à Barros; mais celui de Bataham, qui est en plus petite quantité, passe pour le meilleur.

Passaman, où commencent les poivriers, est située au pied d'une très-haute montagne qu'on découvre de trente lieues en mer, lorsque le ciel est serein. Le poivre y croît parfaitement. Tikou, qui est sept lieues plus loin, en offre encore plus. Passaman est bien peuplée: sa situation est plus agréable que celle de Tikou, et l'air plus sain. Les vivres y sont en plus grande abondance; mais le poivre y est moins fertile. Les habitans sont dédommagés par le commerce de l'or avec Manincabo. Padang a peu de poivre; mais le commerce de l'or y est considérable, et sa rivière forme un port naturel, qui peut recevoir de grands vaisseaux. Les Hollandais se sont établis à Palimban.

Toutes ces villes, et les lieux voisins, sont fort bien peuplés jusqu'au pied des montagnes. Les terres y sont régulièrement cultivées. Entre les habitans étrangers ou naturels il se trouve des personnes riches, qui jouissent heureusement de leur fortune; mais ils ne doivent leur tranquillité qu'au bonheur de vivre loin d'Achem. Beaulieu, que nous suivons ici[7], parle de la présence du roi comme d'un fléau terrible qui fait autant de malheureux qu'il y a d'habitans dans sa capitale. Il ajoute qu'ils méritent leur sort, parce qu'ils sont d'une méchanceté odieuse. Mais, rendant justice à leurs bonnes qualités, il leur attribue de l'esprit et de l'éloquence, de la correction dans leur langage, une belle main pour l'écriture, dans laquelle ils s'attachent tous à se perfectionner; une profonde connaissance de l'arithmétique, suivant l'usage des Arabes; du goût pour la poésie, qu'ils mettent presque toujours en chant; une propreté dans leurs habits et dans leurs maisons, qu'ils porteraient volontiers jusqu'à la magnificence, si le roi ne faisait tomber ses principales vexations sur les personnes riches. Les arts sont en honneur dans la ville d'Achem. Il s'y trouve d'excellens forgerons, qui font toutes sortes d'ouvrages de fer; des charpentiers qui entendent fort bien la construction des galères; des fondeurs pour tous les ouvrages de cuivre. Ils sont extrêmement sobres: le riz fait leur seule nourriture; les plus riches y joignent un peu de poisson et quelques herbages. Il faut être un grand seigneur à Sumatra pour avoir une poule rôtie ou bouillie, qui sert pendant tout le jour. Aussi disent-ils que deux mille chrétiens dans leur île l'auraient bientôt épuisée de bœufs et de volaille. Ils sont tous mahométans, et feignent beaucoup de zèle pour leur religion. «Mais dit, Beaulieu, on découvre aisément leur hypocrisie, surtout dans l'affection qu'ils font éclater pour leur roi, à qui tous ils désireraient d'avoir mangé le cœur. Ils le redoutent jusqu'au point que, dans la crainte continuelle que leurs voisins ou les témoins de leur conduite n'attirent sur eux sa colère par quelque rapport malicieux, ils s'efforcent eux-mêmes de les prévenir par de fausses accusations. De là vient sa cruauté, parce que, sans cesse obsédé de délateurs, il s'imagine qu'on en veut sans cesse à sa vie, et que tous ses sujets sont autant de mortels ennemis dont il ne peut trop se défier. Le frère accuse le frère; un père est accusé par son fils. Lorsqu'on leur reproche cet excès d'inhumanité, et qu'on les rappelle aux droits de la conscience, ils répondent que Dieu est loin, mais que le roi est toujours proche.»

La pluralité des femmes est établie à Sumatra, comme dans tous les pays mahométans, et les lois du mariage y sont les mêmes. Le débiteur insolvable est abandonné aux créanciers, dont il est l'esclave jusqu'à son paiement. Beaulieu parle avec admiration du respect que les Achémois ont pour la justice. Un criminel arrêté par une femme ou par un enfant n'ose prendre la fuite, et demeure immobile. Il se laisse conduire avec la même docilité devant le juge, qui le fait punir sur-le-champ. Le châtiment ordinaire pour les fautes communes est la bastonnade. Après l'exécution, chacun s'en retourne tranquillement, sans qu'on puisse distinguer le coupable entre les accusateurs, c'est-à-dire qu'on n'entend d'une part aucune plainte, ni de l'autre aucun reproche. Un jour que les affaires de Beaulieu l'avaient conduit au tribunal, et qu'il avait été reçu fort civilement par le juge, il fut témoin de plusieurs procès; entre autres, de celui d'un homme qui avait eu la curiosité de voir la femme de son voisin par-dessus une haie, tandis qu'elle était à se laver. Cette femme en avait fait des plaintes à son mari, qui, s'étant saisi du coupable, l'amenait lui-même en justice, où il fut condamné à recevoir sur ses épaules trente coups de rotang[8]. Aussitôt il fut conduit hors de la salle par l'exécuteur, qui commençait à lever le bras; mais, entrant alors en capitulation pour éviter le supplice, il proposa six mazes. L'exécuteur en demanda quarante; et, le voyant incertain, il lui donna un coup si rude, que le marché fut bientôt à vingt mazes. La sentence n'en fut pas moins exécutée, mais avec tant de douceur, que le rotang ne faisait que toucher aux habits. Cette capitulation s'était faite à la vue du juge et de ses assesseurs, qui ne s'y étaient pas opposés; et le coupable, demeurant libre après l'exécution, se mêla tranquillement parmi les spectateurs pour entendre le jugement de quelque autre cause. Beaulieu apprit de son interprète, que c'était l'usage commun; mais que celui qui avait payé les vingt mazes était sans doute un homme riche, et que ceux qui l'étaient moins aimaient mieux subir la punition que de s'en exempter à prix d'argent. Le roi ne laissant guère passer de jour sans quelque exécution sanglante, telle que de faire couper le nez, crever les yeux, châtrer, couper les pieds, les poings ou les oreilles, les exécuteurs demandaient aux coupables combien ils voulaient donner pour être châtrés proprement, pour avoir le nez ou le poing coupé d'un seul coup, ou, si la sentence était capitale, pour recevoir la mort sans languir. Le marché se concluait à la vue des spectateurs, et la somme était payée sur-le-champ. Celui qui manquait d'argent, ou qui le préférait à sa sûreté, s'exposait à se voir couper le nez si haut, que le cerveau demeurait à découvert; à se voir hacher le pied de deux ou trois coups, à perdre une partie de la joue ou de l'oreille. Mais Beaulieu admire qu'à l'âge même de cinquante ou soixante ans, toutes ces mutilations soient rarement mortelles, quoiqu'on n'y apporte point d'autre remède que de mettre dans de l'eau les parties mutilées, d'arrêter le sang et de bander la plaie. Il ne reste d'ailleurs aucune tache aux coupables qui ont subi cette rigoureuse justice. Ils seraient en droit de tuer impunément ceux qui leur feraient le moindre reproche. «Tout homme, disent les Achémois, est sujet à faillir, et le châtiment expie la faute.» Il ne manque rien à cette belle *justice*, puisqu'il plaît aux historiens de l'appeler ainsi, si ce n'est que le bourreau, qui doit être un des hommes les plus riches du royaume, devrait en conscience partager avec le despote l'argent qu'il reçoit pour le nez et les oreilles qu'il *coupe proprement*.

Le chef de la religion, qui porte le titre de *cadi* dans le royaume d'Achem, juge toutes les affaires qui concernent les mœurs et le culte établi. Le sabandar préside à celles du commerce. Quatre mérignes, ou chefs de patrouilles, veillent nuit et jour à la sûreté publique. Chaque orencaie participe à l'administration dans un canton qu'il gouverne; et cette distribution d'autorité sert beaucoup à l'entretien de l'ordre. Elle n'expose jamais celle du roi, parce que, dans la petite étendue de chaque gouvernement, les orencaies n'ont point assez de forces pour se rendre redoutables, et qu'ils servent entre eux comme d'espions pour s'observer.

La garde royale est de trois mille hommes, qui ne sortent presque jamais des premières cours du château. Les eunuques, au nombre de cinq cents, forment une garde plus intérieure, dans l'enceinte où nul homme n'a la liberté de pénétrer. C'est proprement le palais, qui n'est habité que par le roi et par ses femmes. L'Asie a peu de sérails aussi bien peuplés. Dans une multitude infinie de femmes et de concubines on comptait alors vingt filles de rois, entre lesquelles était la reine de Péta, que le roi d'Achem avait enlevée. Cependant il n'avait qu'un fils âgé de dix-huit ans, et plus cruel encore que lui.

Les éléphans du roi d'Achem sont toujours au nombre de neuf cents, dont on exerce la plupart au bruit des mousquetades et à la vue du feu. Ils sont si bien instruits, qu'en entrant dans le château, ils font la *sombaie*, ou le salut devant l'appartement du roi, en pliant les genoux et levant trois fois la trompe. On rend tant d'honneurs à ceux qui passent pour les plus courageux et les mieux instruits qu'on fait porter devant eux des *quitasols*[9], distinction réservée d'ailleurs pour la personne du roi. Le peuple s'arrête lorsqu'ils passent dans une rue, et quelqu'un marche devant eux avec un instrument de cuivre, dont le son avertit toute la ville du respect qu'on leur doit. Ce respect me paraît très-bien placé. Il s'en faut de beaucoup que les habitans de Sumatra vaillent leurs éléphans.

Le roi hérite de tous ses sujets, lorsqu'ils meurent sans enfans mâles. Ceux qui ont des filles peuvent les marier pendant leur vie; mais si le père meurt avant leur établissement, elles appartiennent au roi, qui se saisit des plus belles, et qui les entretient dans l'intérieur du palais. De là vient la multitude extraordinaire de ses femmes.

Il tire un profit immense de la confiscation des biens, qui est le châtiment ordinaire des plus riches coupables. Il s'attribue la succession de tous les étrangers qui meurent dans ses états. Ce n'était pas sans peine que les Européens s'étaient fait excepter de cette loi. Quelques marchands de Surate et de Coromandel étant morts à Achem pendant le séjour que Beaulieu fit dans cette ville, non-seulement tous leurs effets furent saisis au nom du roi, mais on mit leurs esclaves à la torture, pour leur faire déclarer s'ils n'avaient pas détourné quelques diamans ou d'autres richesses. Un ancien usage le met en droit de confisquer tous les navires qui font naufrage sur les terres de son obéissance; et, d'après la situation de ces côtes, ce malheur arrive souvent aux étrangers: hommes et marchandises, tout est enlevé par ses ordres. On sait que la même barbarie a régné long-temps en Europe.

CHAPITRE V.

Île de Java.

L'île de Java est séparée de celle de Sumatra par le détroit de la Sonde. Après des tentatives réitérées, les Hollandais s'établirent à Bantam, capitale de cette île, malgré les obstacles qu'ils éprouvèrent de la part des Anglais, qui s'y étaient fixés avant eux. Ces obstacles furent surmontés par une patience infatigable, par les efforts d'une puissance maritime qui prenait tous les jours de nouveaux accroissemens; et cette nation est parvenue à fonder des comptoirs florissans dans cette île, ainsi qu'aux Moluques et dans tout l'archipel indien.

Marc-Pol donne à l'île de Java trois cents lieues de circuit; les géographes la placent entre 6 et 9 degrés de latitude sud. Les habitans se croient originaires de la Chine. Leurs ancêtres, disent-ils, ne pouvant supporter l'esclavage où ils étaient réduits par les Chinois, s'échappèrent en grand nombre, et vinrent peupler cette île. Si l'on s'arrêtait à leur physionomie, cette opinion ne serait pas sans vraisemblance. La plupart ont, comme les Chinois, le front large; les joues grandes, les yeux fort petits. Cette idée se trouve encore confirmée par le témoignage de Marc-Pol, qui, ayant vécu parmi les Tartares, avait appris d'eux que la grande Java leur payait anciennement un tribut, et qu'aussitôt que les Chinois se furent révoltés contre eux, les Javanais secouèrent le joug. On voit encore à Bantam un grand nombre de Chinois qui viennent s'y établir pour se dérober aux rigoureuses lois de la Chine.

On ne saurait douter du moins que les habitans de Java n'aient depuis long-temps leur propres rois. Il est arrivé dans cette île, comme dans d'autres pays, que, faute de lois ou d'ordre bien établi dans la succession, quantité de particuliers ont aspiré au titre de souverain, et se sont formé de petits états par la force ou par l'adresse. Chaque ville en composait un, avec les terres de sa dépendance; mais le royaume de Bantam a toujours été le plus puissant.

Parmi les principales villes de Java on trouve d'abord Balambouam, ville célèbre et revêtue de bonnes murailles. Elle a vis-à-vis d'elle l'île de Bali, dont elle n'est séparée que par un détroit d'une demi-lieue de large, qu'on nomme le détroit de Balambouam. À dix lieues au nord de cette ville, on trouve celle de Panaroucan, où quantité de Portugais s'étaient établis, parce qu'ils y étaient amis du roi, et que le port y est excellent. Il s'y fait un grand commerce d'esclaves, de poivre-long, et de ces habits de femmes qui portent le nom de *conjorins* dans le pays. Au-dessus de Panaroucan est une grande montagne ardente qui s'ouvrit pour la première fois en 1586, avec tant de violence, qu'elle couvrit la ville de cendres et de pierres, et tous les environs d'une épaisse fumée qui obscurcit pendant trois jours la lumière du soleil. Cet horrible embrasement fit périr dix mille insulaires.

On trouve, six lieues plus loin, la ville de Passaouran, où l'on fait un commerce de toile de coton. Dix lieues plus à l'ouest, se présente la ville d'Ioartan, située sur une belle rivière, avec un bon port, où relâchent les vaisseaux qui reviennent des Moluques à Bantam. On y trouve toutes sortes de rafraîchissemens. Guerrici est une autre ville qui est située sur le bord occidental de la même rivière. On charge dans ces deux villes quantité de sel pour Bantam.

À dix lieues au nord-nord-ouest, on trouve Toubaon, ou Touban, ville marchande et bien murée: c'est la plus belle ville de l'île. Son roi, que les Hollandais virent dans leur second voyage, se distinguait par la magnificence de sa cour. Un jour qu'ils étaient descendus au rivage, il s'y rendit pour leur faire honneur; et les conduisit ensuite à son palais. Il leur montra ses éléphans, chacun sous un petit toit particulier soutenu par quatre colonnes. On leur fit remarquer le plus grand et le plus beau, dont on leur raconta des choses fort extraordinaires. Lorsqu'on lui commandait de tuer quelqu'un, il exécutait aussitôt cet ordre; et, prenant le cadavre, qu'il se mettait sur le dos avec sa trompe, il allait le jeter aux pieds du roi. La moitié de sa trompe était blanche. Il était si bien dressé aux combats, que le roi n'en montait pas d'autre pendant la guerre. On lui donnait une arme dont il se servait aussi habilement avec sa trompe que le soldat le plus exercé. Les Hollandais en comptèrent douze autres, tous d'une beauté extraordinaire, mais moins grands que le premier, auquel ils donnent la hauteur de deux hommes l'un sur l'autre.

Le premier appartement qu'on leur fit voir contenait le bagage du roi dans des caisses entassées les unes sur les autres. On porte toutes ces caisses avec le roi dans ses moindres voyages. De là ils entrèrent dans l'appartement des coqs de joute, dont chacun occupe une cage particulière de la forme de celles où l'on renferme les alouettes de Hollande, mais dont les bâtons ont deux doigts d'épaisseur. Il y a des officiers commis pour en prendre soin et pour régler leurs combats. Cet usage de les tenir renfermés à la vue l'un de l'autre, les rend si vifs et si colères, qu'ils se battent avec une furie surprenante. Les Hollandais passèrent dans l'appartement des perroquets, qui leur parurent beaucoup plus beaux que ceux qu'ils avaient vus dans d'autres lieux, mais d'une grosseur médiocre. Les Portugais leur donnent le nom de *noiras*: ils ont un rouge vif et lustré sous la gorge et sous l'estomac, et comme une belle plaque d'or sur le dos; le dessus des ailes est mêlé de vert et de bleu, et le dessous paraît d'un bel incarnat. Cette espèce est si recherchée dans les Indes, qu'on donne volontiers jusqu'à dix piastres pour un noiras. On lit dans les voyages de Linschoten que les Portugais ont tenté inutilement de transporter quelques-uns de ces beaux oiseaux en Europe, parce qu'ils sont trop délicats pour résister à la navigation. Cependant les Hollandais en apportèrent à Amsterdam en 1598. Les noiras sont d'un agrément admirable pour leurs maîtres. Ils les caressent avec une douceur et une familiarité surprenantes; mais ils mordent les étrangers avec fureur.

Les Hollandais furent conduits de cet appartement dans celui des chiens, qui avaient leurs loges à part, et chacun son maître particulier, qui l'instruisait pour la chasse ou pour d'autres exercices. Le roi demanda s'il y avait de grands chiens en Hollande. On lui répondit qu'il y en avait d'aussi grands que ses petits chevaux, et si furieux, qu'ils étaient capables de tuer un homme. Il demanda si les chevaux y étaient grands. On lui dit qu'il s'en trouvait d'aussi grands que ses petits éléphans. Ces deux réponses furent reçues d'abord comme une plaisanterie; mais lorsqu'on les eut renouvelées sérieusement, il offrit un prix considérable pour un des plus grands chevaux et un des plus grands chiens de Hollande. Sa surprise devint encore plus grande en apprenant que la différence des climats ne permettait pas d'amener facilement ces animaux jusqu'aux Indes.

Après avoir admiré l'appartement des chiens, on conduisit les Hollandais dans celui des canards; Ils les trouvèrent semblables à ceux de Hollande, excepté qu'ils étaient un peu gros, et que la plupart étaient blancs. Leurs œufs sont plus gros du double que ceux de nos plus belles poules. Un satirique s'amuserait à faire d'une pareille cour une allégorie plaisante, et un misanthrope dirait qu'elle en vaut bien une autre. Après leur avoir montré tous les animaux, on leur fit voir l'appartement des femmes.

Ce prince fit conduire un autre jour les Hollandais dans sept écuries, dont chacune ne contenait qu'un cheval. Elles étaient fermées, par les côtés, d'un treillage de bois, et le dessous n'était aussi qu'une sorte de planches à jour, par laquelle la fiente des chevaux pouvait passer pour être emportée aussitôt. Les chevaux de Java ne sont pas grands; mais ils sont bien faits et légers à la course. En général, les chevaux sont assez rares dans les Indes, et par conséquent d'un grand prix.

Après avoir passé les canaux qui séparent les îles du golfe d'Iacatra, on arrive enfin devant Bantam, dont le port est sans comparaison le plus grand et le plus beau de l'île entière: aussi est-il comme le centre du commerce. La ville est située dans un pays bas, au pied d'une haute montagne, à la distance d'environ vingt-cinq lieues de Sumatra. Trois rivières qui l'arrosent, c'est-à-dire une de chaque côté, et la troisième au milieu, n'y laisseraient rien à désirer pour la facilité du commerce, si elles avaient plus de profondeur; mais la plus profonde n'a guère plus de trois pieds d'eau: elles ne peuvent recevoir les bâtimens qui en tirent davantage. Au lieu d'arbres pour les former, on n'emploie que de gros roseaux. Bantam est à peu près de l'ancienne grandeur d'Amsterdam.

La plupart des maisons sont environnées de cocotiers, et la ville en est remplie. Elles sont faites de paille et de roseaux, et soutenues par huit ou dix piliers de bois, qui sont chargés d'ornemens de sculpture. Le toit est de feuilles de cocotier. Elles sont ouvertes par le bas pour recevoir de la fraîcheur; car le froid n'est pas connu dans l'île. Pour les fermer pendant la nuit, elles ont de grands rideaux qui se tirent et s'attachent. Les cloisons des chambres, ou des appartemens, sont composées de lattes de bambou, espèce de gros roseau de la dureté du bois, qui est fort commun dans l'île et dans toutes les Indes. Ainsi les habitans de Bantam se logent à peu de frais.

Bantam a trois grandes places publiques où le marché se tient chaque jour, autant pour le commerce que pour les nécessités de la vie. Le plus grand, qui est du côté oriental de la ville, et qui s'ouvre dès la pointe du jour, est le rendez-vous d'une infinité de marchands portugais, arabes, turcs, chinois, pégouans, malais, bengalis, guzarates, malabares, abyssins, et de toutes les régions des Indes. Cette assemblée dure jusqu'à neuf heures du matin. C'est dans la même place qu'on voit la grande mosquée de Bantam environnée d'une palissade. On trouve en chemin quantité de femmes qui se tiennent assises avec des sacs et une mesure nommée *gantan*, qui contient environ trois livres de poivre, pour attendre les paysans qui apportent leur poivre au marché. Elles sont fort entendues dans ce commerce; mais les Chinois, encore plus fins, vont au-devant des paysans, et s'efforcent d'acheter en gros toute leur charge. On trouve d'autres femmes dans l'enceinte de la palissade qui vendent du bétel, de l'arec, des melons d'eau, des bananes; et plus loin d'autres encore qui vendent toutes sortes de pâtisseries toutes chaudes. D'un côté de la place, on vend diverses espèces d'armes, telles que des pierriers de fonte, des poignards, des pointes de javelots, des couteaux et d'autres instrumens de fer. Ce sont des hommes qui se mêlent exclusivement de ce commerce. Ensuite on trouve le lieu où se vend le sandal blanc et jaune; et successivement, dans les lieux séparés, du sucre, du miel et des confitures; des fèves noires, rouges, jaunes, grises, vertes; de l'ail et des ognons. Devant ce dernier marché se promènent ceux qui ont des toiles et d'autres marchandises à vendre en gros. Là sont aussi ceux qui assurent les vaisseaux et les autres entreprises de commerce. À droite du même lieu est le marché aux poules, où se vendent en même temps les cabris, les canards, les pigeons, les perroquets, et quantité d'autres volailles. Ici, le chemin se divise en trois, dont l'un conduit aux boutiques des Chinois, l'autre au marché aux herbes, et le troisième à la boucherie. Dans le premier, on trouve, à main droite, les joailliers, la plupart Coracons ou Arabes, qui présentent aux passans des rubis, des hyacinthes et d'autres pierreries; et à main gauche, les Bengalis, qui étalent toutes sortes d'émaux et de merceries. Plus loin, on arrive aux boutiques des Chinois, qui offrent des soies de toutes sortes de couleurs, des étoffes précieuses, telles que des damas, des velours, des satins, des draps d'or, du fil d'or, des porcelaines, et mille sortes de bijoux, dont il y a deux rues entières garnies des deux côtés. Par le second chemin, on trouve d'abord à droite des boutiques d'émaux, et à gauche le marché au linge pour les hommes; ensuite est le marché au linge pour les femmes, dans l'enceinte duquel il est défendu aux hommes d'entrer, sous peine d'une grosse amende. Un peu plus loin, on arrive au marché aux herbes et aux fruits, qui s'étend jusqu'au bout des places; et en retournant on trouve la poissonnerie. Un peu au delà, la boucherie à main gauche, où l'on vend surtout beaucoup de grosses viandes, telles que du bœuf ou du buffle. Plus loin encore est le marché aux épiceries et aux drogues, où les boutiques ne sont tenues que par des femmes. Ensuite on trouve à main droite le marché au riz, à la poterie et au sel; et à gauche, le marché à l'huile et aux cocos, d'où l'on revient par le premier chemin à la grande place où les marchands s'assemblent, et qui leur sert de bourse.

Nous avons cru ne devoir rien retrancher de cette description, qui offre le tableau complet d'une ville commerçante, et qui pourrait servir de modèle à plus d'une capitale, où notre police européenne, si admirable en quelques parties, et si imparfaite dans d'autres, laisse encore tant de désordre et de malpropreté.

La religion, dans l'île de Java, n'est point uniforme. Les habitans du centre de l'île et de ce que les Hollandais nomment le haut pays sont véritablement païens, et fort attachés à l'opinion de la métempsycose, qui leur fait respecter les animaux jusqu'à les élever avec soin, dans la seule vue de prolonger leur vie. C'est un crime parmi eux de les tuer, et surtout de les faire servir à la nourriture. Il se trouve aussi quelques païens le long de la mer; particulièrement sur la côte occidentale, qui est la plus connue; mais, en général, la plupart des Javanais sont mahométans. Les Hollandais apprirent, dans leur premier voyage, qu'il n'y avait pas plus de cinquante à soixante ans que l'île avait embrassé la religion de Mahomet, et qu'elle tire de la Mecque et de Médine la plus grande partie de ses docteurs. Aussi les superstitions et les pratiques de cette croyance y sont-elles encore dans toute leur force.

La pluralité des femmes n'en est pas l'article le plus négligé, et l'auteur observe qu'outre la permission de Mahomet, les Javanais ont une autre raison de ne se pas borner à une seule femme; c'est que dans l'île, et à Bantam en particulier, on trouve dix femmes pour un homme. Outre leurs femmes légitimes, ils prennent librement des concubines, qui servent comme de servantes aux premières, et qui font partie de leur cortége lorsqu'elles sortent de leurs maisons. Il faut même qu'une concubine ait la permission des femmes légitimes pour coucher avec son maître; mais il est établi en même temps qu'elles ne peuvent la refuser sans faire tort à leur honneur. Les enfans qui naissent des concubines ne peuvent être vendus, quoique leurs mères soient esclaves achetées à prix d'argent; ils sont nés pour les femmes légitimes comme Ismaël l'était pour Sara; mais ces marâtres s'en défont souvent par le poison.

Les enfans de l'île vont nus, à la réserve des parties naturelles, qu'ils se couvrent d'un petit écusson d'or ou d'argent. Les filles y joignent des bracelets; mais, lorsqu'elles ont atteint l'âge de treize ou quatorze ans, qui est le temps où l'usage les oblige de se vêtir, leurs parens ne perdent pas un moment pour les marier, s'ils veulent les sauver du libertinage. Une autre raison qui les porte à marier leurs enfans fort jeunes, est le désir de leur assurer leur succession. C'est un droit établi à Bantam, qu'à la mort d'un homme le roi se saisit de sa femme, de ses enfans et de son bien. Ainsi, pour dérober leurs enfans à la rigueur de la loi, les pères s'empressent de les marier quelquefois dès l'âge de huit ou dix ans. On a vu plus haut que la même coutume règne à Sumatra, dans le royaume d'Achem.

La dot des femmes, du moins entre gens de qualité, consiste dans une somme d'argent et dans un certain nombre d'esclaves. Pendant le séjour des Hollandais à Bantam, le second fils du sabandar épousa une jeune fille de ses parentes, à qui l'on donna pour dot cinquante hommes, cinquante jeunes filles et trois cent mille caxas, qui montent à peu près à la valeur de cinquante-six livres cinq sous, monnaie de Hollande.

Les femmes de qualité sont gardées si étroitement, que leurs fils même n'ont pas la liberté d'entrer dans leurs chambres; elles sortent rarement, et tous les hommes que le hasard leur fait rencontrer, sans en excepter le roi, sont obligés de se retirer à l'écart. Le plus grand seigneur ne peut leur parler sans la permission de leur mari. Elles ont toute la nuit du bétel auprès d'elles, pour en mâcher continuellement, et une esclave qui leur gratte la peau.

Les magistrats de Bantam tiennent le soir leurs assemblées au palais, pour rendre justice à ceux qui la demandent. L'entrée est ouverte à tout le monde; point d'avocats ni de procureurs, et les procès ne sont jamais fatigans par les longueurs. On attache à un poteau les criminels condamnés à mort, et l'unique supplice est de les poignarder dans cette situation. Les étrangers qui ont commis quelque meurtre peuvent se racheter pour une somme d'argent qu'ils paient au maître ou à la famille du mort; loi de pure politique, dont le but est de favoriser le commerce: les Hollandais eurent obligation plus d'une fois à cet établissement; mais les habitans du pays ne sont pas traités avec la même indulgence.

C'est pendant la nuit, et à la clarté de la lune, qu'on traite des affaires d'état, et qu'on prend les plus importantes résolutions. Le conseil s'assemble sous un arbre fort épais; il doit être au moins de cinq cents personnes, lorsqu'il est question d'imposer quelques nouveaux droits, ou de faire quelque levée de deniers sur la ville. Les conseillers donnent audience, et reçoivent les impositions qui regardent le bien public. S'il est question de guerre, on appelle au conseil les principaux officiers militaires, qui sont au nombre de trois cents. Il ne faut pas omettre un usage fort singulier: si le feu prend à quelque maison, les femmes sont obligées de l'éteindre sans le secours des hommes, qui se tiennent seulement sous les armes, pour empêcher qu'on ne les vole.

Lorsqu'un des principaux seigneurs, qui sont distingués par le nom de capitaines, se rend à la cour avec son train, il fait porter devant lui une ou deux javelines et une épée dont le fourreau est rouge ou noir. À cette marque, le peuple de l'un et de l'autre sexe s'arrête dans les rues, se retire à côté des maisons, et se met à genoux pour attendre que le seigneur soit passé. Tous les habitans de quelque distinction marchent dans la ville avec beaucoup de faste; ils sont suivis de leurs domestiques, dont l'un porte une boîte de bétel, l'autre un pot de chambre, d'autres un parasol qu'ils tiennent sur la tête de leur maître. Ils vont pieds nus, et ce serait une infamie, dans ces occasions, de marcher chaussés, quoique dans l'intérieur des maisons ils aient des sandales de cuir rouge, qui viennent de la Chine, de Malacca et d'Achem. Le maître porte entre ses mains un mouchoir broché d'or, et sur la tête un turban de Bengale dont la toile est très-fine. Quelques-uns ont sur les épaules un petit manteau de velours ou de drap. Leur poignard pend à la ceinture, par-derrière ou par-devant; et cette arme, qu'ils regardent comme leur principale défense, ne les quitte jamais.

Les insulaires de Java sont naturellement perfides, méchans, et d'un caractère atroce. Le meurtre les effraie peu dans leurs querelles, et le sort commun de celui qui a le dessous est de périr par la main de son adversaire. Mais la certitude du châtiment produit un effet fort étrange: celui qui a tué son ennemi dans un combat s'abandonne à sa fureur, et perce à droite et à gauche tout ce qui se rencontre dans son chemin, sans épargner les enfans, jusqu'à ce que le peuple attroupé se saisisse de lui et le livre à la justice.

Il arrive rarement qu'on l'arrête en vie, parce que, dans la crainte d'être poignardés, ceux qui le poursuivent se hâtent de le percer de coups. De toutes les nations connues, c'est la plus adroite aux larcins. Ils sont si vindicatifs, qu'étant blessés par leurs ennemis, ils ne craignent pas de s'enferrer dans leurs armes, pour le seul plaisir de les frapper à leur tour et de se venger en périssant.

Ils portent ordinairement les cheveux et les ongles fort longs; mais leurs dents sont limées. Ils ont le teint aussi brun que les Brésiliens. La plupart sont grands, robustes et bien proportionnés.

Malgré leur naturel féroce, leur soumission est admirable pour ceux qui les gouvernent, et pour tout ce qui porte le caractère d'une juste autorité. La certitude de la mort n'est pas capable de refroidir leur obéissance. Avec toutes ces qualités, ils sont nécessairement bons soldats, et d'une intrépidité qui ne connaît aucun danger; mais ils ne savent ni se servir du canon ni manier un fusil. Leurs armes sont de longues javelines, des poignards qu'ils nomment *crics* ou *cris*, des sabres et des coutelas. Leurs boucliers sont de bois ou de cuir étendu autour d'un cercle. Ils ont aussi des cottes d'armes, composées de plusieurs plaques de fer qu'ils joignent avec des anneaux. Leurs poignards sont bien trempés, et le fer en est si uni, qu'il paraît émaillé. Ils les portent ordinairement à leur ceinture. Le roi en donne un à chaque enfant dès l'âge de cinq ou six ans, avec le droit de le porter.

La milice ne reçoit point de solde; mais pendant la guerre on lui donne des habits, des armes, et la nourriture, qui est du riz et du poisson. La plupart des soldats sont attachés aux seigneurs et aux personnes riches, qui les logent et les nourrissent. C'est dans le nombre de ces esclaves qu'on fait consister la puissance et la plus grande distinction des seigneurs de Java. Ils apportent beaucoup de soin à nettoyer leurs armes, qui sont presque toujours teintes de quelque poison subtil, et aussi tranchantes que nos rasoirs. La nuit comme le jour ils ne prendraient pas un moment de repos sans les avoir auprès d'eux. Ils les tiennent sous leur tête en dormant. Craignant sans cesse ou méditant la trahison, ils ne prennent jamais confiance aux liens du sang ni à ceux de l'amitié. Un frère ne reçoit pas son frère dans sa maison sans avoir son poignard prêt, et trois ou quatre javelines à portée de ses mains. On voit même quelques pierriers dans leurs avant-cours, quoiqu'ils aient rarement de la poudre pour les charger. Ils font aussi usage de certains tuyaux qui leur servent à souffler de petites flèches d'os de poisson, dont la pointe est empoisonnée et affaiblie par quelques entailles, afin que, venant à se rompre plus aisément, elle demeure dans le corps pour y répandre son infection. En effet, les plaies s'enflamment de manière qu'elles sont presque toujours mortelles. Quelques Hollandais qui avaient été blessés de ces flèches ne laissèrent pas de se rétablir; mais les habitans, qui connaissaient la force du poison, en témoignèrent beaucoup de surprise.

La dissimulation, la ruse et la fraude sont des vices communs à tous les marchands de Bantam. Ils falsifient particulièrement le poivre en y mêlant du sable et de petites pierres qui en augmentent le poids. Cependant leur commerce est florissant, non-seulement dans leur pays et dans les villes voisines, mais jusqu'à la Chine, et dans la plus grande partie des Indes. On leur apporte du riz de Macassar et de Sombaïa. Il leur vient des cocos de Balambouan, Joartam, Gherrici, Pati, Jouama et d'autres lieux leur envoient du sel, qu'ils transportent eux-mêmes dans l'île de Sumatra, où ils l'échangent pour du laque, du benjoin, du coton, de l'écaille de tortue et d'autres marchandises. Le sucre, le miel et la cire leur viennent de Jacatra, de Joupara, de Cravaon, de Timor et de Palimban; le poisson sec, de Cravaon et de Bandjer-Massing; le fer, de Crimata, dans l'île de Bornéo; la résine, de Banica, ville capitale d'une île de même nom; l'étain et le plomb, de Para et de Gaselan, villes de la côte de Malacca; le coton et diverses sortes d'étoffes ou d'habits, de Bali et de Camboge.

Ils écrivent sur des feuilles d'arbres avec un poinçon de fer; ensuite on roule les feuilles, ou, s'il est question d'en faire un livre, on les met entre deux planches, qui se relient fort proprement avec de petites cordes. On écrit aussi sur du papier de la Chine, qui est très-fin et de diverses couleurs. L'art d'imprimer n'est pas connu des insulaires; mais ils écrivent fort bien de la main. Leurs lettres sont au nombre de vingt, par lesquelles ils peuvent tout exprimer. Ils les ont empruntées des Malais, dont ils parlent aussi la langue. Elle est facile et d'un usage commun dans toutes les Indes; mais, ils ont des écoles pour l'arabe, dont l'étude fait une partie de leur éducation.

Quoique les bâtimens de mer indiens soient fort inférieurs à ceux de l'Europe, on voit à Bantam, quelques fusils et quelques galères, mais tous les soins qu'on y apporte à les conserver sous de grands toits n'empêchent pas que dans un climat si chaud il ne s'y fasse des ouvertures qui demandent une réparation continuelle. On ne les emploie guère que pour les grandes expéditions, telles qu'un siége, où l'on voit quelquefois des flottes indiennes de deux ou trois cents voiles. Les galiotes de Java ressemblent beaucoup à nos galères, excepté qu'elles ont une galerie à l'arrière, et que les esclaves ou les rameurs sont seuls dans le bas, bien enchaînés, et les soldats au-dessus d'eux sur un pont, pour combattre avec plus de liberté. Elles ont quatre pierriers à l'avant, et seulement deux mâts. Les pares ou les pirogues servent de garde-côtes contre les pirates et les autres accidens. Elles ont un pont, un grand mât et un mât d'artimon, six hommes à l'avant qui rament dans le besoin, et deux à l'arrière qui gouvernent; car tous les bâtimens du pays, sans excepter les joncques, ont deux gouvernails, c'est-à-dire un de chaque côté. Les joncques ont un mât de beaupré, et quelquefois un mât de misaine, avec un grand mât et un mât d'artimon; elles ont un pont courant devant et arrière, en forme de toit de maison, sous lequel on se met à couvert de la chaleur du soleil et de la pluie, sans autre chambre d'ailleurs que celle du capitaine et du maître. Le fond de cale est séparé en divers petits espaces où l'on place les marchandises; et les cheminées sont entre ces espaces.

C'est à Java que se trouvent les poules de *Bantam*; c'est l'oiseau le plus colère qu'il y ait au monde. Aussi ne les élève-t-on que pour le plaisir de les faire battre; et ces combats sont si furieux, qu'ils ne finissent ordinairement que par la mort de la poule vaincue.

L'île de Java produit le mango, fruit excellent. Le manguier est à peu près semblable à nos noyers; ses feuilles répandent une fort bonne odeur quand on les broie. La grosseur du fruit est celle d'un gros œuf d'oie, sa forme oblongue, et sa couleur d'un vert jaune qui tire quelquefois sur le rouge. Il contient un gros noyau, dans lequel est une amande assez longue, qui est amère lorsqu'on la mange crue; mais, rôtie sur les charbons, elle devient plus douce, et sa vertu est extrêmement vantée contre les vers et le flux de sang. Les mangos mûrissent au mois d'octobre, de novembre et de décembre. Leur goût surpasse celui des meilleures pêches. On les confit verts avec de l'ail et du gingembre, et on s'en sert au lieu d'olives, quoique leur goût soit alors plutôt aigre qu'amer. Il y a une autre espèce de mangos que les Portugais ont nommé *mangos-bravas*, dont le poison est très-subtil. Il cause la mort à l'instant, et l'on n'a pas encore trouvé de remède qui puisse en arrêter l'effet. Ce funeste fruit est d'un vert clair et plein d'un jus blanc; il a peu de pulpe; son noyau est couvert d une écorce fort dure, et sa grosseur est à peu près celle d'un coing.

Les ananas de Java passent pour les meilleurs des Indes. La plante du poivre de Java s'attache et croît le long de certains gros roseaux, que les habitans de l'île nomment *bambous*[10], au dedans desquels on prétend que se trouve le tabaxir, nommé par les Portugais *sacar* ou *sucre de bambou*. Ce qu'il y a d'étrange, c'est que les bambous de Java n'ont pas de tabaxir, quoiqu'il s'en trouve dans ceux qui croissent sur toute la côte de Malabar, sur la côte de Coromandel, à Bisnagar et à Malacca. Ce sucre, qui n'est qu'une sorte de sucre blanc, semblable à du lait caillé, est néanmoins si estimé des Arabes et des Perses, qu'ils l'achètent au poids de l'argent; mais le détail de ses vertus appartient à l'histoire naturelle des Indes.

Le fruit que les Malais appellent *durion*, et que les Portugais ont voulu faire passer pour une production particulière de Malacca et des lieux voisins, est plus parfait dans l'île de Java que dans aucun autre lieu. L'arbre qui le porte se nomme *batan*; il est aussi grand que les plus grands pommiers. Le fruit est de la blancheur du lait, de la grosseur d'un œuf de poule, et d'un goût qui surpasse en bonté la gelée de riz, de blanc de chapon, et d'eau rose, qui se nomme en Espagne *mangaz-blanco* ou *blanc-manger*. C'est un des meilleurs, des plus sains et des plus agréables fruits des Indes. On parle avec admiration de l'inimitié qui se trouve entre le durion et le bétel. Qu'on mette une feuille de bétel dans un magasin rempli de durions, ils se pourriront presque aussitôt. D'ailleurs, si l'on a mangé de ces fruits avec assez d'excès pour en avoir l'estomac trop chargé, une feuille de bétel qu'on se met sur le creux de l'estomac dissipe immédiatement l'incommodité, et l'on ne craint jamais d'en manger trop, lorsqu'on a sur soi quelques feuilles de bétel.

L'arbre qui se nomme *lantor* est aussi d'une beauté extraordinaire dans l'île de Java: ses feuilles sont de la longueur d'un homme. Elles sont si unies, qu'on peut écrire dessus avec un crayon ou un poinçon; aussi les habitans de l'île s'en servent-ils au lieu de papier, et leurs livres en sont composés. Ils ont néanmoins une autre sorte de papier qui est faite d'écorce d'arbre, mais qu'on n'emploie que pour faire des enveloppes.

Le cubèle, le mangoustan et le jaquier n'ont point de propriété plus remarquable que celle d'exciter au plaisir; et c'est l'effet d'un grand nombre de productions de ces climats où l'homme, esclave et avili, semble n'avoir de consolation que la volupté.

Il croît dans l'île de Java de gros melons d'eau fort verts et d'un agrément particulier dans le goût. Le benjoin est encore une des productions les plus estimées. C'est une sorte de résine qui ressemble à l'encens ou à la myrrhe, mais qui est beaucoup plus précieuse par ses usages dans la médecine et dans les parfums. Elle découle, par incision, du tronc d'un grand arbre fort touffu, dont les feuilles diffèrent peu de celle des citronniers. Les plus jeunes produisent le meilleur benjoin, qui est noirâtre et d'une très-bonne odeur. Le blanc, qui vient des vieux arbres, n'approche pas de la bonté du premier; mais, pour tout vendre, on les mêle ensemble. Cette gomme est nommée par les Maures *louan Iovy*, c'est-à-dire, *encens de Java*. C'est une des plus précieuses marchandises de l'Orient. On trouve du bois de sandal rouge à Java; mais il est moins estimé que le jaune et le blanc, qui viennent des îles de Timor et de Solor.

La noix d'acajou, qui s'appelle *anacardium* ou *fruit du cœur*, à cause de sa ressemblance avec le cœur humain, croît aussi dans les îles de la Sonde, et particulièrement à Java. Les Portugais le nomment *fava de Malacca*, parce qu'il ressemble aussi à la féve, quoiqu'il soit un peu plus gros. Les Indiens en prennent avec du lait pour l'asthme et pour les vers. Mais, préparé comme les olives, il se mange fort bien en salade. Sa substance est épaisse comme le miel et aussi rouge que du sang.

C'est dans l'île de Java et dans l'île de la Sonde que croît la racine que les Portugais nomment *pao de cobra*, les Hollandais *bois de serpent*, et les Français *serpentaire* ou *serpentine*: elle est d'un blanc qui tire un peu sur le jaune, amère et fort dure. Les Indiens la boivent avec de l'eau et du vin, pour s'en servir dans les fièvres chaudes et contre les morsures des serpens. Elle a été connue par le moyen d'un petit animal nommé *quil* ou *quirpel*, de la grandeur et de la forme du furet, qu'on entretient dans les maisons des Indes pour prendre les rats et les souris. Ces petits animaux portent une haine naturelle aux serpens; et comme il arrive souvent qu'ils en sont mordus, ils ont recours à cette racine, dont l'effet est toujours certain pour leur guérison. Depuis cette découverte, il s'en fait un grand commerce aux Indes.

On ferait un dictionnaire d'histoire naturelle, si l'on voulait détailler tous les végétaux de ces contrées orientales, dont la plupart ont des propriétés bienfaisantes faites pour combattre les influences pernicieuses d'un climat brûlant.

Nous ne finirons point cet article sans rapporter un règlement remarquable par sa sagesse, qui se trouve à la tête des statuts rédigés pour les comptoirs hollandais de Bantam, et qui aurait dû servir de loi dans tous les établissemens de cette espèce: «Personne n'entreprendra de parler de controverse, ni de disputer de religion, sous peine de confiscation d'un mois de gages; et si de telles disputes donnaient naissance à des haines et à des querelles, ceux qui les auraient commencées seront punis arbitrairement.»

Dans le détroit et devant une baie de Sumatra, est situé l'île de Lampoun ou des Assassins, ainsi nommée parce que leur occupation continuelle est le meurtre et le brigandage. Ils entrent audacieusement dans les villes et les maisons. Ils volent en plein jour, et coupent la tête à ceux qui leur résistent. Des voyageurs anglais rapportent qu'un jour ces brigands entrèrent dans une maison voisine du comptoir anglais, où ne trouvant qu'une femme, ils lui coupèrent la gorge; mais les cris du mari qui arriva au même moment les forcèrent de prendre la fuite sans qu'ils eussent le temps d'emporter la tête. En vain les Anglais se mirent à les poursuivre. Ils sont fort prompts à la course, sans compter que leur ressemblance avec les Javanais leur donne la facilité de se mêler dans la foule et de se contrefaire avec tant d'adresse, que souvent ils reviennent parmi les curieux au lieu même d'où la crainte du châtiment vient de les chasser. Un voyageur anglais raconte que plusieurs femmes de la ville prirent cette occasion de se défaire de leurs maris en leur coupant la tête pendant la nuit, et la vendant aux Lampouns. Il ajoute la raison qui portait ces brigands à couper tant de têtes. Ils étaient gouvernés par un roi qui leur donnait une somme pour chaque tête d'étranger qu'ils lui apportaient; de sorte, continue l'auteur, qu'ils déterraient quelquefois les morts pour tromper leur roi par un faux présent.

CHAPITRE VI.

Batavia.

Un des principaux établissemens hollandais dans les Indes a été fondé sur les ruines de la ville de Jacatra, dans cette même île de Java dont nous venons de parler, et porte aujourd'hui le nom de Batavia.

Sa situation est à 6 degrés de latitude méridionale; au côté septentrional de l'île de Java, dans une plaine unie, mais basse, qui a la mer au nord, et de grandes forêts avec de hautes montagnes au sud. Une rivière qui sort de ces montagnes divise la ville en deux parties. Les murs dont elle est entourée sont de pierre.

Batavia est environné de fossés larges et profonds, dans lesquels il y a toujours beaucoup d'eau, surtout pendant les hautes marées, qui répandent leurs inondations jusque dans les chemins les plus proches de la ville. Les rues sont à peu près tirées au cordeau et larges de trente pieds; elles ont de chaque côté, le long des maisons, un chemin pavé de briques pour les gens de pied. On compte huit grandes rues droites ou de traverse, qui sont bien bâties et proprement entretenues. Celle du prince, qui va du milieu du château jusqu'à l'hôtel de ville, et qui est la principale, est croisée en deux endroits par des canaux. Tous les espaces qui sont derrière les édifices sont propres et bien ornés, car la plupart des maisons ont des cours de derrière pour entretenir la fraîcheur, et de beaux jardins où l'on trouve, suivant le goût et la fortune des habitans, toutes sortes d'arbres, de fleurs et d'herbes potagères.

Les habitans de Batavia sont ou libres ou attachés au service de la compagnie; c'est un mélange de divers peuples: on y voit des Chinois, des Malais, des Amboiniens, des Javanais, des Macassars, des Mardikres, des Hollandais, des Portugais, des Français, etc. Les Chinois y font un négoce considérable, et contribuent beaucoup à la prospérité de la ville. Ils surpassent beaucoup tous les autres peuples des Indes dans la connaissance de la mer et de l'agriculture. C'est leur diligence et leur attention continuelle qui entretient la grande pêche, et c'est par leur travail qu'on est pourvu, à Batavia, de riz, de cannes à sucre, de grains, de racines, d'herbes potagères et de fruits. Ils affermaient autrefois les plus gros péages et les droits de la compagnie. On les laisse vivre en liberté suivant les lois de leur pays et sous un chef qui veille à leurs intérêts. Ils portent de grandes robes de coton ou de soie, avec des manches fort larges. Leurs cheveux ne sont pas coupés à la manière des Tartares comme dans leur patrie; ils sont longs et tressés avec beaucoup de grâce. La plupart de leurs maisons sont basses et carrées; elles sont répandues en différens quartiers, mais toujours dans ceux ou le commerce est le plus florissant.

Les Malais n'approchent pas des Chinois pour la subtilité et l'industrie. Ils s'attachent particulièrement à la pêche, et l'on admire la propreté avec laquelle ils entretiennent leurs bateaux. Les voiles en sont de paille, à la manière des Indiens. Ils ont un chef auquel ils sont soumis, et qui a sa maison, comme la plupart d'entre eux, sur le quai du Rhinocéros. Leurs habits sont de coton ou de soie; mais les principales femmes de leur nation portent des robes flottantes de quelque belle étoffe à fleurs ou à raies. L'usage des hommes est de s'envelopper la tête d'une toile de coton pour retenir leurs cheveux sous cette espèce de bonnet informe. Leurs maisons, qui ne sont couvertes que de feuilles d'olé ou d'iager, ne laissent pas d'avoir quelque apparence au milieu des cocotiers dont elles sont environnées. On les voit continuellement ou mâcher du bétel, ou fumer avec des pipes de canne vernissée.

Les Maures, ou les Mahométans, diffèrent peu des Malais. Ils habitent les mêmes quartiers, et leurs habits sont les mêmes; mais ils s'attachent un peu plus aux métiers. La plupart sont colporteurs, et vont sans cesse dans les rues avec différentes sortes de merceries, du corail et des perles de verre. Les plus considérables exercent le négoce, surtout celui de la pierre à bâtir, qu'ils apportent des îles dans leurs barques.

Tout le gouvernement des Hollandais dans les Indes est partagé en six conseils. Le premier et le supérieur est composé des conseillers des Indes, auquel le général préside toujours. C'est dans cette assemblée qu'on délibère sur les affaires générales et sur les intérêts de l'état. On y lit les lettres et les ordres de la compagnie pour les faire exécuter ou pour y répondre. Ceux qui ont quelque demande ou quelque proposition à faire à cette chambre suprême peuvent tous les jours avoir audience. Le second conseil, qui est plus proprement le conseil des Indes, est composé de neuf membres et d'un président; il est le dépositaire d'un grand sceau sur lequel est représentée une femme dans un lieu fortifié, tenant une balance dans une main, et dans l'autre une épée, avec cette inscription autour de la figure: *sceau du conseil de justice du château de Batavia.* Ce conseil porte le nom de chambre ou de cour de justice. Toutes les affaires qui regardent les seigneurs de la compagnie et les chambres des comptes y ressortissent. On y peut appeler de la cour des échevins en payant vingt-cinq réales d'amende, lorsque la première sentence est confirmée.

Le troisième conseil est celui de la ville, composé des échevins, qui sont au nombre de neuf, entre lesquels on compte toujours deux Chinois. C'est là que se plaident toutes les affaires qui s'élèvent entre les bourgeois libres, ou entre eux et les officiers de la compagnie, avec la liberté de l'appel au conseil de justice. Le quatrième est la chambre des directeurs des orphelins, dont le président est toujours un conseiller des Indes. Il est composé de neuf conseillers, de trois bourgeois, et de deux officiers de la compagnie, dont le devoir est d'administrer le bien des orphelins, de veiller à la conservation de leurs héritages, et de ne pas souffrir qu'un homme qui a des enfans les quitte sans leur laisser de quoi vivre pendant son absence. Le cinquième conseil est établi pour *les petites affaires*, et ne porte pas d'autre titre. Son président doit être aussi un conseiller des Indes, et ses fonctions consistent à faire signer les bans de mariage devant des témoins, à faire comparaître les parties, à juger les obstacles qui surviennent, et à tenir la main pour empêcher qu'un infidèle ne se marie avec une femme hollandaise, ou un Hollandais avec une femme du pays qui ne parle pas la langue flamande. Enfin le sixième conseil est celui de la guerre; il a pour président le premier officier des bourgeois libres. Comme la garde de la ville est entre leurs mains, c'est le commandant actuel de la garde qui porte toutes les affaires de son ressort à ce tribunal, et la décision s'en fait sur-le-champ. Cette cour s'assemble à l'hôtel-de-ville et donne audience deux fois la semaine.

Avec de si sages établissemens pour l'entretien de l'ordre et de la justice, le voyageur Graaf se plaint que rien n'est si mal observé à Batavia; et la peinture qu'il fait des vices publics justifie ses plaintes.

Son pinceau s'exerce d'abord sur les femmes. Il en distingue quatre sortes: les Hollandaises, les Hollandaises indiennes, et celles qu'il nomme les Kastices et les Mestices. «En général, dit-il, elles sont insupportables par leur arrogance, par leur luxe, et par le goût emporté qu'elles ont pour les plaisirs. On appelle Hollandaises celles qui sont venues par les vaisseaux qui arrivent tous les ans; Hollandaises indiennes, celles qui sont nées dans les Indes d'un père et d'une mère hollandais; Kastices, celles qui viennent d'un Hollandais et d'une mère mestice; et Mestices, celles qui viennent d'un Hollandais et d'une Indienne. Il ajoute qu'on donne ordinairement aux enfans des Hollandaises indiennes le nom de *Liblats*, et que les femmes de cet ordre ont le timbre un peu fêlé. Toutes ces femmes se font servir nuit et jour par des esclaves de l'un et de l'autre sexe, qui doivent sans cesse avoir les yeux respectueusement attachés sur elles, et deviner leurs intentions au moindre signe. La plus légère méprise expose les esclaves non-seulement à des injures grossières, mais encore à des traitemens cruels. On les fait lier à un poteau pour la moindre faute, on les fait fouetter si rigoureusement à coups de cannes fendues, que le sang ruisselle du corps, et qu'ils demeurent couverts de plaies. Ensuite, dans la crainte de les perdre par la corruption qui pourrait se mettre dans leurs blessures, on les frotte avec une espèce de saumure mêlée de sel et de poivre, sans faire plus d'attention à leur douleur que s'ils étaient privés de raison et de sentiment.

»Une Hollandaise, une Indienne de Batavia, n'a pas la force de marcher dans son appartement. Il faut qu'elle soit soutenue sur les bras de ses esclaves, et si elle sort de sa maison, elle se fait porter dans un palanquin sur leurs épaules. Elles ont perdu l'usage, si bien établi en Hollande, de nourrir leurs enfans de leur propre lait. C'est une nourrice moresque ou esclave qui les élève. Aussi presque tous les enfans parlent-ils le malabare, le bengali et le portugais corrompus, comme les esclaves dont ils ont reçu la première éducation; mais à peine savent-ils quelques mots de la langue flamande, ou s'ils la parlent, ce n'est pas sans y mêler quantité de *lipe tyole*, c'est-à-dire de mauvais portugais. Ils évitent d'employer une langue qu'ils savent si mal, et la plupart ne rougissent pas d'avouer qu'ils n'entendent pas ce qu'on leur dit. Des mêmes maîtres ils tirent la semence et le goût de tous les vices.

»Les Mestices et les Kastices valent moins encore que les femmes nées d'un père et d'une mère hollandais. Elles ne connaissent pas d'autre occupation que de s'habiller magnifiquement, de mâcher du bétel, de fumer des *bonkes*, de boire du thé, et de se tenir couchées sur leurs nattes. On ne les entend parler que de leurs ajustemens, des esclaves qu'elles ont achetés ou vendus, ou des plaisirs de l'amour, auxquels il semble qu'elles soient entièrement livrées. Hollandais ou Maures, tout convient à leurs désirs déréglés. Ce goût les suit jusqu'à table, où elles ne veulent être qu'avec d'autres femmes de leur espèce. Elles mangent rarement avec leurs maris, et ce désordre est passé comme en usage. D'ailleurs elles mangent très-malproprement et sans se servir de cuillères, à l'exemple des esclaves qui les ont élevées. Leur sert-on du riz assaisonné, elles le remuent avec les doigts et se le fourrent dans la bouche à pleines mains, sans se mettre en peine du dégoût qu'elles causent aux spectateurs. Cette grossièreté, qui vient d'un défaut d'éducation, et dont la plus grande fortune ne les corrige pas, éclate particulièrement dans les repas où elles sont invitées par les officiers de la compagnie qui arrivent de Hollande. Leur embarras fait pitié: elles n'ont point de contenance; elles n'osent ni parler, ni répondre; et leur ressource est de s'approcher les unes des autres pour s'entretenir ensemble.»

Cependant, si l'on en croit l'auteur, le mari d'une Kastice est un homme heureux en comparaison de ceux qui sont assez ennemis d'eux-mêmes pour épouser une Moresque. Il s'en trouve peu de belles dans la fleur même de leur jeunesse; mais elles deviennent d'une affreuse laideur en vieillissant, et la plupart s'abandonnent à l'incontinence avec si peu de réserve, qu'elles ne refusent aucune occasion de se satisfaire. Quoique les hommes de leur nation leur plaisent toujours plus que les blancs, elles ne s'arrêtent point à la couleur lorsqu'elles sont pressées de leurs désirs. L'auteur n'entreprend pas d'expliquer ce qui peut porter quantité de Hollandais à ces tristes mariages; mais il assure qu'ils ne sont pas plus tôt faits, que le mari s'en repent, parce que, outre le refroidissement de l'amour, il se bannit tout à la fois de sa patrie et de sa famille, avec laquelle il ne peut plus espérer de communication qu'après la mort de sa femme; et si elle laisse des enfans, qu'il en soit le père ou non, il ne peut quitter le pays sans leur assurer une certaine somme qui suffise pour leur nourriture et leur entretien.

L'auteur ne s'étend pas moins sur les fraudes et les abus du commerce; mais dans quel grand commerce n'y a-t-il pas de grands abus?

Il part chaque année de Batavia, quatre, cinq ou six vaisseaux pour le Japon, qui en est à sept cent cinquante lieues. Leur charge consiste en tables de bois de Siampan, en armoisins, soies crues, épiceries, curiosités de l'Europe, et autres marchandises que les Hollandais troquent contre de l'or, du cuivre, des ouvrages de laque, des robes de chambre, de la porcelaine, etc. Les vaisseaux qui vont droit au Japon font ordinairement voile de Batavia vers la fin de juillet; mais ceux qui doivent passer par Siam, où ils prennent des peaux de daims, de cerfs, et d'autres peaux sans apprêt, partent au mois de mai et reviennent vers le mois de janvier. On verra dans la suite comment le commerce du Japon est demeuré tout entier entre les mains des seuls Hollandais[11].

Les navigations les plus courtes, de Hollande à Batavia, sont ordinairement de sept mois, de six, quelquefois même de cinq et de quatre et demi. Mais on emploie souvent huit, neuf, dix et quinze mois dans les voyages malheureux.

CHAPITRE VII.

Bornéo.

On appelle communément Java, Sumatra et Bornéo, les trois grandes îles de la Sonde.

Cette dernière, qui est la plus grande de toutes celles des Indes orientales, et peut-être du monde, s'étend de 4 degrés et demi au sud à 8 degrés au nord de l'équateur, ce qui fait 12 degrés et demi en latitude.

Si l'île est grande, elle n'est pas moins riche; mais on en connaît peu l'intérieur. Elle est partagée entre plusieurs rois, qu'on désigne par les noms des principales villes, *Bandjar-Massing, Souccadana, Landak, Sambas, Hermata, Iathou* et *Bornéo*. Celui de Bandjar-Massing passe pour le plus puissant de tous, et c'est aussi celui qu'on connaît le mieux.

Le climat de la partie septentrionale de Bornéo ressemble beaucoup à celui de Ceylan; la vaste étendue des forêts y rafraîchit l'air, de sorte que l'on n'y est pas exposé aux vents brûlans de terre comme sur la côte de Coromandel.

Il se fait dans ce royaume un très-grand commerce avec plusieurs nations étrangères, tant de l'Europe que des Indes. Les productions de l'île sont, de l'or en quantité, soit en poudre ou en lingots, des diamans, surtout dans le royaume de Souccadana; des perles sur la côte septentrionale, du poivre presque partout, des clous de girofle, et des noix muscades en petite quantité; et dans les montagnes du sud-ouest, du camphre, du benjoin, du sang-de-dragon, du bois de calambac, du bois d'aigle, des rotangs ou cannes, du fer, du cuivre, de l'étain, des bézoards, des toutombos, ou coffrets faits de joncs fins et de feuilles, de la cire et autres marchandises. Les marchandises qui ont le plus de débit dans cette île sont les agates rouges, les bracelets de cuivre, toutes sortes de coraux, la porcelaine, le riz, l'amfion ou opium, le sel, les ognons, les aulx, le sucre et les toiles.

Toutes les années il arrive dix ou douze jonques de la Chine, de Siam et de Djohor; ce sont les Portugais de Macao qui leur en ont appris le chemin.

On suppose que l'intérieur du pays est rempli de hautes montagnes et de grandes forêts. Le voisinage des côtes, sur une largeur de cinq à dix lieues, est presque entièrement occupé par des marécages et des broussailles impénétrables. On n'y peut avancer qu'en navigant sur les fleuves que l'on remonte en bateau jusqu'à vingt lieues de la mer; mais il paraît que l'on ne peut pas aller au delà, ce qui a, jusqu'à présent, empêché de connaître l'intérieur. S'il faut s'en rapporter aux récits des Malais, plusieurs marchandises vendues aux Européens viennent de plus de vingt journées de distance de la mer.

Les forêts sont peuplées d'une infinité de singes. Cette île est surtout la patrie des orangs-outangs, qui ont tant de ressemblance avec l'homme. Ces bois nourrissent aussi de nombreux troupeaux d'axis, espèce de cerfs, et beaucoup de sangliers; ces animaux, n'ayant pas à redouter les attaques des tigres, paissent en liberté.

«La supériorité du camphre de Bornéo est si bien reconnue, dit Raynal[12], que les Japonais donnent cinq ou six quintaux du leur pour une livre de celui de Bornéo, et que les Chinois, qui le regardent comme le premier des remèdes, l'achètent jusqu'à huit cents francs la livre. Les Gentous se servent, dans tout l'Orient, de camphre commun pour des feux d'artifice, et les mahométans le mettent dans la bouche de leurs morts lorsqu'ils les enterrent.

»Les Portugais cherchèrent, vers l'an 1526, à s'établir à Bornéo. Trop faibles pour s'y faire respecter par les aimes, ils imaginèrent de gagner la bienveillance d'un des souverains du pays, en lui offrant quelques pièces de tapisserie. Ce prince imbécile prit les figures qu'elles représentaient pour des hommes enchantés qui l'étrangleraient durant la nuit, s'il les admettait auprès de sa personne. Les explications qu'on donna pour dissiper ces vaines terreurs ne le rassurèrent pas, et il refusa opiniâtrement de recevoir ces présens dans son palais et d'admettre dans sa capitale ceux qui les avaient apportés.

»Ces navigateurs furent pourtant reçus dans la suite; mais ce fut pour leur malheur; ils furent tous massacrés. Un comptoir, que les Anglais y formèrent quelques années après, eut la même destinée. Les Hollandais, qui n'avaient pas été mieux traités, reparurent en 1748 avec une escadre. Quoique très-faibles, elle en imposa tellement au prince, qui possède seul le poivre, qu'il se détermina à leur en accorder le commerce exclusif. Seulement il lui fut permis d'en livrer cinq cent mille livres aux Chinois, qui de tout temps fréquentaient ses ports. Depuis ce traité, la compagnie envoie à Bandjar-Massing du riz, de l'opium, du sel, de grosses toiles. Elle en tire quelques diamans, et environ six cent mille pesant de poivre, à trente et une livres le cent. Le gain qu'elle fait sur ce qu'elle y porte peut à peine balancer les dépenses de l'établissement, quoiqu'elles ne montent qu'à trente-deux mille livres.»

CHAPITRE VIII.

Îles Moluques.

En poursuivant notre route dans l'Océan oriental, nous rencontrons les Moluques, célèbres par la production de ses épices, qui sont devenues un objet de commerce si important pour les nations d'Europe, et une source si féconde de richesses pour les Hollandais. Nous avons vu ce peuple entreprenant et infatigable arracher aux Portugais cette partie de l'Archipel indien, qui depuis est demeurée en sa possession.

Moluc, qui se prononce *Moloc* dans la langue du pays, signifie *tête* ou *chef*. D'autres néanmoins le font venir de *maluco*, mot arabe qui signifie *le royaume*; mais, dans l'un et l'autre sens, il paraît que le nom des Moluques emporte une idée d'excellence et de distinction. Il appartient originairement et proprement à cinq petites îles, qui n'occupent guère plus de vingt-cinq lieues d'étendue, toutes à la vue les unes des autres, et qui sont situées à l'ouest de Gilolo. Ce sont Ternate, Tidor, Motir, Bakian ou Batchian, et Makian. Plusieurs autres îles, composant l'archipel qui s'étend au sud de Gilolo, sont aussi comprises sous le nom de *Moluques*.

La forme des cinq îles nommées plus haut est ronde et presque la même. On ne donne pas plus de huit lieues de tour à la plus grande. Elles sont séparées les unes des autres par des bras de mer et par quelques autres îles beaucoup plus petites, et la plupart désertes. L'accès en est dangereux par la multitude de bancs de sable et d'écueils dont elles sont environnées. Cependant on y trouve quelques rades où les vaisseaux peuvent mouiller. En général, le terroir est si sec et si spongieux, que, malgré l'abondance des pluies, les ruisseaux et les torrens qui tombent des montagnes ne parviennent pas jusqu'à la mer. Quelques-uns n'en trouvent pas la perspective agréable, parce qu'elles sont trop couvertes d'herbes et de broussailles qui s'y entretiennent dans une verdure perpétuelle. Au contraire, d'autres sont charmés de cette vue, et se plaignent seulement que l'air n'y est pas sain, surtout pour les étrangers. On fait une triste description du *berber*, maladie fort commune dans les cinq îles. Elle fait enfler tout le corps, affaiblit les membres, et les rend presque inutiles. Cependant les habitans ont découvert un préservatif dont l'effet passe pour certain, lorsqu'il n'est pas employé trop tard. C'est un vin des Philippines, pris avec du clou de girofle et du gingembre. Les Hollandais attribuent la même vertu au suc de citron.

Les Moluques produisent une quantité surprenante d'épiceries et de plantes aromatiques, surtout de clous de girofle, de noix et de fleurs de muscade, de bois de sandal, d'aloës, d'oranges, de citrons et de cocos. Elle n'ont ni blé ni riz; mais la nature et l'industrie suppléent à ce défaut. Les habitans pilent le bois d'un arbre qui ressemble beaucoup au palmier sauvage, et qui rend une sorte de farine très-blanche, dont ils font des petits pains de la forme des pains de savon d'Espagne. Cet arbre ou cette plante, qu'ils nomment *sagou*, s'élève de quinze ou vingt pieds, et pousse des branches qui approchent de celles du palmier. Son fruit, qui est rond et fort semblable à celui du cyprès, contient une sorte de fils ou de petits poils déliés qui causent de l'inflammation lorsqu'ils touchent à la chair. En coupant les branches tendres de la plante, on en fait sortir, comme de la plupart des palmiers, une liqueur qui sert de breuvage aux Indiens. Cette liqueur, qu'ils nomment *toual*, a la blancheur du lait. Le nipa et le cocotier sont deux autres arbres dont les habitans tirent beaucoup d'utilité. Ils trouvent encore une liqueur plus douce dans l'espèce de roseau qu'ils nomment *bambou*. Quelques relations hollandaises ne leur accordent ni poissons ni viandes: ce qui ne doit être entendu que de la quantité nécessaire pour fournir les vaisseaux; car tous les autres voyageurs assurent qu'ils en ont assez pour leur provision. Le ciel, soit dans sa colère ou dans sa bonté, ne leur a donné aucune mine d'or ni d'argent, ni même d'autres métaux inférieurs; mais ils ne sont pas éloignés de Lambaco, île abondante en fer et en acier. Ils en tirent la matière de leurs sabres, qu'ils nomment *campillanes*, et celles de leurs poignards, auxquels ils donnent le nom de *crics*, comme dans plusieurs autres parties des Indes. D'ailleurs les Portugais et les Hollandais leur ont fourni des mousquets, des canons, et toutes les armes qui sont connues en Europe.

On prétend que les Chinois occupèrent autrefois les Moluques, lorsqu'ils subjuguèrent la plus grande partie des pays orientaux, et qu'après eux elles eurent successivement pour maîtres les Javanais, les Malais, les Persans et les Arabes. C'est aux derniers qu'on attribue l'introduction du mahométisme, dont les superstitions s'y mêlèrent avec celle de l'idolâtrie. Il s'y trouve d'anciennes familles, qui se font honneur de tirer leur origine des premières divinités du pays, sans en être moins attachées à l'Alcoran. Les lois y sont grossières et barbares: elles permettent la pluralité des femmes, sans en fixer le nombre, et sans aucune règle pour le bon ordre des mariages. Cependant, la première femme du roi est distinguée par le nom de *poutriz*, et ses enfans sont estimés plus nobles que ceux des autres femmes. Leur droit à la succession n'est jamais contesté par les enfans d'une autre mère. Les lois pardonnent difficilement le larcin, et font grâce à l'adultère. Dans l'opinion de ces insulaires, la propagation du genre humain doit être le premier objet de la politique. Ils ont des ministres publics, qui sont obligés de se promener dès la pointe du jour dans toutes les rues des villes et des bourgs en battant la caisse, pour éveiller les personnes mariées et les exciter à remplir le devoir conjugal.

Les hommes portent des turbans de diverses couleurs, ornés de plumes, et quelquefois de pierres précieuses. Celui du roi est distingué des autres. C'est une espèce de mitre qui lui tient lieu de couronne. L'habit commun est un pourpoint ou une veste, qu'ils appellent *chenines*, avec des hauts-de-chausses de damas bleu, rouge, vert ou violet. Ils portent aussi des manteaux courts de la même étoffe, quelquefois étendus, et quelquefois raccourcis et noués sur l'épaule. Les femmes entretiennent soigneusement leur chevelure, qu'elles laissent flotter de toute sa longueur, ou qu'elles relèvent en nœuds entremêlés de fleurs, de plumes et d'aigrettes. Leurs robes sont à la turque ou à la persane: elles portent des bracelets, des pendans d'oreilles, des colliers de diamans et de rubis, et de grands tours de perles. Ces ornemens sont communs à tous les états. Les étoffes de soie et d'écorce d'arbre sont aussi en usage, sans aucune distinction, pour les deux sexes, et leur viennent de toute les parties de l'Inde, qui s'empressent de les porter en échange pour du girofle et du poivre. On doit juger que ce n'est pas pour se garantir du froid qu'elles apportent tant de soin à leur parure; ce goût de propreté leur est venu sans doute avec le mahométisme. Les hommes le portent jusqu'à parfumer leurs habits.

En général, les femmes sont d'une taille médiocre, blanches, assez jolies, et d'une humeur vive. Avec quelque soin qu'elles soient gardées, on ne peut les empêcher de tromper leurs maris: elles s'occupent ordinairement à filer du coton, qui croît en abondance dans toutes leurs îles. Les plus riches ne possèdent point d'argent. La principale richesse de ces insulaires consistent en clous de girofle. Il est vrai qu'avec cette précieuse marchandise, il n'y a rien qu'ils ne puissent se procurer. Les hommes sont un peu basanés; ou plutôt d'une couleur jaunâtre, plus obscure que celle du coing. Ils ont des cheveux plats, et plusieurs se les parfument d'huiles odoriférantes. La plupart ont les yeux grands, et le poil des sourcils fort long. Ils les colorent d'une sorte de peinture, aussi-bien que celui des paupières: ils sont robustes, infatigables à la guerre et sur mer, mais paresseux pour tout autre exercice; ils vivent long-temps, quoiqu'ils blanchissent de bonne heure; ils sont doux et officieux à l'égard des étrangers, se familiarisant aisément; mais ils sont importuns par leurs demandes continuelles, intéressés dans le commerce, soupçonneux, trompeurs; et, pour joindre plusieurs vices en un seul, ils sont ingrats.

Les îles de Ternate, de Tidor et de Bakian, ont chacune leur roi particulier; mais le plus puissant de ces trois princes est celui de Ternate, qui compte dans ses états la plupart des îles voisines. Le terrain de cette île est haut, et l'eau des puits y est fort douce. Elle a deux ports qui regardent l'orient: l'un est Telingamma, et l'autre à une lieue de là, Toloco. Leurs quais sont revêtus de pierres, et commodes pour les vaisseaux. Le roi tient sa cour à Gammalamma, ville située sur le rivage, mais sans rade, parce que la mer y a trop de profondeur, et que le fond en est pierreux. Les habitans y ont fait une jetée de pierre pour se mettre à couvert des surprises; de sorte que les vaisseaux étrangers vont mouiller ordinairement devant Telingamma où la rade est fort bonne entre cette place et l'île de Tidor. À une demi-lieue de

Telingamma, dans les terres, est Maléca, petite ville qui est revêtue d'un mur de pierres sèches.

Gammalamma, qui peut passer pour la capitale de Ternate, quoique d'autres donnent ce titre à Maléca, ne contient qu'une rue assez longue, mais sans pavé. La plupart des édifices sont de roseaux; le reste est de bois; et les deux rangs qui forment la rue s'étendent le long du rivage. On découvre au milieu de l'île une très-haute montagne, couverte de palmiers et d'autres arbres, au sommet de laquelle on trouve une profonde caverne, qui semble pénétrer jusqu'au fond de la montagne, et dont l'ouverture est si large, qu'à peine reconnaîtrait-on quelqu'un d'un côté à l'autre.

Elle contient un espace en forme d'aire, composé de pierres et de terre mouvante. C'est un volcan d'une nature extraordinaire. On en voit sortir une fontaine; mais on ne sait si l'eau en est douce, aigre ou amère; car personne n'a la hardiesse d'en goûter. Un Espagnol nommé Gabriel Rebelo, ayant eu la curiosité de mesurer avec des cordes la profondeur de la caverne, la trouva de deux mille cinq cents pieds. Antoine Galvan, qui commandait les Portugais dans ces îles en 1538, en a donné une description un peu embrouillée; c'est pourquoi nous l'omettons.

Les relations hollandaises rapportent plus simplement que, près de la ville où le roi tient sa cour, il y a un volcan qui paraît terrible, surtout dans le temps des équinoxes, parce qu'alors on voit toujours régner certains vents dont le souffle embrase la matière qui nourrit le feu. Elles ajoutent qu'il fait toujours froid sur le haut de la montagne, et qu'elle ne jette point de cendre, mais seulement une matière légère qui ressemble à la pierre ponce, qu'elle s'élève en forme de pyramide, et que, depuis le bas jusqu'au sommet, elle est couverte d'arbrisseaux et de broussailles, qui conservent toujours leur verdure, sans que le feu qui brûle dans ses entrailles paraisse jamais les altérer; qu'au contraire, il semble contribuer à les arroser et à les rafraîchir par des ruisseaux qui se forment des vapeurs qu'il exhale.

Un Hollandais de la suite du gouverneur Timbe, qui allait commander aux Moluques en 1626, dans les établissemens de la compagnie de Hollande, déclare, dans la relation de son voyage, que, malgré le témoignage de plusieurs personnes qui se sont vantées d'avoir visité le sommet de la montagne de Ternate, il ne peut se persuader que cette entreprise ait jamais été véritablement exécutée. «Ce n'est pas seulement, dit-il, par les roseaux pointus dont presque tout le bas de cette montagne est environné, ni par la multitude des rochers escarpés, qu'un curieux serait arrêté. Il y trouverait un obstacle invincible dans la quantité de cendres et de pierres brûlées qui sont entre ces roseaux, et qui remplissent tous les endroits par lesquels on pourrait espérer de s'ouvrir un passage. Toutes les séparations qu'on croît voir entre les roseaux et les broussailles sont bouchées de ces cendres, dont les monceaux ont plus de hauteur que les pointes mêmes des buissons, et qui sont comme autant de petites montagnes taillées à pied droit; la hauteur du volcan n'est pas d'ailleurs très-extraordinaire. Ceux qui l'ont mesurée le plus exactement ne la font aller qu'à trois cent six toises.

Vers le même temps, l'île de Ternate était fort bien peuplée. La ville de Maleye se trouvait environnée de bonnes palissades. Elle était habitée par des bourgeois libres et par des Mardicres. Les Hollandais y avaient élevé au côté du nord le fort Orange, à quatre bastions revêtus de pierres. Les murailles des courtines étaient épaisses et les fossés profonds. On y voyait des appartemens commodes pour les officiers et les subalternes, de grands magasins, un hôpital, un grand atelier pour les ouvriers, et quantité de canons. En sortant de la ville, on découvrait le grand chemin de la compagnie et une nouvelle négrerie, avec une petit redoute de pierre du côté de l'eau.

La négrerie ou la petite ville, qui était au côté septentrional de la forteresse, consistait en une grande et large rue, qui avait plus de mille pas de long. On y voyait la mosquée royale et la sépulture des rois. Le prince, frère du roi, y faisait sa demeure avec sa sœur, qu'on nommait la princesse de *Gammalamma*; au bout de la rue étaient les palais du roi et ses jardins. Les édifices étaient dans le goût du pays, c'est-à-dire fort mal entendus; encore avaient-ils été Ruinés par les dernières guerres.

L'île de Tidor est plus grande que celle de Ternate, au sud de laquelle elle est située. Son nom signifie fertilité et beauté dans l'ancien langage du pays; mais il paraît qu'il s'écrivait *Tidoura*, du moins en caractères arabes et persans. Elle n'est pas moins fertile ni moins agréable que celle de Ternate. Sa côte orientale est couverte de bois. Du nord au sud, le rivage est défendu par un retranchement de pierres de la longueur de deux ou trois portées de mousquet. À l'extrémité méridionale est une montagne ronde et assez haute, au pied de laquelle est la ville capitale, qui porte, comme l'île, le nom de Tidor.

Bakian est aussi un royaume particulier, mais tombé en décadence par la mollesse de ses habitans. L'historien des Moluques traite cette île de grand pays désert, quoique abondant en sagou, en fruit, en poisson, en diverses sortes de denrées; mais il ne fait pas connaître autrement son étendue. Il ajoute seulement qu'on y recueillait peu de clous, et que les girofliers s'y étaient insensiblement détruits, quoiqu'ils y crussent mieux qu'en aucun autre endroit.

Le circuit de Makian est d'environ sept lieues. C'est, après Bakian, la plus fertile des Moluques en sagou, dont elle a non-seulement sa provision, mais assez pour en faire part aux îles voisines.

Le roi de Ternate a étendu sa puissance sur soixante et douze îles; il règne encore sur Makian et Motir, sur la partie septentrionale de Gilolo, sur Mortaï, sur quelques portions de Célèbes, et même sur une partie de la Nouvelle-Guinée.

On distingue dans l'archipel des Moluques, outre Gilolo, les îles de Céram, Bouro, Amboine, le groupe de Banda, Timor-Laout et Vaiguiou.

La forme de Gilolo est très-irrégulière. L'intérieur renferme des montagnes très-hautes à cimes aiguës. Cette île abonde en buffles, chèvres, daims, sangliers; mais les moutons y sont peu nombreux. Il y a beaucoup d'arbres à pain et de sagous. Les forêts, de même que la plupart de celles de cet archipel, renferment probablement des girofliers et des muscadiers, malgré les soins que les Hollandais ont mis à les extirper.

Bouro offre aux navigateurs une côte très-escarpée. Un lac de figure ronde occupe l'intérieur. Il paraît qu'il croît et diminue comme le lac de Czirnitz en Carniole. L'air de Bouro est très-humide.

Céram a de grandes forêts de sagous qui forment un objet considérable d'exportation. Cette île est traversée de l'est à l'ouest par plusieurs chaînes de montagnes parallèles. C'est là que vivent les Alfouriens, dont il sera question plus tard.

Amboine, qui fut découverte par les Portugais en 1515, c'est-à-dire en même temps que Ternate, et que les Hollandais leur enlevèrent le 23 de février 1603, est située à 4 degrés de latitude sud, au-dessous de Céram. Dès l'an 1607, la compagnie de Hollande y avait un gouverneur qui se nommait Frédéric Houtman. L'amiral Matelief, qui y passa dans le même temps, en fait la description suivante: «Cette île, dit-il, est divisée en deux parties, et presqu'en deux îles, par deux golfes qui s'enfoncent dans les terres. On y comptait vingt habitations d'insulaires, qui pouvaient mettre deux mille hommes sous les armes, tous convertis au christianisme par les Portugais. La grande partie de l'île nommée Pito avait quatre villes ou quatre habitations principales, dont chacune en avait sept autres sous sa juridiction. Elles pouvaient fournir quinze cents hommes pour la guerre, la plupart Maures, c'est-à-dire mahométans, et qui, relevant du fort, étaient sous la domination des Hollandais.

»Le fort tenait en bride non-seulement toute l'île, mais encore les îles voisines jusqu'à celle de Banda; mais il avait proprement dans sa dépendance quatre autres îles qui se nommaient en général îles d'Uliaser, et qui abondaient en sagous. Leurs habitans s'attribuaient la qualité de chrétiens; c'étaient au moins des chrétiens sauvages, puisqu'ils mangeaient encore la chair de leurs ennemis, lorsqu'ils les pouvaient prendre.»

Toutes les relations hollandaises du même temps donnent vingt-deux ou vingt-quatre lieues de circuit à l'île d'Amboine, et s'expliquent dans les mêmes termes sur les deux parties dont elle est composée. Au côté occidental, suivant la relation du premier voyage, on trouve un grand port qui s'enfonce l'espace de six lieues dans les terres, et qui peut contenir un nombre infini de vaisseaux. Il est presque partout sans fond, excepté vers le fort, où le fond est de bonne tenue: sa largeur, qui est d'abord de deux lieues, se resserre ensuite de la moitié. Au côté oriental est un grand golfe qui répond à ce port: le terrain qui les sépare n'est que d'environ quatre-vingts perches. Il est si bas, qu'en le creusant de la hauteur d'un homme, on aurait joint facilement les deux golfes. Déjà même les pirogues et les caracores qui venaient de l'est au golfe occidental aimaient mieux faire tirer par-dessus cette espèce d'isthme que de faire le tour de l'île; et ce travail ne demandait pas plus de deux heures.

L'air du pays est sain, quoique la chaleur y soit excessive: l'eau, est excellente; le riz, le sagou et les fruits y sont en abondance. Le bois de construction n'y manque pas, et le brou de coco y fournit des cordages. La plus grande partie de l'île était alors inculte, par l'indolence des habitans qui ne se donnaient pas la peine de planter des girofles; mais la nature leur en fournissait assez pour en faire un continuel commerce. Leurs mœurs, leurs usages et leurs armes étaient à peu près les mêmes qu'à Ternate.

Les rois de Ternate ont consenti à brûler tous les girofliers de leur île pour rendre ce commerce plus avantageux aux Hollandais, qui en ont confiné la culture dans Amboine.

Nous devons au Hollandais Valentyn des détails plus intéressans sur l'île d'Amboine, que nous ne déroberons pas à la curiosité des lecteurs.

L'aspect intérieur du pays n'offre d'abord qu'un désert très-rude. De quelque côté qu'on tourne les yeux, on se voit environné de hautes montagnes dont le sommet se perd dans les nues, d'affreux rochers entassés les uns sur les autres, de cavernes épouvantables, d'épaisses forêts et de profondes vallées qui en reçoivent une obscurité continuelle, tandis que l'oreille est frappée par le bruit des rivières qui se précipitent dans la mer avec un fracas horrible, surtout au commencement de la mousson de l'est, temps auquel les vaisseaux arrivent ordinairement de l'Europe. Cependant les étrangers qui s'arrêtent dans le pays jusqu'à la mousson de l'ouest y trouvent des agrémens sans nombre. Ces montagnes qui abondent en sagou et en girofle, ces forêts toujours vertes et remplies de beaux bois, ces vallées fertiles, ces rivières qui roulent des eaux pures et argentines, ces rochers mêmes et ces cavernes qui sont comme les ombres dans un tableau; tous ces objets, diversifiés en tant de manières, forment le plus magnifique tableau du monde.

Il est vrai que quelques personnes y ont été atteintes de paralysie, et que d'autres en rapportent un teint olivâtre; ce qu'on appelle, avec beaucoup d'injustice, la maladie du pays. Mais, si l'on excepte les tempéramens faibles, la plupart de ceux qui perdent l'usage de leurs membres ne doivent attribuer cet accident qu'à leur imprudence. On en a va qui, pour s'être endormis en chemise au clair de la lune, dans les soirées fraîches, se sont trouvés perclus à leur réveil, surtout après quelque débauche. Le vin de palmier donne à ceux qui ont pris l'habitude d'en boire avec excès cette couleur pâle qu'on nomme la maladie du pays. Les insulaires, qui usent de la même liqueur avec plus de modération, et qui ne s'exposent point à l'air pendant les nuits froides, ne sont pas sujets à ces inconvéniens.

Les grosses pluies et les tremblemens de terre sont les deux principales incommodités du pays. Pendant la mousson de l'est, qui commence au mois de mai et qui finit en septembre, on voit quelquefois pleuvoir sans discontinuation plusieurs semaines entières. Malgré l'abondance d'eau qui tombe à plomb, et les torrens impétueux qui coulent des montagnes dans les lieux bas, le terrain est si spongieux, que les campagnes sont bientôt desséchées. Mais on remarque, comme une merveille de la nature moins facile à comprendre, que la saison de ces pluies n'est pas la même pour toutes ces îles. Quand il pleut dans celle d'Amboine, il fait beau à Bouro et dans d'autres îles situées à l'occident. Ce qui paraît encore plus surprenant, c'est qu'à l'ouest, on ait à la fois la mousson sèche, et à l'est celle des pluies. Cette dernière saison est souvent accompagnée de violens ouragans; mais les tremblemens de terre sont plus fréquens dans l'autre, qui commence au mois de novembre, et qui règne aussi pendant cinq mois. Dans les mois d'avril et d'octobre on n'a point de vents réglés; ceux de l'est et du sud-est amènent les pluies; ceux de l'ouest et du nord-ouest causent la sécheresse, mais ils tempèrent les grandes chaleurs, qui, sans cela, seraient excessives. L'ardeur du soleil dure depuis neuf jusqu'à cinq heures; après quoi l'on commence à respirer un grand air de fraîcheur, qui devient même assez vif par les fortes rosées qui tombent à l'entrée de la nuit. La chaleur a cependant une action si forte sur la terre, qu'elle y forme souvent des ouvertures de vingt pieds de profondeur. Elle fait tarir les rivières et sécher sur pied de vieux arbres. Les girofliers, qui demandent de l'humidité, en souffrent surtout beaucoup de dommage.

Les tremblemens de terre ne sont jamais plus à craindre qu'après les pluies qui suivent ces grandes chaleurs. Dans cette saison de sécheresse, on est aussi effrayé de temps en temps par de furieux coups de tonnerre; et la foudre, en tombant sur les mâts des vaisseaux et sur les plus gros arbres, les fend quelquefois du haut en bas. On assure, d'après une expérience réitérée, que c'est l'effet de véritables carreaux, et qu'on en a réellement trouvé plusieurs à l'ouverture des fentes; mais ces observations auraient besoin d'être constatées par de meilleurs physiciens que ne le sont la plupart des voyageurs que nous suivons ici.

Les mers d'Amboine offrent un spectacle plus étrange dans la différence de leurs eaux. Deux fois l'an, avec la nouvelle lune de juin et d'août, la plaine liquide paraît, de nuit, comme coupée par plusieurs gros sillons qui ont la blancheur du lait, et qui semblent ne faire qu'un composé avec l'air, quoique pendant le jour on n'y remarque aucun changement. Cette eau blanche, qui ne se mêle pas avec l'autre, a plus ou moins d'étendue à proportion que les vents du sud-est, les orages et les pluies en augmentent le volume; mais celle du mois d'août est la plus abondante. On la voit principalement des îles de Key et d'Arou, autour du sud-est, jusqu'à Tenember et Timor-Laout au sud; à l'ouest, jusqu'à Timor; au nord, près de la côte méridionale de Céram; mais elle ne passe pas au nord d'Amboine. Personne ne sait d'où elle vient ni quelles en peuvent être les causes. L'opinion la plus commune est qu'elle commence au sud-est, et qu'elle sort de ce grand golfe qui est entre le continent des terres australes et la Nouvelle-Guinée. Quelques-uns l'attribuent à de petits animaux qui luisent de nuit. Quand l'eau blanche est passée, la mer décharge sur ses bords une plus grande quantité d'écume et d'ordure qu'à l'ordinaire. Cette eau est fort dangereuse pour les petits bâtimens, parce qu'elle empêche de distinguer les brisans. Les vaisseaux qui y sont exposés pourrissent aussi plus tôt, et l'on observe que les poissons suivent l'eau noire.

Un autre objet d'admiration qu'on trouve dans ces mers, ce sont certains vermisseaux de couleur roussâtre qu'on nomme *vavo*, et qui paraissent tous les ans à un temps réglé le long du rivage, en divers endroits de l'île d'Amboine. Vers le temps de la pleine lune d'avril, on en voit une infinité qui s'étendent à l'est du château de la Victoire sur une grande lisière du rivage, particulièrement dans les endroits pierreux, où l'on peut les ramasser par poignées. Ils jettent le soir une lueur semblable au feu, qui invite les insulaires à sortir pour en aller faire leur provision, parce que ces insectes ne se font voir que trois ou quatre jours dans l'année. Les Amboiniens les savent confire; ils en font une espèce de *bacassoum* qui leur paraît excellent; mais si l'on diffère seulement un jour de les saler, ils s'amollissent si fort, qu'il n'en reste qu'une humeur glaireuse et tout-à-fait inutile.

Les Amboiniens sont de moyenne stature, plus maigres que gros, et fort basanés. Ils n'ont pas le nez camus; ils l'ont bien formé, et les traits du visage réguliers; on en voit même plusieurs qui peuvent passer pour de beaux hommes; et les femmes n'y sont pas sans agrémens. On trouve parmi ces insulaires une espèce d'hommes qu'on nomme *cakerlaks*, presque aussi blancs que les Hollandais, mais d'une pâleur de mort qui a quelque chose d'affreux, surtout quand on en est proche. Leurs cheveux sont fort jaunes et comme roussis par la flamme. Ils ont quantité de grosses lentilles aux mains et au visage; leur peau est galeuse, rude et chargée de rides; leurs yeux, qu'ils clignotent continuellement, paraissent de jour à moitié fermés, et sont si faibles, qu'ils ne peuvent presque pas supporter la lumière; mais ils voient fort clair de nuit; ils les ont gris, au lieu que ceux des autres insulaires sont noirs. L'auteur a connu un roi de Hitto et son frère qui étaient cakerlacks, et qui avaient non-seulement des frères et des sœurs, mais même des enfans dont le teint était le brun ordinaire de ces îles. On voit aussi quelques femmes de cette espèce, quoiqu'elles soient plus rares. Les cakerlaks sont méprisés de leur propre nation, qui les a en horreur; c'est une sorte d'albinos: il s'en trouve aussi parmi les Nègres, en Afrique et ailleurs. Leur nom vient de certains insectes volans des Indes, qui muent tous les ans, et dont la peau ressemble assez à celle des cakerlaks.

L'habillement des Amboiniens paraît être un mélange de leurs anciens usages, et de ceux qu'ils ont empruntés des Hollandais. Quoique les joyaux de prix soient rares parmi ces insulaires, on en voit plusieurs en or, en argent, en diamans et en perles; un des plus anciens ornemens des Orientaux, connu du temps d'Abraham, est celui que les femmes portaient au milieu du front, et qui leur descendait entre les sourcils. Cette espèce de joyaux semble ne s'être conservée qu'ici, où Valentyn eut l'occasion d'en examiner quelques-uns des plus étranges; le principal avait six pendans, qui couvraient presque tout le visage; mais la plupart n'en ont qu'un, qui tombe jusque sur le nez, et d'autres sont sans pendans. On compte parmi les plus précieux ornemens des princes du pays les serpens d'or, qui sont ordinairement à deux têtes, et qui valent jusqu'à cent cinquante florins ou plus. Ces insulaires mettent au-dessus de l'or même le *sovassa*, qui est une composition de ce métal avec certaine quantité de cuivre. L'auteur croit que c'est le véritable *orichalcum* des anciens. On en fait des anneaux, des pommes de canne, des boutons et toutes sortes de petits vaisseaux. Au reste, il ne se trouve de ces joyaux que parmi les chefs. Tous les autres sont fort pauvres. Les radjas, les patis et les orancaies tirent un revenu assez honnête de leurs terres et de leurs clous de girofle, pour lesquels on leur paie encore le droit d'un sou pour chaque livre; ils pourraient amasser des richesses, s'ils ne dépensaient tout en festins, en présens et en procès, ne faisant pas difficulté de sacrifier à la chicane une centaine de ducats pour un giroflier contesté. Malgré cette prodigalité des grands et la pauvreté des autres, il est remarquable qu'on ne voit jamais ici de mendians. On en sera moins surpris, si l'on considère que les arbres y produisent en abondance des fruits dont on n'interdit pas l'usage aux passans, et que personne ne refuse aux indigens qui la demandent la liberté de couper autant de bois à brûler qu'ils en ont besoin pour un jour. Un insulaire qui n'est pas trop paresseux peut gagner facilement trois escalins par jour, en revendant ses fagots, tandis qu'il ne lui faut que deux sous pour vivre.

L'ignorance, mère de l'idolâtrie et de la superstition, a introduit dans le culte et dans la manière de vivre de ces insulaires une infinité d'usages aussi bizarres que leurs préjugés sont ridicules. Les démons partagent leurs principaux soins, et sont le continuel objet de leurs inquiétudes. La rencontre d'un corps mort qu'on porte en terre, celle d'un impotent ou d'un vieillard, si c'est la première créature qu'on voie dans la journée; le cri des oiseaux nocturnes, le vol d'un corbeau au-dessus de leurs maisons, sont pour eux autant de présages funestes dont ils croient pouvoir prévenir les effets en rentrant chaque fois chez eux, ou par certaines précautions. Quelques gousses d'ail, de petits morceaux de bois pointus et un couteau, mis à la main ou sous le chevet d'un enfant pendant la nuit, leur paraissent des armes efficaces contre les esprits malins. Jamais un Amboinien ne vendra le premier poisson qu'il prend dans des filets neufs; il en appréhenderait quelque malheur: mais il le mange lui-même ou le donne en présent. Les femmes qui vont au marché le matin avec quelques denrées donneront toujours la première pièce pour le prix qu'on leur en offre, sans quoi elles croiraient n'avoir aucun débit pendant le reste du jour. Aussi, lorsqu'elles ont vendu quelque chose, elles frappent sur leurs paniers, en criant de toute leur force que cela va bien. On ne fait pas plaisir aux insulaires de louer leurs enfans, parce qu'ils craignent que ce ne soit avec le dessein de les ensorceler, à moins qu'on n'ajoute à ces éloges des expressions capables d'éloigner toute défiance. Lorsqu'un enfant éternue, on se sert d'une espèce d'imprécation, comme pour conjurer l'esprit malin qui cherche à le faire mourir. Ces idées sont si invétérées dans la nation, qu'on entreprendrait vainement de les détruire. Les personnes mêmes qui ont embrassé le christianisme n'en sont pas exemptes. On n'admet point auprès d'un malade ceux qui seraient entrés peu auparavant dans la maison d'un mort. Les filles du pays ne mangeront pas d'une double banane, ou de quelque autre fruit double. Une esclave n'en présentera point à sa maîtresse, de peur que dans sa première couche elle ne mette deux enfans au monde, ce qui augmenterait le travail domestique. Qu'une femme meure enceinte ou en couche, les Amboiniens croient qu'elle se change en une espèce de démon, dont ils font des récits aussi absurdes que leurs précautions pour éviter ce malheur. Une de leurs plus singulières opinions est celle qu'ils se forment de leur chevelure, à laquelle ils attribuent la vertu de soutenir un malfaiteur dans les plus cruels tourmens, sans qu'on puisse lui arracher l'aveu de son crime, à moins qu'on ne le fasse raser; et ce qui doit faire admirer la force de l'imagination, cette idée est vérifiée par l'effet: l'auteur en rapporte deux exemples arrivés de son temps.

Avec tant de penchant à la superstition, on se figure aisément que les Amboiniens sont fort portés à la nécromancie. Cette science réside dans certaines familles renommées parmi eux. Quoiqu'ils les haïssent mortellement, parce qu'ils les croient capables de leur nuire, ils ne laissent pas d'avoir recours aux sortiléges, soit pour favoriser leurs amours ou pour d'autres vues. Ce vice règne principalement parmi les femmes. Mais si l'on examine à fond leur magie, on trouve qu'elle ne consiste le plus souvent que dans l'art de préparer subtilement des poisons, et que le reste n'est qu'un tissu d'impostures.

Les Amboiniens ont divers usages qui leur sont communs avec d'autres peuples de l'Orient, comme de s'accroupir pour faire leurs eaux, détestant l'usage d'uriner debout, qui, selon eux, ne convient qu'aux chiens; de laisser croître leurs ongles, qu'ils teignent en rouge; de se laver souvent dans les rivières, mais les hommes d'un côté, les femmes de l'autre, avec des vêtemens particuliers à ces bains, par respect pour la pudeur; de s'oindre le corps d'huiles odoriférantes, et d'en parfumer aussi leur chevelure, en s'arrachant le poil de toutes les autres parties, et de s'asseoir sur une natte les jambes croisées sous le corps.

Dès qu'un enfant est né, sa mère lui présente le sein et lui donne un nom de lait, indépendamment de celui qu'il reçoit ensuite au baptême. Ce nom a toujours rapport à quelques circonstances de sa naissance. On ne sait ce que c'est que d'emmailloter les enfans, mais on les enveloppe négligemment dans un linge, après leur avoir appliqué un bandage sur le nombril. D'autres soins seraient mortels dans un pays si chaud, et plusieurs Européens en ont fait anciennement l'expérience. Au lieu de porter les enfans sur le bras, l'usage est de les porter ici sur la hanche, en passant le bras gauche sous leurs aisselles, autour du dos, dans une attitude fort aisée. On ne voit parmi ces peuples que des corps bien formés dans tous leurs membres, et jamais d'estropiés que par accident. Après la naissance d'un enfant, on plante un cocotier, ou quelque autre arbre dont le nombre des nœuds successifs indique celui de ses années.

Il lui jette une zagaie par derrière et s'élançant sur lui, il lui coupe la tête.

À la mort du père, l'aîné des fils est le maître de tout ce qu'il possédait. Cet aîné ne donne à sa mère et à ses frères et sœurs que ce qu'il juge nécessaire à leur subsistance; mais il ne succède pas à son père dans les dignités héréditaires; elles passent aux collatéraux.

On peut mettre comme au second ordre des naturels du pays les Alfouriens ou Alfouras, montagnards sauvages qui occupent les hauteurs de plusieurs îles, et notamment de Céram, et qui sont fort différens des insulaires établis sur le rivage. En général, ils sont beaucoup plus grands, plus charnus et plus robustes, mais d'un naturel farouche et barbare. La plupart vont nus, sans distinction de sexe, n'ayant qu'une large et épaisse ceinture, teinte en plusieurs raies, qui leur couvre uniquement le milieu du corps. Ces ceintures sont composées de l'écorce d'un arbre nommé *sacca*, que l'auteur prend pour le sycomore blanc. Sur la tête ils portent une coque de coco, autour de laquelle ils entortillent leurs cheveux. Ils les attachent aussi quelquefois à un morceau de bois, qui leur sert en même temps d'étui pour leur peigne. Cet étrange bonnet est encore orné de trois ou quatre panaches. Leur chevelure est liée d'un cordon, auquel ils enfilent de petits coquillages blancs, dont ils se garnissent de même le cou et les doigts des pieds. Quelquefois leur collier est un chapelet de verre. Ils portent aussi de gros anneaux jaunes aux oreilles; et jamais ils ne paraissent plus propres qu'avec des rameaux d'arbre aux bras et aux genoux, dont ils ne manquent pas de se parer, surtout lorsqu'ils doivent se battre.

Tous ces montagnards, quoique partagés en factions, ont les mêmes manières, les mêmes mœurs et le même culte. C'est une loi inviolable parmi eux, qu'aucun jeune homme ne peut couvrir sa nudité ou sa maison, se marier ni travailler, s'il n'apporte pour chacune de ces installations autant de têtes d'ennemis dans son village, où elles sont posées sur une pierre consacrée à cet usage. Celui qui compte le plus de têtes est réputé le plus noble, et peut aspirer aux meilleurs partis. On n'examine point à la rigueur si ce sont des têtes d'hommes, de femmes ou d'enfans; il suffit que la taxe soit remplie. Par cette politique, il est facile à leurs chefs de détruire en peu de temps un village ennemi, et de faire la guerre sans qu'il leur en coûte la moindre dépense.

Dans leurs maraudes pour chercher des têtes, les jeunes Alfouriens battent la campagne en petites troupes de huit ou dix, le corps tellement couvert de verdure, de mousse et de rameaux, que, cachés sur les chemins au milieu des bois, on les prend facilement pour des arbres: dans cet état, s'ils voient passer quelqu'un de leurs ennemis, ils lui jettent une zagaie par-derrière, et, s'élançant sur lui, ils lui coupent la tête, qu'ils emportent dans les habitations, où ils font leur entrée solennelle, tandis que les jeunes femmes et les filles, chantant et dansant autour d'eux, célèbrent cette victoire par des réjouissances publiques. Les têtes sont suspendues aux maisons ou jetées en certains lieux, comme une offrande aux divinités du pays. Il arrive souvent à ces jeunes Alfouriens de rôder un mois ou deux avant qu'ils puissent trouver l'occasion de se pourvoir de têtes, parce qu'ils n'attaquent guère l'ennemi qu'à coup sûr. S'ils le manquent, ils reviennent les mains vides, quelquefois blessés, et si remplis de frayeur, qu'ils ne pensent plus de long-temps au mariage. Lorsqu'ils ont perdu quelques-uns de leurs gens dans un combat, et que les têtes en sont emportées, ils jettent les cadavres sur un arbre, comme indignes de la sépulture. Mais si les morts ont encore leur tête, il est permis aux parens de les enterrer, dans la crainte que leurs ennemis n'en puissent faire trophée.

On conçoit qu'avec des lois aussi barbares les Alfouriens ont besoin d'autres maximes assorties à cette politique et capables de perpétuer les occasions de les exercer avec quelque apparence de justice. Leur extrême délicatesse sur le point d'honneur est la principale source des guerres continuelles qui règnent entre eux. Lorsqu'un Alfourien en visite un autre, rien ne doit manquer à l'accueil qu'on lui fait. Cette réception consiste à lui présenter d'abord une banane et du tabac. Oublie-t-on volontairement, ou par malheur, de joindre à la banane les feuilles de siri nécessaires, c'est assez pour mettre en colère l'Alfourien étranger, qui, pour témoigner son ressentiment au maître de la maison, en sort sur-le-champ, et va s'escrimer devant la porte en dansant le sabre à la main, jusqu'à ce que l'affront soit réparé par quelques présens. Si pendant cette visite les petits enfans de la maison crachent ou se mouchent, c'est un outrage sanglant. S'ils jettent quelque chose à l'étranger, ou s'ils lui rient au nez, le père est tenu de laver chaque fois l'opprobre par d'autres présens, et la paix est faite alors; mais, s'il le refuse, l'offensé s'en plaint à ses amis, et revient deux ou trois ans après demander satisfaction à son hôte. La querelle peut encore être apaisée par un présent; sinon la vengeance est résolue contre un opiniâtre qui, non content d'un premier affront, ose encore, après tant d'années, pousser le mépris jusqu'à ne rien offrir en faveur de la réconciliation. L'offensé meurt-il sans avoir exécuté sa résolution, ce soin passe à ses descendans, qui ne manquent pas de le venger tôt ou tard. Quelquefois tous les habitans du village prennent parti pour le mort, et vont enlever dans celui de l'agresseur quelques têtes, sans distinction, et les premières qu'ils peuvent abattre: sur quoi naît ordinairement une guerre ouverte. Mais, avant d'en venir à cette extrémité, l'un d'entre eux élève la voix, appelle les cieux, la terre, la mer, les rivières et tous leurs ancêtres à leur secours. Après cette invocation, il se tourne vers les ennemis et leur annonce à haute voix les motifs qui les forcent à la guerre, protestant qu'ils ne viennent pas clandestinement comme des voleurs, mais à découvert, et dans la seule vue de se procurer par la force le présent de la réconciliation qu'on a l'injustice de leur refuser. De retour dans leur village, avec une ou deux têtes qu'ils ont coupées à leurs ennemis, ils les portent en cérémonie, accompagnés de leurs femmes qui ne cessent de chanter et de danser autour d'eux. On donne ensuite un grand festin où les têtes ont leur place, et sont servies chacune par un guerrier qui leur présente des bananes, du tabac et d'autres rafraîchissemens. On verse neuf gouttes d'huile sur chacune; après quoi deux hommes les prennent et les jettent. Ils sont persuadés que, s'ils manquaient à la moindre de ces cérémonies, ils n'auraient pas de bonheur à se promettre dans leur entreprise. Cependant, pour s'en assurer d'avance, ils ont recours au démon, qu'ils consultent de différentes manières; et dont ils attendent la réponse par certains signes: si les présages sont constamment favorables, ils n'hésitent plus à commencer la guerre.

Les Alfouriens se nourrissent de rats, de serpens, de grenouilles et de diverses autres sortes de reptiles. La chair de sanglier, et le riz, qu'ils commencent à cultiver eux-mêmes, entre aussi dans leurs alimens; mais ils y sont moins accoutumés. Le sagou est pour eux un mets friand: ils en font une bouillie épaisse qu'ils mettent dans des bambous, et la mangent froide lorsqu'ils sont en voyage. Ces bambous leur tiennent lieu de marmites, de pots et de verres. L'eau est leur boisson commune; mais le sagou vert, espèce de liqueur fermentée qu'ils tirent du sagou, anime leurs festins. Ils enterrent cette liqueur dans des marais pour la rendre plus forte. Elle y prend aussi une couleur plus jaune, et s'y conserve toujours fraîche, quoiqu'elle perde beaucoup de son goût agréable, et qu'elle devienne même fort âpre. Ces montagnards aiment l'eau-de-vie à la fureur, et savent la distinguer du vin d'Espagne. Valentyn rapporte que Montanus, ministre hollandais, étant arrivé le soir à Elipapoutelh, pour y administrer les sacremens, on lui dit que le radja Sahoulau, un des plus puissans rois des Alfouriens, descendu des montagnes avec une nombreuse suite, souhaitait de le saluer. Montanus, qui connaissait ce prince de réputation, consentit à le recevoir sur-le-champ pour en être plus tôt délivré. Après un court compliment, le radja demanda de l'eau-de-vie, ajoutant en mauvais malais qu'il l'aimait beaucoup. La crainte des effets désagréables que cette liqueur pouvait produire fit répondre au ministre hollandais qu'étant au terme de son voyage, ses provisions étaient presque finies. Cependant il fit apporter un petit reste de vin d'Espagne qu'il voulut faire boire au radja pour de l'eau-de-vie. Mais ce prince n'en eut pas plus tôt goûté, qu'il le rejeta. «Ce que vous m'offrez, dit-il en secouant la tête, n'est pas une boisson d'homme, c'est une boisson de femme; si c'est de l'eau-de-vie, il faut que j'aie perdu la mémoire.» Le ministre, fort embarrassé, se vit obligé de faire paraître sa bouteille d'eau-de-vie; et le radja, qui en reconnut l'odeur, s'écria que c'était une boisson d'homme. En effet, la bouteille fut bientôt vidée. Alors le prince alfourien, commençant à s'échauffer, tira de sa corbeille quelques morceaux de serpens et de sagou, qu'il offrit à Montanus; et, les lui voyant refuser sous divers prétextes, il voulut du moins, pour signaler sa reconnaissance, lui faire accepter le spectacle d'un combat de ses Alfouriens. Les objections et les excuses ne purent le faire changer de dessein. Il fit commencer, à la lumière de quantité de flambeaux, un combat qui n'ayant d'abord été que simulé, devint bientôt sérieux. La terre fut jonchée de cadavres, le sang ruisselait, et les membres volaient de toutes parts, tandis que le radja ne cessait d'animer les combattans par ses promesses et ses menaces, sans que les représentations et les instances du ministre pussent l'engager à terminer une scène si tragique. «Ce sont mes sujets, lui répondit-il; ce ne sont que des chiens morts, dont la perte n'est d'aucune importance; et je ne me fais pas une affaire d'en sacrifier mille pour vous marquer mon estime.» Montanus, changeant de ton, réplique que c'était beaucoup d'honneur pour lui, mais que les lois hollandaises ne permettaient pas de répandre inutilement le sang, et qu'il en deviendrait lui-même responsable au gouverneur, qui, ne manquant d'espions nulle part, serait bientôt informé de cette scène. Le radja, cédant à ses remontrances, fit enfin terminer le combat; et Montanus en eut d'autant plus de joie, qu'il craignait sérieusement que les Alfouriens, las de se massacrer les uns les autres dans l'idée de l'amuser, ne se donnassent, à leur tour, le divertissement de le tailler en pièces lui et toutes les personnes de sa suite.

Avant que ces peuples connussent le girofle, dont ils tirent aujourd'hui leur subsistance, ils ne vivaient que de leurs pirateries, mangeaient les corps de leurs ennemis, et marchaient nus, à la réserve d'une ceinture. C'est des Portugais qu'ils ont appris à se vêtir, et des Hollandais qu'ils ont reçu les lumières de l'Évangile; mais la profession qu'ils font d'être chrétiens n'empêche pas qu'ils ne reviennent encore quelquefois à leur ancienne barbarie. On en rapporte des exemples qui font voir que la chair humaine a toujours de grands appas pour eux, lorsqu'ils trouvent l'occasion de s'en rassasier sans témoins. Le roi de Titavay, vieillard de soixante ans, avoua, en 1687, que dans sa jeunesse il avait mangé plusieurs têtes de ses ennemis, après les avoir fait rôtir sur des charbons, ajoutant que, de toutes les viandes, il n'y en avait pas de si délicate, et que les plus friands morceaux étaient les joues et les mains. En 1702, un vieux messager du conseil d'état d'Amboine, originaire de cette île, et d'ailleurs fort honnête homme, fut convaincu d'avoir enlevé du gibet et mangé un bras du cadavre d'un esclave, dont l'embonpoint l'avait tenté. Il fut puni par une amende de cinq cents piastres, heureux d'en être quitte à si bon marché. Il y a des ordonnances très-sévères pour réprimer cette horrible passion, et de temps en temps on a soin de les renouveler.

Il paraît que tout le terrain des Moluques est imprégné de ces matières sulfureuses qui forment les volcans. Valentyn en fit l'épreuve sur les montagnes d'Omer: «J'étais, dit-il, sans la moindre inquiétude dans ma chaise à porteurs, fermée de tous côtés pour me garantir contre l'ardeur du soleil, lorsque, après avoir fait environ un quart de lieue de chemin au-dessous du vent, toute cette vaste campagne que nous avions derrière nous parut en feu dans un instant, et les flammes, qui s'élevaient jusqu'aux nues du milieu d'une horrible fumée, gagnaient avec une telle rapidité, qu'à peine eus-je le temps de sortir de ma chaise pour prendre la fuite avec tous mes gens, dont le nombre était d'environ quarante. Notre effroi ne nous aurait cependant prêté que de vaines forces, si le vent ne s'était tourné tout à coup, et si l'embrasement n'eût été coupé par un espace aride et sans herbe. J'appris de mon guide qu'il s'était déjà trouvé une fois dans le même péril, mais beaucoup plus grand, puisqu'il n'avait pu l'éviter, et qu'il s'était vu obligé de se jeter le visage contre terre, pour n'être pas suffoqué par la fumée; que lui et ses compagnons eurent le visage un peu défiguré, leurs cheveux brûlés, et leurs vêtemens fort endommagés. Il est vrai que l'herbe étant alors moins haute et plus verte, les flammes n'avaient pas le même degré de violence; mais la fumée était d'autant plus épaisse.»

Au sud-est d'Amboine s'élève le petit groupe volcanique de Banda, ainsi nommé d'après l'île principale, que l'on appelle aussi Lantor. L'on cultive le muscadier dans ces petites îles, qui sont toutes volcaniques.

Timor-Laout et Vaiguiou sont deux grandes îles bien boisées, mais peu connues.

Il reste à joindre ici quelques propriétés des îles Moluques, qui regardent l'histoire naturelle. Argensola, remontant aux anciennes traces du girofle, prétend que les Chinois ont été les premiers qui en ont connu le prix. Ces peuples, dit-il, attirés par l'excellence de son odeur, en chargèrent leurs joncques pour le porter dans les golfes de Perse et d'Arabie; mais il n'ajoute rien qui puisse faire connaître le temps de cette découverte. Pline a connu le girofle, et le décrit comme une espèce de poivre-long qu'il appelle *cariophyllum*. Les Perses l'ont nommé *calafou*. Il n'est pas question d'examiner ici lequel de ces deux noms a pris naissance de l'autre. Les Espagnols le nommaient anciennement *girofa*, ou *girofle*, et depuis ils l'ont appelé *clavo*, ou *clou*, à cause de sa figure. Les habitans des Moluques nomment l'arbre *sigher*, la feuille *varaqua*, et le fruit *chimque* ou *chamque*.

L'arbre du girofle ressemble beaucoup au laurier par la grandeur et par la forme des feuilles; mais la tête est plus épaisse, et les feuilles sont un peu plus étroites. Le goût du clou se trouve dans les feuilles, et jusque dans le bois. Les branches, qui sont en grand nombre, jettent une quantité prodigieuse de fleurs, dont chacune produit son clou. Les fleurs sont, d'abord blanches; ensuite elles deviennent vertes, puis rouges et assez dures. C'est alors qu'elles sont proprement clous. En séchant, les clous prennent une autre couleur, qui est un brun jaunâtre. Lorsqu'ils sont cueillis, ils deviennent d'un noir de fumée. Ils ne se cueillent pas avec la main comme les autres fruits: on attache une corde à la branche qu'on secoue avec force, ce qui ne se fait pas sans fatiguer les arbres; mais ils en deviennent plus fertiles l'année d'après. Cependant quelques-uns les battent avec des gaules, après avoir nettoyé soigneusement l'espace qui est dessous.

Les clous pendent aux arbres par de petites queues, auxquelles la plupart tiennent encore lorsqu'ils sont tombés: on les vend même avec ces queues; car les insulaires ramassent tout ensemble et ne se donnent pas la peine de les trier, mais ceux qui les achètent prennent celle de les nettoyer pour les transporter en Europe. Les clous qui restent aux arbres portent le nom de *mères*, y demeurent jusqu'à l'année suivante, et passent pour les meilleurs, parce qu'ils sont plus forts et mieux nourris. Les Javanais du moins les préfèrent aux autres; mais les Hollandais prennent par choix les plus petits. On ne plante point de girofliers. Les clous qui tombent et qui se répandent en divers endroits les reproduisent assez; et les pluies fréquentes hâtent si fort leur accroissement, qu'ils donnent du fruit dès la huitième année. Ils durent cent ans. Quelques-uns prétendent qu'ils ne croissent pas bien lorsqu'ils sont plantés trop près de la mer, et qu'ils viennent également dans toutes ces îles, sur les montagnes comme dans les vallées. Les clous mûrissent depuis la fin du mois d'août jusqu'au commencement de janvier.

On lit dans les mémoires portugais que les pigeons ramiers, qui sont en grand nombre dans l'île de Gilolo, mangent le reste des clous qui vieillissent sur les arbres; et que, les rendant avec leur fiente, il en renaît d'autres girofles; raison qui les fait multiplier partout, et qui s'opposera toujours aux efforts qu'on pourrait faire pour les détruire. Ils rapportent aussi qu'après la conquête des Portugais, les rois des Moluques, indignés de l'insolence et de la cruauté de leurs vainqueurs, ne trouvèrent pas d'autres moyen, pour s'en délivrer, que de détruire les funestes richesses qui les exposaient à cette tyrannie. Le désespoir leur mit le feu à la main pour brûler tous les girofliers; mais cet incendie répondit si mal à leurs vues, qu'au lieu de répandre une éternelle stérilité dans leurs îles, il en augmenta beaucoup la fertilité. En effet, l'expérience a fait connaître que la cendre mêlée à la terre est capable de l'engraisser. Dans plusieurs endroits de l'Europe, on brûle le chaume sur les terres stériles, et l'on embrase de grandes campagnes pour les rendre plus fécondes.

On confit aux Indes le clou de girofle dans le sucre, ou dans le sel et le vinaigre. Quantité de femmes indiennes ont l'habitude de mâcher du clou pour donner plus de douceur à leur haleine; mais les excellentes qualités du girofle sont d'ailleurs assez connues. Nous avons parlé plus haut du sagou.

Le muscadier est un bel arbre haut de trente pieds, remarquable par le beau vert de son feuillage et par la disposition de ses branches; quand il végète avec force, il pousse une grande quantité de rameaux grêles qui lui forment une tête bien arrondie et extrêmement touffue. Les fleurs naissent en petites grappes le long des petits rameaux; elles sont jaunes et petites. Un même arbre ne porte que des fleurs ou fécondes ou stériles, c'est-à-dire femelles ou mâles. Cet arbre est continuellement en fleur et en fruit de tout âge. Il commence à rapporter à l'âge de sept ou huit ans. Le fruit qui succède à la fleur femelle ne parvient à l'état de maturité que neuf mois après l'épanouissement de cette fleur. Il ressemble alors à un pêche-brugnon de couleur moyenne. Le brou qui enveloppe la noix a la chair d'une saveur si âcre et si astringente, qu'on ne saurait le manger cru et sans apprêt. On le confit, on en fait des compotes et de la marmelade. L'usage de la noix muscade est suffisamment connu. En faisant des entailles dans l'écorce du muscadier, en coupant une branche, ou en détachant une feuille, il en sort un suc visqueux assez abondant, d'un rouge pâle, et qui teint le linge d'une manière durable. Le bois du muscadier est blanc, poreux, filandreux, d'une extrême légèreté. On peut en faire de petits meubles: il n'a aucune odeur.

Le tabac croît en abondance aux Moluques; mais il n'égale pas en bonté celui des Indes orientales, quoique les fruits communs y soient les mêmes, et qu'ils n'aient rien d'inférieur.

On y trouve de ces grands serpens qui ont plus de trente pieds de long, et dont on a déjà parlé.

On remarque que les crocodiles, fort différens de ceux des autres lieux pour la voracité, ne sont dangereux que sur terre; et que dans la mer, au contraire, ils sont si lâches et si engourdis, qu'ils se laissent prendre aisément.

Tous les voyageurs parlent avec admiration de la facilité que les perroquets des Moluques ont à répéter tout ce qu'ils entendent; leurs couleurs sont variées, et forment un mélange agréable; ils crient beaucoup et fort haut. On assure que, dans les temps qu'on y formait la ligue qui en chassa les Portugais, un perroquet, volant dans l'air, cria d'une voix très-forte, *je meurs, je meurs*, et que, battant en même temps des ailes, il tomba mort. Voilà un présage à opposer au vol des oiseaux chez les anciens; mais on peut croire au babil des perroquets des Moluques sans croire à ceux des historiens. Un Hollandais avait un perroquet qui contrefaisait sur-le-champ tous les cris des autres animaux qu'il entendait.

L'île de Ternate a quantité d'oiseaux de paradis, que les Portugais nomment *paxaros del sol* ou *oiseaux du soleil*. Les habitans leur donnent le nom de *manucodiata*, qui signifie *oiseau des dieux*. Autrefois on racontait fort sérieusement, et plusieurs auteurs l'ont répété, que ces oiseaux vivent de l'air, qu'ils ne viennent jamais à terre, qu'ils n'ont pas de pieds, et qu'ils se reposent en se suspendant aux arbres par les longs filets de leur queue. Telle est l'idée d'après laquelle plusieurs naturalistes anciens les représentent; elle venait de l'usage établi parmi ceux qui les prennent de leur ôter les pieds, et de ne leur laisser que la tête, le corps et la queue, qui est composée de plumes admirables. Ils les font sécher ensuite au soleil, ce qui fait disparaître toutes les traces des pieds. Ces absurdités étaient d'autant plus accréditées, que l'origine et le genre de vie de ces oiseaux étaient totalement ignorés. L'on ne se borna pas aux merveilles que leur attribuaient les insulaires de Ternate; les marchands, pour leur donner plus de valeur, en ajoutèrent de nouvelles. Enfin le préjugé prit une telle force, que le premier qui soutint que ces oiseaux avaient des pieds et étaient conformés comme les autres, fut traité d'imposteur. Il est reconnu aujourd'hui qu'ils ont des pieds. Les uns ne fréquentent que les buissons, d'autres se tiennent dans les forêts, nichent sur les arbres élevés, mais évitent de se percher à la cime, surtout dans les grands vents, qui, en jetant le désordre dans leurs faisceaux de plumes, les font tomber à terre. Dans la saison des muscades, l'on voit ces oiseaux voler en troupes nombreuses, comme font les grives à l'époque des vendanges; mais ils ne s'éloignent guère. L'archipel des Moluques et la Nouvelle-Guinée bornent leurs plus longs voyages.

CHAPITRE IX.

Timor. Île Célèbes.

Ces deux îles sont, l'une au sud, l'autre au nord des Moluques, et toutes deux en sont à peu de distance. Nous parlerons en premier lieu de Timor. Dampier lui donne environ soixante et dix lieues de long, sur quinze ou seize de largeur. Elle est située à peu près du nord-est au sud-ouest, et son milieu est presqu'à 9 degrés de latitude méridionale. Elle n'a point de rivières navigables, ni beaucoup de havres; mais on y trouve un grand nombre de baies, où les vaisseaux peuvent mouiller dans certaines saisons. C'est dans celle d'Anabo, qui la couvre au sud-ouest, que les Hollandais ont le fort Concordia bâti en pierre sur un rocher qui touche au rivage, une lieue à l'est de la pointe de Coupang, d'où ils chassèrent les Portugais en 1613. Cependant il en reste un grand nombre dans l'île, et ils y ont plusieurs établissemens, entre autres celui de Laphao. La ville est composée de quarante ou cinquante maisons, dont chacune a son enclos rempli d'arbres fruitiers, tels que des tamariniers, des cocotiers, et des toddis. Chaque enclos a son puits. Une église à demi ruinée fait le principal ornement de la perspective. Assez près du rivage, une mauvaise plate-forme, accompagnée d'un petit édifice, soutient six canons de fer montés sur des affûts pouris, et quelques hommes y font la garde.

Dampier ne fait pas une peinture avantageuse des habitans de Laphao: «La plupart, dit-il, sont nés aux Indes; ils ont les cheveux noirs et plats, et le visage couleur de cuivre jaune: leur langue est le portugais. Ils se disent catholiques romains, et ne se font pas moins honneur de leur religion que de leur origine: ils se fâcheraient beaucoup contre ceux qui leur refuseraient le nom de *Portugais*; cependant je n'en vis que trois qui méritassent le nom de *blancs*; deux étaient prêtres.» Ils ont trois ou quatre petits bâtimens qui servent à leur commerce avec les insulaires, et qu'ils envoient même jusqu'à Batavia pour en tirer des marchandises de l'Europe; l'île leur fournit de l'or, de la cire et du bois de sandal. Quelques Chinois qu'ils ont parmi eux attirent de Macao, tous les ans, une vingtaine de petites jonques, qui leur apportent du riz commun, de l'or mêlé, du thé, du fer, des outils, de la porcelaine, des soies, etc., et qui prennent d'eux, en échange de l'or pur, tel qu'on le trouve sur les montagnes, du bois de sandal, de la cire et des esclaves.

Les Portugais ont un autre établissement qu'ils nomment *Porto-Novo*, au bout oriental de l'île de Timor, où leur gouverneur général fait sa résidence; ce qui doit faire juger que Laphao ne tient que le second rang. On assura Dampier, que, dans l'espace de vingt-quatre heures, ils pouvaient assembler cinq ou six cents hommes bien armés de fusils, d'épées et de pistolets. Quoiqu'ils se reconnaissent sujets du Portugal, leur situation approche beaucoup de l'indépendance. On les a vus pousser la hardiesse jusqu'à renvoyer chargés de fers ceux qui leur apportaient des ordres du vice-roi de Goa. Comme ils ne font pas scrupule de s'allier aux femmes de l'île, cette indocilité ne fait qu'augmenter à mesure qu'ils se multiplient et que leur sang s'éloigne de sa source.

L'île de Timor est divisée en plusieurs royaumes, dont chacun a son langage, quoique la ressemblance de la figure, des usages et des mœurs entre ceux qui les habitent semble prouver que tous ces insulaires ont une origine commune. La bonne intelligence est rare entre tous les princes de ces différens royaumes. La compagnie hollandaise, qui a son fort et son comptoir dans le royaume de Coupang, trouve de l'avantage à nourrir leurs divisions, tandis que, vivant en paix avec chaque puissance de l'île, elle tire tous les profits du commerce. Le roi de Coupang, ami particulier des Hollandais, est ennemi mortel de tous les autres rois, qui sont étroitement alliés avec tous les Portugais. Il tire du fort de Concordia un secours secret d'hommes et de munitions, qui lui est refusé en apparence comme à tous ses concurrens, mais qui doit être bien réel, pour le rendre capable de résister à tant de forces réunies, et de causer quelquefois beaucoup d'inquiétude aux Portugais. La guerre est si cruelle de la part des Coupangois, que les nobles du pays mettent leur gloire à placer sur des pieux, au sommet de leurs maisons, les têtes des ennemis qu'ils ont tués de leur propre main, et que les simples soldats sont obligés de porter celles qu'ils peuvent abattre aussi, dans des magasins destinés à les recevoir. Le village indien qui est voisin du fort hollandais contient un de ces sanglans dépôts. On doit juger par-là que la haine des Portugais, qui voient leurs têtes menacées du même sort, ne tombe pas moins sur les Hollandais que sur le roi de Coupang, et qu'ils n'épargnent rien pour leur nuire. Ils se vantent d'être toujours en état de les chasser de l'île, s'ils en avaient la permission du roi de Portugal, seule occasion où le respect a la force de les arrêter; mais il paraît que les Hollandais, bien fournis d'artillerie et d'autres munitions, gardés par des soldats européens, et sûrs de recevoir tous les ans de nouveaux secours de Batavia, rient des bravades de leurs ennemis. D'ailleurs ils ont, à peu de distance, leur établissement de Solor, dont ils pourraient encore se fortifier. Les Portugais en ont un autre aussi dans l'île d'Ende, qui n'est pas plus éloignée; et leur ville, qui se nomme *Lorentouca*, vers l'extrémité orientale de cette île, est mieux peuplée qu'aucune place de Timor; mais loin de s'entre-prêter de l'assistance, les gouverneurs de leur nation, dans ces deux îles, se haïssent et se déchirent mutuellement. Ende et Solor font partie d'une chaîne d'îles situées au nord de Timor.

Les insulaires de Timor ont la taille médiocre, le corps droit, les membres déliés, le visage long, les cheveux noirs et lisses, et la peau fort noire. Ils sont naturellement adroits et d'une agilité singulière; mais une extrême paresse, vice commun à toute leur nation, leur fait perdre l'avantage qu'ils pourraient tirer de ces deux qualités. Il n'ont de la vivacité, suivant l'expression de Dampier, que pour la trahison et la barbarie; leurs habitations ne présentent que la misère. Ils sont nus, à l'exception des reins, autour desquels ils ont un simple morceau de toile. Quelques-uns portent un ornement de nacre de perle ou de petites lames d'or, de figure ovale et de la grandeur d'un écu, assez joliment dentelées. Cinq de ces lames, rangées l'une près de l'autre au-dessus des sourcils, servent à leur couvrir le front. Elles sont si minces, et disposées avec tant d'art, qu'elles semblent enfoncées dans la peau. Cependant les frontons de nacre ont plus d'éclat. D'autres portent des bonnets de feuilles entrelacées.

Ils prennent autant de femmes qu'ils peuvent en nourrir; et quelquefois ils vendent leurs enfans pour se mettre en état d'augmenter le nombre de leurs femmes. Leur nourriture ordinaire est le blé d'Inde, que chacun plante pour soi. Ils ne se fatiguent pas beaucoup à préparer la terre. Dans la saison sèche, ils mettent le feu aux arbres et aux buissons pour nettoyer leurs champs et les disposer à recevoir leurs grains dans la saison des pluies. D'ailleurs le goût de la chasse qui les occupe sans cesse leur fait négliger leurs plantations. Ils ne manquent point de buffles ni de porcs sauvages. Leurs armes ne sont que la lance et la zagaie, avec une sorte de rondache ou de bouclier.

Dampier s'informa de leur religion. On l'assura qu'ils n'en avaient point. Il observe qu'à la faveur de la langue malaise, qui est en usage dans toutes les îles voisines, le mahométisme s'était répandu dans celles qui faisaient quelque commerce avant que les Européens y fussent venus. C'est ainsi qu'il est devenu la religion dominante de Solor et d'Ende; mais il ne paraît pas qu'il ait pénétré dans l'île de Timor, ni que les Portugais ou les Hollandais y aient obtenu plus de faveur pour le christianisme.

Tout le terrain de l'île est inégal, c'est-à-dire coupé par des montagnes et de petites vallées. Une chaîne de hautes montagnes la traverse presque d'un bout à l'autre. Elle est assez bien arrosée, dans les temps même de la sécheresse, par quantité de ruisseaux et de fontaines; mais elle n'a point de grandes rivières, parce qu'étant fort étroite, les sources qui tombent de l'un ou de l'autre côté des montagnes ont peu de chemin à faire jusqu'à la mer. Dans la saison pluvieuse, les vallées et les terres basses sont couvertes d'eau. Alors les ruisseaux paraissent autant de grosses rivières, et les moindres cascades se changent en torrens impétueux. Vers le rivage, la terre est presque généralement sablonneuse, quoique assez fertile et couverte de bois. Les montagnes sont remplies de forêts et de savanes. Dans quelques-unes on ne voit que des arbres hauts, frais et verdoyans; dans la plupart des autres, ils paraissent tortus, secs et flétris, et les savanes sont pierreuses et stériles; mais plusieurs de ces montagnes sont riches en or et en cuivre. Les pluies entraînent l'or dans les ruisseaux, où les insulaires le pêchent. Dampier ne put être informé comment ils tirent le cuivre.

Il s'attacha particulièrement à connaître les arbres de l'île, qui en produit un grand nombre qui lui étaient inconnus, et pour lesquels il ne se fit pas un vain honneur d'inventer des noms; mais il vit des mangles blanches, rouges et noires. Il vit le mahot, l'arbre à calebasse, qui est ici rempli de piquans; et qui s'élève fort haut, en diminuant vers la pointe, au lieu que dans les Indes occidentales il est bas, et ses branches s'étendent beaucoup en dehors; le cotonnier, qui n'est pas fort gros à Timor, mais qui est plus dur que celui de l'Amérique.

Le cassier, qui est ici fort commun, a la grosseur de nos pommiers ordinaires; mais ses branches ne sont ni épaisses ni garnies de feuilles. Cet arbre fleurit, à Timor, pendant les mois d'octobre et de novembre. Ses fleurs ressemblent beaucoup à celles de nos pommiers, et sont presque aussi grandes. Elles sont d'abord rouges; mais, lorsqu'elles sont tout-à-fait épanouies, elles deviennent blanches, et jettent une odeur agréable. Le fruit, dans sa maturité, est rond, gros d'un pouce, long d'environ deux pieds, et d'un brun foncé qui tire sur le rouge. Les cellules du milieu sont entre elles à la même distance que celles du même fruit qu'on apporte en Angleterre. On y trouve, aussi une petite semence plate. En un mot, il paraît de la même nature: cependant l'observateur demeura incertain si c'est le véritable cassier, parce qu'il n'y trouva point de pulpe noire.

Il vit des figuiers sauvages moins gros que ceux de l'Amérique, et dont les figues ne croissent point à part sur les branches, mais viennent par bouquets de quarante ou cinquante, autour du corps de l'arbre et de ses grosses branches, depuis la racine jusqu'au sommet.

Entre quantité d'arbres qui peuvent servir à toutes sortes d'usages, on trouve à Timor le sandal, dont les plus hauts ressemblent beaucoup au pin. Ils ont la tige droite et unie; mais ils ne sont pas fort épais. Le bois en est dur, pesant et rougeâtre, surtout vers le cœur. On voit ici trois ou quatre sortes de palmiers que Dampier n'avait vus dans aucun autre lieu. Les troncs de la première espèce ont sept ou huit pieds de circonférence, et jusqu'à quatre-vingt-dix de hauteur. Leurs branches croissent vers le sommet, comme celles du cocotier, et leur fruit ressemble aux cocos; mais il est plus petit, de figure ovale, à peu près de la grosseur d'un œuf de cane. La coquille en est noire et dure avant sa maturité. Il est rempli d'une chair si dure, qu'on ne saurait le manger; et comme il a un petit vide au milieu, on y trouve cette eau ou ce petit-lait qui fait rechercher les cocos.

Les fruits de Timor sont les mêmes que dans la plupart des autres contrées des Indes; mais il paraît que les insulaires en doivent une bonne partie aux Portugais et aux Hollandais qui les y ont transplantés. Dampier y trouva une herbe sauvage qui se nomme calalou[13] en Amérique, et qui ne lui parut pas moins agréable et moins saine que les épinards. L'île produit naturellement du pourpier, du fenouil marin et d'autres herbes connues des Européens. Le blé d'Inde y croît avec peu de culture. C'est la nourriture commune des habitans; mais les Portugais et leurs voisins sèment un peu de riz.

Dampier ne vit des bœufs et des vaches qu'aux environs du fort Concordia. L'île est peuplée de singe et de serpens: on y trouve un grand nombre de serpens jaunes, de la grosseur du bras et longs de quatre pieds; mais les plus dangereux ne sont pas plus gros que le tuyau d'une pipe; leur longueur est de cinq pieds; ils sont verts par tout le corps; ils ont la tête rouge, plate et de la grosseur du pouce.

Entre les volatiles, on distingue l'oiseau à répétition, ainsi nommé, parce qu'il chante six notes deux fois de suite, et que, les commençant d'une voix haute et perçante, il les finit d'un ton assez bas. Sa grosseur est celle d'une alouette; il a le bec petit, noir et pointu; les ailes bleues; la tête et le jabot d'un rouge pâle, et une raie bleue autour du cou.

Dans le nombre infini de poissons que l'on pêche à Timor on remarque les mangeurs d'huîtres; ils ont dans le gosier deux os fort épais, durs et plats, avec lesquels ils cassent la coquille pour avaler ensuite le poisson qu'elle renferme: aussi trouve-t-on toujours dans leur estomac quantité de ces coquilles en pièces.

Au nord-ouest des Moluques est située l'île Célèbes dont la forme est singulièrement irrégulière, tant elle est découpée profondément par plusieurs golfes. Nous rassemblerons les observations dispersées d'un grand nombre de voyageurs, surtout celles des Hollandais, qui possèdent dans cette île un fort et un excellent comptoir, fondé sur les ruines de l'ancien établissement portugais. C'est d'après eux qu'on s'est accoutumé à l'appeler indifféremment Célèbes ou Macassar, du nom de sa principale ville et du plus puissant de ses états.

Ce royaume, que ses habitans nomment Mancaçar, et qui, depuis les conquêtes d'un de ses rois vers la fin du dernier siècle, comprend en effet la plus grande partie de l'île, s'étend depuis la ligne équinoxiale jusqu'au 6e. degré de latitude méridionale; sa longueur se prend du septentrion au midi: elle est d'environ cent trente lieues, sur quatre-vingts de largeur, qui est celle qu'on donne ordinairement à l'île. Mandar et Bonguis étaient deux autres royaumes qui le bornaient au septentrion, mais qui ont suivi la fortune de celui de Toradja, et de quelques autres provinces aujourd'hui soumises aux rois de Macassar. Quelques-uns comptent cette grande île au nombre des Moluques, dont elle n'est éloignée que d'environ quatre-vingts lieues.

Sa situation étant au milieu de la zone torride, on s'imagine aisément qu'il y règne une extrême chaleur. Peut-être serait-elle inhabitable, si ces ardeurs excessives n'étaient modérées par des pluies assez abondantes, qui rafraîchissent ordinairement la terre cinq ou six jours avant ou après les pleines lunes, et pendant les deux mois que le soleil, dans son cours annuel, emploie à passer au-dessus de l'île; d'un autre côté, ce mélange de pluie et de chaleur, joint aux vapeurs qu'exhalent continuellement les mines d'or et de cuivre, qui sont en assez grand nombre dans le pays, y excite presque tous les jours, au coucher du soleil, des orages terribles et les plus furieux tonnerres. L'air y serait très-malsain, s'il n'était purifié par les vents du nord qui s'y font sentir avec violence pendant la meilleure partie de l'année. Aussitôt qu'ils viennent à manquer, ce qui est heureusement très-rare, le pays est désolé par diverses maladies contagieuses; mais, lorsqu'ils soufflent avec leur force ordinaire, tous les habitans jouissent d'une santé parfaite. On en voit vivre sans maladies jusqu'à l'âge de cent ou de cent vingt ans.

De toutes les provinces qui composent le royaume de Macassar, il n'y en a point que la nature n'ait distinguée par quelque faveur particulière, qui la rend nécessaire à toutes les autres. Celles qui ne sont composées que de rochers et de montagnes inaccessibles contribuent à la richesse du pays par leurs carrières et leurs mines. Dans les unes on trouve de très-belles pierres, avantage rare aux Indes; les autres ont des mines d'or, de cuivre et d'étain. La province de Toradja fournit seule une assez grande quantité de poudre d'or; et lorsque les ravines qui se précipitent des montagnes de Mamadja ont achevé de s'écrouler, on en découvre souvent de petits lingots dans les vallées: on raconte même qu'on y en a trouvé de la grosseur du bras.

Les terres de l'île de Célèbes sont remplies d'ébéniers, de bois de calambac[14], de sandal, et de quelques espèces qui servent à teindre en vert et en écarlate; teinture si vive et si brillante, qu'elle efface la plupart des nôtres. Le bois de charpente et de menuiserie, plus commun que le bois à brûler ne l'est en Europe, met les habitans en état de construire des bâtimens de mer à meilleur marché qu'en aucun port. Leurs bambous sont si durs et si solides, qu'ils en font non-seulement des cabanes, mais de petits bateaux et des flèches. Il n'y a point de contrée dans les Indes où cette espèce de roseau croisse mieux. Au lieu d'un pied de diamètre, qui est sa grosseur commune, il en a souvent plus de trois dans l'île de Célèbes; et comme il est naturellement creux, les Macassarois en font des tambours qui ne rendent pas moins de son que les nôtres.

D'autres provinces ne semblent formées que pour le plaisir de leurs habitans. Quantité de petites rivières dont elles sont arrosées leur fournissent d'excellent poisson, qui fait pendant toute l'année la principale partie de leur nourriture. Mais rien n'approche de la peinture qu'on nous fait du paysage. La variété en est infinie: ce sont des collines et des campagnes remplies d'arbres toujours verts; des fruits et des fleurs dans toutes les saisons; des oiseaux qui ne cessent jamais de chanter. Entre quantité de fleurs que la terre produit d'elle-même on donne un rang fort supérieur à celle qui se nomme *bougna-genay-maura*. Elle a quelque chose du lis; mais son odeur est infiniment plus douce, et se fait sentir de beaucoup plus loin. Les insulaires en tirent une essence dont ils se parfument pendant leur vie, et qui sert à les embaumer après leur mort. Sa tige est d'environ deux pieds de haut; elle ne sort pas d'un ognon comme le lis, mais d'une grosse racine fort amère, qu'on emploie pour la guérison de plusieurs maladies, surtout des fièvres pourprées et pestilentielles. Les arbres les plus communs dans ces délicieuses plaines sont les citronniers et les orangers. Parmi les oiseaux, dont le nombre est si grand, que l'air en est quelquefois obscurci, soit qu'ils y naissent tous, ou que la beauté du pays les y attire des îles voisines, celui qu'on vante le plus n'a guère que la grosseur d'une alouette. Son bec est rouge; le plumage de sa tête et celui de son dos sont tout-à-fait verts; celui du ventre tire sur le jaune, et sa queue est du plus beau bleu du monde. Il se nourrit d'un petit poisson qu'il va chasser sur la rivière, dans certains endroits où l'instinct est le seul guide qui puisse le conduire. Il y voltige en tournoyant à fleur d'eau, jusqu'à ce que ce poisson, qui est fort léger, saute en l'air, et semble vouloir prendre le dessus pour fondre sur son ennemi; mais l'oiseau a toujours l'adresse de le prévenir. Il l'enlève avec son bec et l'emporte dans son nid, où il s'en nourrit un jour ou deux, pendant lesquels son unique occupation est de chanter. Ensuite, lorsque la faim le presse, il retourne à la chasse, et ne revient pas sans une nouvelle proie. Cet oiseau merveilleux se nomme *ten-rou-joulon*. Le lory est une sorte de perroquet presque entièrement rouge, dont la gorge surtout est d'un rouge de feu très-éclatant, et relevé par de petites raies noires. On ne le nomme, entre quantité d'autres espèces de perruches vertes ou bigarrées, que pour faire remarquer une propriété singulière qui lui fait garder un silence triste et mélancolique, tandis que les autres ont toute l'apparence de gaieté qui est ordinaire aux perroquets.

Tous les fruits des Indes, surtout les mangues, les bananes, les oranges et les citrons, croissent admirablement dans l'île de Célèbes. Les manguiers y sont si grands et si touffus, qu'on trouve en plein midi de la fraîcheur sous leur feuillage, et qu'on peut y être à couvert des plus grosses pluies. Les melons de Célèbes sont si rafraîchissans, que, malgré leur petitesse, la moitié d'un suffit pour apaiser la soif la plus ardente, et pour en préserver un voyageur pendant une journée entière dans les plus grandes chaleurs. L'homme le plus robuste ne l'est pas assez pour porter une grappe de bananes, qui sont les figues du pays. Elles ne sont guère plus grosses que les autres; mais la plupart ont près d'un pied de long, et le goût en est véritablement délicieux. Les insulaires leur donnent le nom d'*ontis*.

De tous les fruits qui croissent en Europe, l'île Célèbes ne produit que des noix. Elles y sont moins blanches que les nôtres, et la coquille est incomparablement plus dure: elles ne sont pas même d'aussi bon goût; mais on aurait peine à s'imaginer la quantité d'huile que les habitans en tirent. Entre plusieurs remèdes, dans lesquels ils l'emploient avec différentes préparations, ils en composent un onguent qui vaut le meilleur baume, et qui a des vertus encore plus certaines pour la guérison des plaies. Ils en font aussi des flambeaux, en la faisant bouillir avec la chair blanche du coco; ce qui forme une pâte dont ils enduisent des bâtons fort secs, qu'ils exposent pendant quelques heures au soleil. Ces flambeaux sont aussi propres, durent autant, et ne donnent pas moins de lumière que ceux qu'on fait ici de la meilleure cire; et lorsqu'ils sont bien allumés, on a beaucoup plus de peine à les éteindre.

L'abondance des palmiers supplée au défaut de la vigne, qu'on n'a jamais pu faire croître dans l'île, et lui procure continuellement une liqueur que les Hollandais ne font pas difficulté de comparer aux plus excellens vins de France, quoiqu'ils ne la trouvent pas tout-à-fait si saine. On n'en peut boire avec excès sans s'exposer à la dysenterie.

On voit dans le royaume de Macassar de vastes plaines qui ne sont couvertes que de cotonniers, et cet arbrisseau s'y distingue aussi par des propriétés singulières. Ses fleurs, au lieu d'être jaunes comme dans les autres contrées de l'Asie et de l'Afrique, y sont d'un rouge couleur de feu, longues, coupées comme le lis, et très-agréables à la vue, mais sans aucune sorte d'odeur. Aussitôt que la fleur est tombée, le bouton devient aussi gros qu'une noix verte, et donne un coton qui passe pour le plus fin de l'Inde.

On admire que, sous la ligne, non-seulement plusieurs légumes, tels que les raves, la chicorée et le pourpier, mais les choux même, soient aussi communs dans l'île de Célèbes qu'en Europe. On y trouve du romarin, du baume, du nénuphar, et quantité d'excellens simples dont les habitans connaissent la vertu pour de certaines maladies. L'opium, que les Portugais nomment *ophion*, est celui dont on fait le plus de cas: c'est une sorte d'arbuste qui croît ordinairement sur les tombeaux, dans les antres des montagnes, ou dans certains lieux pierreux et sauvages, qui ne sont connus que des insulaires. Ses feuilles sont d'un vert fort pâle. On tire une liqueur de ses rameaux par une incision sur laquelle on applique un vaisseau de bambou qui s'en remplit; mais, lorsqu'il est plein, on observe soigneusement qu'il n'y puisse entrer d'air. La liqueur s'y épaissit dans l'espace de quelques jours. Aussitôt qu'elle acquiert une certaine consistance, on la coupe en morceaux pour en faire de petites boules, que les Malais et tous les mahométans viennent acheter au poids de l'or. De l'eau dans laquelle ils ont fait dissoudre une de ces boules, après l'avoir fait passer dans deux tamis différens, ils arrosent le tabac qu'ils veulent fumer. Cette teinture lui donne un goût qu'ils trouvent merveilleux. Ils prétendent qu'elle facilite la digestion et qu'elle fortifie l'estomac; mais son effet le plus certain est de les enivrer; et le sommeil qu'elle leur procure dans cette ivresse a tant de charme pour eux, qu'ils la préfèrent à tous les autres plaisirs. L'expérience leur apprend néanmoins que l'usage de l'ophion n'est pas sans danger. Il devient si nécessaire à ceux qui en ont fait beaucoup d'usage, que, s'ils le quittent, on les voit bientôt maigrir, tomber dans une affreuse langueur, et mourir de faiblesse et d'abattement: mais il est encore plus dangereux d'en prendre avec excès. L'homme le plus vigoureux, qui en fume plus de quatre ou cinq fois dans l'espace de vingt-quatre heures, tombe infailliblement en léthargie; ou s'il en prend plus d'un demi-grain en substance, il s'endort presque aussitôt; et ce sommeil, de quelque douceur qu'il paraisse accompagné, ne manque point de le conduire à la mort. Un grain de la grosseur du riz est un violent purgatif. Mêlé avec de la thériaque, il a des effets tout opposés, et le dévoiement le plus opiniâtre ne lui résiste pas long-temps. Les Macassarois en mêlent avec le tabac, qu'ils fument avant d'aller au combat, pour échauffer leur courage et se rendre insensible aux plus sanglantes blessures. Ils ont d'ailleurs une quantité surprenante de poisons et d'herbes vénéneuses dont ils composent une liqueur si subtile, qu'il suffit, dit-on, d'y toucher ou d'en ressentir l'odeur pour mourir à l'heure même. Ils y trempent la pointe de leurs flèches; aussi ne font-elles point de blessure qui ne soit mortelle; et quand elles seraient empoisonnées depuis vingt ans, l'effet n'en serait pas moins funeste. On assure qu'il n'y a que la fumée qui puisse leur faire perdre cette malheureuse vertu. Quelques-unes de ces redoutables plantes ressemblent beaucoup à l'ophion, et les insulaires ont quelquefois le malheur de s'y tromper; mais les animaux de l'île, conduits par un instinct plus sûr que la raison, s'éloignent avec une promptitude admirable de tous les poisons qui se trouvent sous leurs pas.

Célèbes n'est pas moins abondante en bestiaux que l'Europe: les bœufs y sont aussi gros, et les vaches y donnent un lait qui n'est pas inférieur au nôtre. Il s'y trouve des chevaux et des buffles. On rencontre dans les forêts des troupeaux de cerfs et de sangliers. L'île n'a point de tigres, ni de lions, ni d'éléphans, ni de rhinocéros; mais les singes y sont comme en possession de l'empire, autant par leur grandeur et leur férocité que par leur nombre. Les uns sont absolument sans queue; d'autres ont une queue fort longue et d'une grosseur proportionnée à celle de leur corps. Les seuls ennemis que les singes aient à redouter dans l'île de Célèbes sont d'affreux serpens qui leur donnent la chasse nuit et jour; quelques-uns sont d'une si prodigieuse grandeur, que d'un seul coup de gueule ils avalent un singe lorsqu'ils peuvent le surprendre; d'autres, moins gros, mais plus agiles, les poursuivent jusque sur les arbres. Ceux qui ne se sentent point assez forts pour leur faire une guerre ouverte emploient diverses sortes de ruses; ils observent le temps où les singes s'endorment, et chaque jour leur apporte une nouvelle proie. D'autres, dont le sifflement approche de celui de quelques oiseaux, montent sur les arbres, s'y cachent sous les feuilles et se mettent tranquillement à siffler; ce bruit attire les singes, qui sont naturellement curieux, et le serpent, qui a comme le choix de sa victime, saute sur celui qu'il veut dévorer, le tient attaché sur une branche par sa queue, lui déchire les entrailles, et boit son sang jusqu'à la dernière goutte. Cette antipathie, ou plutôt ce goût des serpens de Célèbes pour les singes préserve les villes et les campagnes de ce qu'elles auraient à souffrir de leur excessive multiplication. Il en reste assez pour causer des alarmes continuelles aux insulaires, qui ont sans cesse leurs femmes et leurs champs à défendre contre des animaux également lascifs et voraces. À la vérité, le seul mouvement d'un bâton entre les mains d'un homme suffit pour les effrayer.

Tout le royaume de Macassar n'est arrosé que par une grande rivière qui le traverse du septentrion au midi: elle se jette dans le golfe, ou dans le détroit, vers le 5e. degré de latitude méridionale. Sa largeur est de plus d'une demi-lieue à son embouchure. Plus haut, elle n'a qu'environ trois cents pas, et de là, jusqu'à peu de distance de sa source, elle n'est pas plus large que la Seine à Paris; mais dans toute l'étendue de son cours elle se divise par une infinité de bras qui se répandent dans toutes les parties du royaume, et qui contribuent à l'enrichir en formant les canaux du commerce. Elle est malheureusement infestée d'un grand nombre de crocodiles, plus dangereux que dans aucune autre rivière de l'Orient: ces monstres, ne se bornant point à faire la guerre aux poissons, s'assemblent quelquefois en troupes, et se tiennent cachés au fond de l'eau pour attendre le passage des petits bâtimens; ils les arrêtent, et, se servant de leur queue comme d'un croc, ils les renversent, et se jettent sur les hommes et les animaux, qu'ils entraînent dans leur retraite. On trouve dans la même rivière des lamantins d'une prodigieuse grandeur, dont les nageoires de devant sont exactement taillées en forme de main.

Quoique le lit de la rivière de Macassar ait assez de profondeur pour les plus grands vaisseaux, il est coupé par une si grande quantité de sables, qu'une barque de cinquante tonneaux n'y peut avancer plus d'une demi-heure sans échouer; mais plusieurs provinces ont de fort bons ports qui servent de retraite aux grands bâtimens. On vante beaucoup celui d'Ionpandam, qui est dans le détroit même, et dont la ville est bâtie sur le rivage. Les Hollandais, qui en sont les maîtres, n'ont rien négligé pour s'en assurer la possession; ils y ont construit un fort. Outre les richesses qu'ils tirent de l'île, en or, en soie, en coton fin, en bois d'ébène, de sandal et de calambac, que les habitans leur donnent en échange pour des draps de l'Europe, et pour du fer qui manque à l'île, ils ont fait de cet établissement un entrepôt fort avantageux pour le commerce avec d'autres pays qui n'en sont pas éloignés. De Macassar à l'île de Bornéo, d'où ils reçoivent de l'or, des diamans, du poivre et d'autres marchandises, le trajet n'est que d'un jour de navigation. Aux îles d'Amboine, de Banda et de Boutou, qui leur fournissent la muscade et le girofle, on ne compte que deux ou trois jours. Il n'y en a pas plus de quatre aux îles de Ternate et de Timor, d'où l'on apporte quantité de cire et de bois de sapan, dont on se sert pour la teinture. Les Moluques, comme on l'a déjà remarqué, en sont à quatre-vingts lieues. Les royaumes de Siam, de Camboge, de la

Cochinchine et du Tonquin, l'empire de la Chine et des îles Philippines, n'en sont guère à plus de trois cents lieues. Aussi Ionpandam est devenue entre les mains de la compagnie hollandaise une des plus grandes et des plus importantes places du royaume de Macassar, et, par conséquent, de l'île entière.

Mancaçara, qui en est la capitale, et que les rois ont choisie pour leur séjour, est une belle et grande ville, dont les fortifications ne sont pas méprisables, quoique les Hollandais aient ruiné celles qui étaient l'ouvrage des Portugais. Elle est située un peu au-dessus de l'embouchure de la rivière, vers le 6e. degré de latitude méridionale, dans une plaine fertile en riz, en fruits, en fleurs et en légumes. Ses murailles sont battues d'un côté par la grande rivière. Ses rues sont en assez grand nombre, et la plupart fort larges. L'usage du pavé n'y est pas connu; mais le sable, dont elles sont naturellement couvertes, y fait régner beaucoup de propreté. Elles sont bordées d'un double rang d'arbres fort touffus, que les habitans entretiennent avec soin, parce que les maisons en reçoivent de l'ombre, et qu'ils y trouvent une fraîcheur continuelle pendant la chaleur du jour. On n'y voit point d'autres édifices de pierre que le palais du roi et quelques mosquées; mais, quoique toutes les autres maisons soient de bois, la vue n'en est pas moins agréable par la variété de leurs couleurs. Le bois d'ébène, qui domine particulièrement, est d'un éclat qui surprend les étrangers; et les pièces en sont enchâssées avec tant d'art, qu'on n'en aperçoit pas les jointures. Le plus grand de ces bâtimens n'a pas plus de quatre ou cinq toises de long sur une ou deux de largeur. Les fenêtres en sont fort étroites, et le toit n'est composé que de grandes feuilles, dont l'épaisseur résiste à la pluie. La plupart sont élevées et soutenues en l'air sur des colonnes d'un bois si dur, qu'il passe pour incorruptible. On y monte par une échelle que chacun tire soigneusement après lui, lorsqu'il est entré, dans la crainte d'être suivi de quelque chien. Cet animal passe pour immonde; et ces insulaires, qui sont les plus superstitieux de tous les mahométans, se croiraient indignes du jour, s'ils n'allaient se laver dans la rivière aussitôt qu'un chien les a touchés. Sur le toit, qui est plat et fort bas, chaque maison a toujours trois croissans, dont deux sont droits et font les deux extrémités. Celui du milieu est renversé. On trouve à Mancaçara, dans un grand nombre de boutiques, tout ce qu'on peut désirer pour la commodité d'une grande ville. On y voit de belles places, où le marché se tient deux fois par jour, c'est-à-dire le matin avant le lever du soleil, et le soir une heure avant qu'il se couche. Jamais on n'y rencontre que des femmes. Un homme se rendrait méprisable s'il osait y paraître, et s'exposerait aux dernières insultes de la part des enfans, qui sont élevés dans l'opinion que le sexe viril est réservé pour des occupations plus sérieuses et plus importantes. On nous représente comme un spectacle agréable de voir arriver chaque jour les jeunes filles des bourgs et des villages voisins, chargées, les unes de poisson d'eau douce, qui se prend à cinq ou six lieues de la ville, dans un gros bourg nommé Galezon, où la pêche est établie; les autres de marée, qu'elles apportent de différens ports, ou de fruits et de vin de palmier, qui viennent particulièrement de Bamtaim, village éloigné de deux lieues; de volaille, de chair de bœuf et de buffle, qui se vendent dans les mêmes marchés que les fruits et le poisson. Autrefois les insulaires portaient leur zèle pour la loi de Mahomet jusqu'à faire scrupule de manger aucune sorte d'animaux à quatre pieds: mais leur abstinence se borne aujourd'hui à la chair du porc. Cependant on ne voit point de gibier dans les places publiques, parce que le droit de chasser est réservé au roi et aux seigneurs. D'ailleurs le sanglier, qui est le plus commun des animaux sauvages de l'île, est compris dans l'abstinence du porc, et l'usage du roi même est de faire présent aux étrangers de ceux qu'il prend à la chasse.

Tous les voyageurs conviennent que parmi les peuples des Indes il n'y en a point qui aient reçu de la nature plus de disposition que les Macassarois pour les arts, les sciences et les armes. Ils ont la conception vive, l'esprit juste, et la mémoire si heureuse, qu'ils n'oublient presque jamais ce qu'ils ont une fois appris. Les qualités du corps répondent à celles de l'âme. Ils sont grands et robustes, laborieux, capables de résister aux plus grandes fatigues. Leur teint est moins basané que celui des Siamois: mais ils ont le nez beaucoup plus plat et plus écrasé. Ce nez, qui les défigure à nos yeux, est chez eux une beauté, qu'on se plaît à former dès leur enfance. Aussitôt qu'ils voient le jour, on les couche nus dans un petit panier, où leurs nourrices prennent soin à toutes les heures du jour de leur aplatir le nez en le pressant doucement de la main gauche, tandis que de l'autre main elles le frottent avec de l'huile ou de l'eau tiède. On leur fait les mêmes frottemens sur toutes les autres parties du corps pour faciliter les développemens de la nature. De là vient apparemment qu'ils ont tous la taille fine et dégagée, et qu'on ne voit point dans l'île de bossus ni de boiteux. On les sèvre un an après leur naissance, dans l'opinion qu'ils auraient moins d'esprit s'ils continuaient plus long-temps d'être nourris du lait maternel. À l'âge de cinq ou six ans, tous les enfans mâles de quelque distinction sont mis comme en dépôt chez un parent ou chez un ami, de peur que leur courage ne soit amolli par les caresses de leur mère et par l'habitude d'une tendresse mutuelle. Ils ne retournent point dans leur famille avant l'âge de quinze ou seize ans; la loi leur donne alors le droit de se marier; mais il est rare qu'ils usent de cette liberté avant de s'être perfectionnés dans tous les exercices de la guerre. Comme ils naissent presque tous avec de l'inclination pour les armes, ils y acquièrent tant d'habileté, qu'on ne connaît pas d'Indiens plus adroits à monter à cheval, à décocher une flèche, à tirer un fusil, et même à pointer un canon. Il n'y en a point aussi qui manient mieux le cric et le sabre. Le cric, qu'on a souvent nommé dans cet ouvrage, est une arme commune aux Malais, aux Javans, et à d'autres insulaires de l'Inde, mais qui n'est nulle part si redoutable que dans le royaume de Macassar. Sa longueur est d'un pied et demi. Il a la forme d'un poignard, avec cette différence que la lame s'allonge en serpentant. Les Macassarois s'en servent particulièrement dans leurs duels, qui se font de deux manières: tantôt ils se battent avec le sabre et la rondache; tantôt ils sont armés de deux crics. De celui qu'on tient de la main gauche on écarte et on rabat les coups; de l'autre on pousse quelques bottes, qui finissent bientôt le combat; car la moindre égratignure d'une arme qui est habituellement empoisonnée, devient ordinairement une plaie si mortelle, qu'on désespère du remède: aussi ces querelles sont-elles presque toujours suivies de la mort des deux combattans. Leur manière de décocher les flèches n'est pas moins extraordinaire. Ils les font d'un bois très-léger, au bout duquel ils attachent une dent de requin. Au lieu d'arc, ils ont une sarbacane de bois d'ébène, longue d'environ six pieds, et fort polie en dedans. Ils y mettent une flèche, qu'ils soufflent plus ou moins loin, suivant la force de leur haleine, mais qui porte ordinairement jusqu'à soixante ou quatre-vingts pas, et si juste, que, s'il en faut croire les voyageurs, ils ne manquent jamais de donner dans l'ongle d'un doigt qu'ils se sont proposé pour but.

Les Macassarois sont vêtus plus proprement qu'aucune autre nation des Indes. En campagne, ils ont, avec le cric, un sabre qu'ils passent aussi du côté droit, et dont la poignée est ordinairement d'or ou d'argent. Celle des plus simples soldats est d'ivoire ou de bois précieux. L'usage commun du pays est de marcher pieds nus. Cependant les personnes de qualité, qui craignent moins l'incommodité de la chaleur que celle de sentir le sable, chaussent de petites sandales moresques, bordées d'or et d'argent, à peu près comme les souliers de nos dames. Le chapeau est en horreur aux Macassarois; et leur respect pour le turban va si loin, qu'ils ne s'en servent qu'aux jours de fêtes et de réjouissances publiques. Mais ils portent habituellement un petit bonnet, d'étoffe blanche, plus ou moins précieuse, suivant le rang ou les richesses, avec un petit bord d'or ou d'argent. C'est non-seulement une propreté, mais un usage indispensable pour les personnes de distinction, d'entretenir sur leurs ongles une teinture rouge qu'on y met dès leur enfance. Ils ne sont pas moins curieux de se teindre les dents en vert et en rouge. Dans leurs premières années, ils se les font polir et limer; après quoi ils se les frottent avec du jus de citron, qui les rend susceptibles de la couleur qu'on veut leur donner. Cette opération ne se fait pas sans douleur, et sans qu'il en coûte du sang; mais l'empire de la mode n'est pas moins respecté à Célèbes qu'en Europe. Souvent même les seigneurs macassarois se font arracher leurs meilleures dents pour en porter d'or, d'argent ou de tombac.

Les femmes ont encore plus de passion pour la propreté que les hommes; mais elles sont moins magnifiques: on leur voit peu de bagues et de pierreries; c'est l'ornement des hommes. Elles n'ont pour collier qu'une petite chaîne d'or, que leurs maris leur donnent le lendemain de leur noce, pour les faire souvenir qu'elles sont leurs premières esclaves.

La noblesse, dans le royaume de Macassar, n'est pas, comme dans la plus grande partie de l'Orient une distinction passagère, attachée, suivant le caprice du prince, à la personne qu'il lui plaît d'en revêtir, et qui ne passe pas toujours à ses descendans. Elle est fondée sur des titres qui la rendent perpétuelle: aussi les nobles y sont-ils plus fiers que dans aucun autre endroit du monde. On en distingue plusieurs sortes. Les principaux sont ceux dont la noblesse est attachée à des terres anciennement anoblies par les rois en faveur de quelques sujets qui avaient rendu des services considérables à l'état. Les concessions de cette nature rendent une terre inaliénable. Elles obligent les possesseurs de payer une certaine somme à la couronne, et de servir le roi dans ses armées à leurs propres frais, lorsqu'ils reçoivent l'ordre de le suivre. Cette noblesse se transmet sans fin aux descendans de la même race; et s'ils meurent sans enfans, leurs terres sont réunies au domaine. Elle donne d'autant plus de puissance et d'autorité, que tous les vassaux d'un seigneur sont obligés, sans distinction de sexe, de servir leur seigneur par quartier, ou de se racheter du service par une somme équivalente. Ces anciens nobles et leurs descendans sont distingués par le titre de dacous, qui répond parmi nous au titre de duc. Ils ne paraissent à la cour qu'avec un nombreux cortége; ils marchent immédiatement après les premiers princes du sang: ils remplissent les premières charges et les meilleurs gouvernemens du royaume. Le nom de *dacous* est si honorable, qu'on le donne même aux princes de la maison royale. Mais, comme la multiplication d'une noblesse qui ne veut souffrir aucune concurrence pourrait avilir les autres nobles et devenir préjudiciable à l'état, le nombre de ces nobles est fixé. Il n'est guère plus grand aujourd'hui que celui de nos ducs. Les anciens s'opposeraient à de nouvelles créations; et le roi se contente de soutenir ces illustres races par les faveurs qu'il leur accorde, soit en leur distribuant les terres nobles qui lui reviennent à l'extinction de ceux qui les ont possédées, soit en leur abandonnant les confiscations et autres profits. On croirait lire une description du gouvernement féodal de notre ancienne Europe.

Le second ordre de noblesse est celui des *carrés*, qui répondent à nos marquis et à nos comtes, et qui ne se sont pas moins multipliés. Cet honneur dépend uniquement de la volonté du roi. Un Macassarois qui plaît à la cour obtient facilement l'érection de son village en *carré*. Ses enfans lui succèdent: mais, quoique l'égalité règne dans cet ordre, les plus anciens jouissent d'une distinction que les autres ne peuvent attendre que du temps.

Les *lolos*, qui sont la troisième classe, composent la simple noblesse. Ils sont anoblis par des lettres particulières et par quelques présens qui répondent à leurs services, ou par l'espérance d'en recevoir. Souvent, pour flatter les riches marchands, leurs amis leur donnent le nom de *lolos*. Mais les dacous, les carrés et les vrais lolos se gardent bien de prodiguer ces titres.

Le gouvernement de Macassar est purement monarchique. Les rois, qui occupent ce trône depuis près de neuf cents ans, y ont toujours été fort absolus, toujours craints et respectés de leurs sujets. La couronne est héréditaire; mais les frères y succèdent à l'exclusion des fils, soit qu'ils passent pour les plus proches parens, soit qu'on appréhende que la minorité des souverains ne donne lieu à des guerres civiles qui troubleraient l'ordre et la tranquillité de l'état.

Parmi ces peuples, les premiers momens du combat sont furieux, surtout lorsque, après avoir épuisé toute leur poudre, ils en viennent au sabre et au cric, qui font un ravage terrible. Mais cette espèce de transport où l'ophion jette les Macassarois à la vue de leurs ennemis n'est pas ordinairement de longue durée; une résistance de deux heures fait succéder l'abattement à la rage. Ceux qui connaissent leur caractère cherchent le moyen de les amuser, pour laisser à leur premier feu le temps de s'éteindre, et n'ont pas de peine alors à les mettre en désordre.

La plupart de leurs autres usages ont trop de ressemblance avec ceux des îles voisines et de tous les Indiens mahométans pour demander ici des explications plus étendues; mais l'on ne se dispensera point de quelque détail sur leur religion, et sur la manière dont les Hollandais se sont établis dans leur île.

Il n'y a pas deux cents ans que les Macassarois étaient tous idolâtres. Leurs docteurs enseignaient que le ciel n'avait jamais eu de commencement; que le soleil et la lune y avaient toujours exercé une souveraine puissance, et qu'ils y avaient vécu en bonne intelligence jusqu'au jour d'une malheureuse querelle où le soleil avait poursuivi la lune dans le dessein de la maltraiter; que, s'étant blessée en fuyant devant lui, elle avait accouché de la terre, qui était tombée par hasard dans la situation qu'elle garde encore; que cette lourde masse s'étant entr'ouverte dans sa chute, il en était sorti deux sortes de géans; que les uns s'étaient rendus maîtres de la mer, où ils y commandaient les poissons; que dans leur colère ils y excitaient des tempêtes, et qu'ils n'éternuaient jamais sans y causer quelque naufrage; que les autres géans s'étaient enfoncés jusqu'au centre de la terre pour y travailler à la production des métaux, de concert avec le soleil et la lune; que, lorsqu'ils s'agitaient avec trop de violence, ils faisaient trembler la terre, et qu'ils renversaient quelquefois des villes entières; qu'au reste, la lune était encore grosse de plusieurs autres mondes, qui n'avaient pas moins d'étendue que le nôtre, et qu'elle en accoucherait successivement pour réparer les ruines de ceux qui devaient être consumés par l'ardeur du soleil; mais qu'elle accoucherait naturellement, parce que le soleil et la lune, ayant reconnu par une expérience commune que le monde avait besoin de leur influence, s'étaient enfin réconciliés, à condition que l'empire du ciel se partagerait également entre l'un et l'autre, c'est-à-dire que le soleil régnerait pendant la moitié du jour, et la lune pendant l'autre moitié. Ces fables en valent bien d'autres.

Les Portugais des Moluques et des marchands de Sumatra y prêchèrent en concurrence, les uns la loi de l'Évangile, et les autres celle de l'Alcoran. Le roi de Célèbes balançait entre ces deux religions; il prit le parti de demander au roi d'Achem et au gouverneur des Moluques deux des plus savans docteurs de l'une et de l'autre loi pour terminer ses doutes. Mais son conseil, qui craignait que ces disputes ne troublassent les esprits, lui proposa d'embrasser la loi de ceux qui arriveraient les premiers, Dieu ne pouvant pas sans doute permettre que l'erreur arrivât avant la vérité. Le roi suivit ce singulier avis. Les mahométans arrivèrent les premiers, et l'Alcoran fut la loi du pays.

Vers l'année 1560, la compagnie hollandaise envoya quelques-uns de ses premiers officiers à Sambanco, qui régnait alors dans le Macassar, pour lui demander la permission de trafiquer avec ses sujets. Elle leur fut accordée d'autant plus facilement, que ce prince, ayant déjà tiré de grands avantages du commerce des Portugais, ne s'en promit pas moins de celui de Batavia. Des députés de la compagnie furent traités avec distinction, et partirent satisfaits. Quelques vaisseaux hollandais, qui furent bientôt envoyés pour l'exécution du traité, arrivèrent heureusement au port d'Ionpandam. Ils y firent un profit si considérable, qu'ils conçurent le dessein d'y retourner en plus grand nombre. Mais, ayant reconnu dès la première fois que leur gain croîtrait au double, s'il n'était pas partagé avec les marchands portugais, ils prirent la résolution d'employer tous leurs efforts à se défaire de ces dangereux rivaux. L'entreprise devait leur paraître difficile. Les Portugais étaient bien établis: ils étaient aimés du peuple et considérés du roi; mais le conseil de Batavia fonda de grandes espérances sur les moyens qu'il résolut de mettre en œuvre. On y convint de faire monter tous les ans sur les vaisseaux qui devaient aller à Macassar un certain nombre de soldats choisis, qui se disperseraient adroitement dans les provinces, sous les prétextes ordinaires du commerce, mais particulièrement dans celle de Bonguis, où il serait plus aisé de jeter des semences de révolte, parce qu'elle était nouvellement conquise; qu'entre ces émissaires il n'y en aurait que trois ou quatre dans chaque province auxquels on confierait le fond du secret, après les avoir engagés à la fidélité par les plus redoutables sermens; qu'on attendrait que leur nombre fût assez grand pour lever le masque avec sûreté; que dans l'intervalle on ferait un fonds capable de fournir aux présens continuels par lesquels il était à propos d'amuser le roi et ses ministres; enfin qu'on ménagerait assez les Portugais et les jésuites pour ne leur donner aucun sujet de défiance et de plainte.

Cet étrange projet eut tout le succès que les Hollandais s'en étaient promis. Leurs soldats, bien entretenus, et dispersés pendant quelques années dans les provinces, se rassemblèrent au moment qu'on s'y attendait le moins, et vinrent se joindre aux mécontens de Bonguis. Ils s'avancèrent en corps d'armée vers la capitale du royaume. Leur marche fut si prompte, qu'avant que le roi pût en être averti, ils avaient déjà passé la rivière qui sépare les deux provinces. Ce prince ne laissa pas de rassembler quelques troupes, avec lesquelles il eut la fermeté de se présenter aux rebelles; et les ayant chargés vigoureusement, il les força de chercher leur salut dans la fuite. Ils repassèrent la rivière, pour attendre sur ses bords les secours qu'on leur avait fait espérer de Batavia. Le roi, qui eut le temps de former une armée, n'épargna rien pour les engager dans un combat général; mais, ne pouvant leur faire abandonner leur poste, il se réduisit à les fatiguer par les attaques continuelles d'un grand nombre de petits bateaux qui portaient l'alarme jusque dans leur camp.

Les Hollandais, au désespoir de se voir si mal secondés, et commençant à craindre que leurs partisans ne s'accommodassent avec le roi par quelques traités secrets, employèrent un stratagème abominable, qui prouve que les principes d'honneur et d'humanité établis chez les peuples de l'Europe leur paraissent anéantis au delà des tropiques. Après s'être aperçus que l'armée royale venait pendant la nuit boire et se rafraîchir à la rivière, ils choisirent dans leurs troupes quelques montagnards qui connaissaient les herbes vénéneuses; et, dans l'espace de quelques jours, ils s'en firent apporter assez pour empoisonner toutes les eaux. Ce dessein demandait beaucoup de justesse dans leurs mesures; ils avaient observé l'heure que leurs ennemis prenaient pour se rafraîchir. En jetant les herbes quelques lieues au-dessus du camp royal, ils les faisaient arriver dans le temps où ces malheureux se croyaient libres de satisfaire leur soif. Les uns mouraient immédiatement de la force d'un poison qui n'a nulle part autant de subtilité qu'à Célèbes; les autres se traînaient avec peine jusqu'à leurs tentes pour mourir dans les bras de leurs compagnons, et les rendre témoins d'un désastre dont ils ne comprenaient pas encore la cause. Enfin le roi et ceux qui étaient échappés à la mort, ouvrant les yeux sur le sort qui les menaçait à leur tour, ne pensèrent qu'à s'éloigner de cette rive fatale. Mais ce ne fut pas sans pousser des cris d'horreur, qui devinrent pour eux une nouvelle source d'infortunes. Les Hollandais, avertis par ce tumulte, repassèrent promptement la rivière, et les poursuivirent jusqu'à la portée du canon de la capitale, où le roi fut obligé de se renfermer. Ils n'eurent pas la hardiesse de l'assiéger; mais, bloquant la place, ils s'efforcèrent de couper la communication des vivres pendant que deux vaisseaux de leur nation gardaient le port et bouchaient le passage de la mer. En même temps ils mirent le feu de toutes parts au riz, dont on était près de faire la récolte. Ils pillèrent tous les villages voisins, forcèrent les habitans de chercher une retraite dans les montagnes. Les troupes qui restaient au roi dans la ville firent plusieurs sorties sous la conduite de Daenma-allé, frère de ce prince; mais leurs ennemis, se flattant d'obtenir bientôt par la famine ce qu'ils n'étaient pas sûrs d'emporter par la force, prirent toujours le parti de battre en retraite. En effet, les provisions qui s'étaient trouvées dans la place furent bientôt épuisées. Le riz s'y vendit au poids de l'or; et pendant plusieurs mois, on n'y vécut que du cuir de différens animaux, qu'on faisait bouillir dans de l'eau pure.

Les espérances du roi étaient fondées sur les vaisseaux portugais qui venaient mouiller tous les ans dans le port d'Ionpandam, et qu'il attendait de jour en jour. Ils arrivèrent enfin; mais quelle fut la surprise des Macassarois à la vue de trente autres voiles qui parurent presque aussitôt avec le pavillon de Hollande, et qui enveloppèrent la petite flotte dont ils se promettaient du secours! Deux des plus gros vaisseaux hollandais mirent à terre quelques compagnies de soldats, qui avaient ordre de se joindre aux rebelles de Bonguis. Cinq autres attaquèrent la forteresse portugaise; et leur artillerie étant fort nombreuse, ils n'eurent besoin que d'un jour pour la réduire en poudre. Quantité de braves gens périrent sous les ruines; et ceux qui se trouvèrent vivans lorsque l'ennemi entra dans la place, aimèrent mieux périr les armes à la main que d'accepter la composition qu'on leur offrit. Le gouverneur avait été tué dès la première décharge. Sa femme, ne pouvant lui survivre, fit une action dont la mémoire se conserve encore. Elle rassembla tout ce qu'elle avait de richesses en pierreries et en lingots d'or; elle en fit charger sous ses yeux les plus gros canons de la forteresse; et pour ôter aux Hollandais le plaisir de posséder de si précieuses dépouilles, elle mit de sa propre main le feu aux pièces qui étaient pointées du côté de la mer; ensuite elle alla se poster courageusement dans l'endroit le plus dangereux, où elle trouva bientôt la mort.

Pendant que les cinq vaisseaux hollandais achevaient de battre la forteresse et la ville de Ionpandam, les autres étaient aux prises avec la petite flotte portugaise, qui se vit aussi forcée de céder à l'inégalité du nombre; mais ce ne fut qu'après un combat fort glorieux. De sept vaisseaux dont elle était composée, trois furent brûlés, deux coulés à fond, et les deux autres qui restaient tombèrent entre les mains de l'ennemi. Les sept capitaines et les principaux officiers avaient perdu la vie dans une si belle défense, et l'avaient vendue si chère, qu'ils acquirent plus de gloire dans leur défaite que les Hollandais n'en purent tirer de leur victoire.

Aussitôt la flotte victorieuse s'avança vers la capitale du royaume, qui n'est éloignée que de cinq ou six lieues du port. Elle est située un peu au-dessus de l'embouchure de la rivière, dans un canton très-agréable, mais qui n'a rien d'avantageux pour sa défense; aussi fut-elle attaquée par mer et par terre. Les Hollandais ne laissèrent pas d'y trouver plus de résistance qu'ils ne s'y étaient attendus. Le roi, qui était exercé à la guerre depuis sa première jeunesse, s'y défendit avec autant de jugement que de courage. Daen-ma-allé, son frère, se distingua par des actions si surprenantes, que les Hollandais en conçurent une jalousie qui leur fit jurer sa perte. Mais enfin la ruine des principaux appartemens du palais, de l'arsenal et de la meilleure partie des murailles de la ville, qu'une mine fit sauter en l'air, sans que les Macassarois, à qui cette espèce d'attaque était inconnue, pussent en deviner la cause, jeta le roi dans une si vive alarme, qu'il fit demander la paix. Il ne put obtenir qu'une suspension d'armes, pendant laquelle on convint des conditions suivants:

«Que la ville, la forteresse et le port de Iopandam demeureraient en propriété à la compagnie hollandaise avec leurs dépendances, qui furent étendues par les vainqueurs à trois ou quatre lieues dans les terres, et que le roi renoncerait à tous ses droits sur ces trois possessions pour lui et ses successeurs.

»Que les jésuites seraient chassés du royaume, tous leurs biens confisqués au profit de la compagnie, pour la dédommager des frais d'une ambassade qu'on les accusait d'avoir fait manquer à la cour de la Chine; leurs maisons rasées et leurs églises démolies.

»Que les Portugais seraient privés des gouvernemens, des charges et des dignités dont il avait plu au roi de les honorer; leurs magasins fermés et leurs fortifications détruites: qu'ils sortiraient incessamment du royaume, s'ils n'aimaient mieux y demeurer, à condition de n'y faire aucun commerce; et que, pour leur en ôter tous les moyens, ils seraient relégués dans quelque village éloigné des villes.

»Que le roi ferait partir incessamment un ambassadeur pour Batavia, avec des présens proportionnés à ses richesses, pour obtenir du conseil la ratification du traité.

»Que les Hollandais s'obligeraient, de leur part, aussi long-temps que le roi et ses successeurs seraient fidèles à leurs promesses, de ne leur causer aucun trouble dans la possession de ses états; d'entrer dans tous leurs intérêts, et de les assister dans leurs guerres étrangères ou domestiques; de continuer le commerce qu'ils avaient commencé avec leurs sujets, c'est-à-dire de vendre ou d'acheter d'eux, au prix ordinaire, les marchandises qu'ils apporteraient ou qu'ils trouveraient dans le port.»

Daen-ma-allé refusa de signer un traité qui lui parut humiliant pour sa patrie; mais le roi n'en accepta pas moins toutes les conditions, et nomma un des principaux seigneurs de sa cour pour le porter à Batavia, avec deux cents pains d'or et d'autres présens de la même richesse. Après la ratification, les jésuites et la plus grande partie des Portugais sortirent du royaume. Ceux que la pauvreté ou d'autres raisons obligèrent d'y rester, se virent honteusement relégués dans un village nommé *Borobassou*, où ils mènent encore une vie obscure et languissante.

Depuis cette révolution, les Hollandais ont satisfait assez fidèlement aux lois qu'ils se sont imposées. Ils sont attachés à leurs engagemens par l'avantage qu'ils trouvent continuellement dans le commerce de l'île, et par la crainte de perdre un des meilleurs ports des Indes. Daen-ma-allé périt dans la suite à Siam.

CHAPITRE X.

Îles Philippines. Îles Marianes.

Avant de passer au continent, il nous reste à parcourir le grand archipel des Philippines et des Marianes, placé dans la vaste mer des Indes, vis-à-vis les côtes des royaumes de Malacca, de Siam, de Camboge, de Cochinchine, de Tonkin et de la Chine. On sait que le fameux Magellan découvrit ces îles dans le voyage qu'il entreprit aux Indes orientales par le sud-ouest et par le détroit de la Terre-de-feu, qui a depuis porté son nom. Ce voyage mémorable, dont nous parlerons dans la suite, devait lui être aussi fatal qu'il fut depuis utile aux Espagnols, et même à toutes les nations de l'Europe; il fut tué dans l'île de Zébu, une des Philippines, en combattant contre les ennemis de cette île. Il avait nommé d'abord les Philippines et les Marianes, *îles de Saint-Lazare*, parce qu'il y avait jeté l'ancre en 1521, le samedi avant le dimanche de la Passion, auquel les Espagnols donnent le nom de *Saint-Lazare*. Vingt-deux ans après, Louis-Lopez de Villalobos les nomma *Philippines*, en l'honneur du prince Philippe, héritier présomptif de la monarchie d'Espagne. D'autres prétendent néanmoins qu'elles ne prirent ce nom que plus de vingt ans après, sous le règne de Philippe II, lorsque Michel-Lopez Legaspi en fit la conquête pour l'Espagne.

On ignore leur ancien nom. Quelques-uns veulent néanmoins qu'elles s'appelassent autrefois *Luçones*, du nom de la principale, qui est *Luçon* ou *Manille*: le mot de *Luçon* signifiant un mortier en langue tagale, on aurait voulu dire par ce nom le pays des Mortiers. En effet, les insulaires font certains mortiers de bois, d'un demi-pied de profondeur et d'autant de largeur, dans lesquels ils pilent leur riz, qu'ils passent ensuite avec des cribles nommés *biloas*. Il n'y a personne qui n'en ait un devant sa porte, et plusieurs en creusent trois dans un même tronc, pour employer tout à la fois autant d'ouvriers à ce travail; mais d'autres prétendent que le nom de Manille, que les Portugais donnent aux mêmes îles, est leur premier nom, connu, disent-ils, depuis Ptolémée.

Les vaisseaux qui viennent de l'Amérique à l'archipel de Saint-Lazare, ou des Philippines, voient nécessairement, lorsqu'ils commencent à découvrir la terre, une des quatre îles suivantes, Mindanao, Leyte, Ibabao et Manille, depuis le cap du Saint-Esprit, parce qu'elles forment une espèce de demi-cercle de six cents milles de longueur du nord au sud. Manille se présente au nord-est, Ibabao et Leyte au sud-est, et Mindanao au sud. L'on ne compte dans cet archipel que dix îles remarquables par leur grandeur; mais, outre ces dix grandes, il s'en trouve dix autres de moindre étendue, qui ont aussi leurs habitans. En total, on en compte plus de cinquante, sans parler d'une infinité de petites îles qui ne sont d'aucune considération.

La situation de toutes ces îles est sous la zone torride, entre l'équateur et le tropique du cancer, car la pointe de *Sarranguan*, ou le *cap de Saint-Augustin* dans Mindanao, se trouve à la latitude de 5 degrés 30 minutes; et les Babuyanes, avec le cap d'El-Engano, au vingtième, et la ville de Manille au quatorzième et quelques minutes.

Les différentes opinions sur la manière dont les îles Philippines ont pu se former n'ont rien qu'on ne puisse appliquer à toutes les îles du monde. Cependant on remarque particulièrement que les Philippines ont beaucoup de volcans et de sources d'eau chaude au sommet des montagnes; les tremblemens de terre y sont fréquens, et quelquefois si terribles, qu'à peine y laissent-ils subsister une maison. Les ouragans, que les insulaires nomment *bagouyos*, déracinent les plus grands arbres, et jettent dans les terres une si grande quantité d'eau, que des pays entiers s'en trouvent inondés. Le fond est rempli de bancs entre les îles, surtout proche de la terre; et l'embarras est extrême à chercher les canaux qui ne laissent pas de s'y trouver pour la communication. Ces observations font juger que, si dans l'origine du monde toutes ces îles, ou quelques-unes d'entre elles, étaient jointes à la terre ferme, il n'est pas besoin de recourir au déluge universel pour expliquer leur séparation.

Les Espagnols y trouvèrent trois sortes de peuples. Sur les côtes, c'étaient des Maures malais, qui venaient, comme ils le disaient eux-mêmes, de Bornéo et de la terre ferme de Malacca; d'eux étaient sortis les Tagales, qui étaient les naturels de Manille et des environs. On remarque leur origine à leur langage, qui ressemble beaucoup au malais, à leur couleur, à leur taille, à leur habillement, et surtout à leurs usages, qu'ils ont pris des Malais et des autres nations des Indes.

Les peuples qu'on nomme Bisayas et Pintados, dans les îles de Camérines, de Leyte, de Samar, Panay et plusieurs autres, sont venus vraisemblablement de l'île Célèbes, dont les habitans, dans plusieurs cantons, ont, comme eux, l'usage de se peindre le corps. À l'égard de Mindanao, Xolo, Bool, et une partie de Zébu, ceux que les Espagnols ont trouvés maîtres de ces îles paraissent venus de Ternate, qui n'est pas éloigné: on en juge par leur commerce et leur religion, qui sont les mêmes, et surtout par les liaisons qu'ils conservent encore avec les habitans de cette île.

Les noirs, qui vivent dans les rochers et les bois épais dont l'île de Manille est remplie, n'ont aucune ressemblance avec les autres habitans. Ce sont des barbares qui se nourrissent des fruits et des racines qu'ils trouvent dans leurs montagnes, et des animaux qu'ils prennent à la chasse. Ils mangent des singes, des serpens et des rats. Leur unique vêtement est un morceau d'écorce d'arbre au milieu du corps, comme celui de leurs femmes est de *tapisse*, toile tissue de fil d'arbre, avec quelques bracelets de jonc et de cannes. Cette race de sauvages n'a ni lois, ni lettres, ni d'autre gouvernement que celui de la parenté. Chacun obéit au chef de famille. Leurs femmes portent les enfans dans des besaces d'écorce d'arbre, ou liés autour d'elles. Ils dorment dans tous les lieux où la nuit les surprend, soit dans le creux d'un arbre, ou dans les nattes d'écorce qu'ils disposent en forme de hutte. Leur passion pour la liberté va si loin, que les noirs d'une montagne ne permettent point à ceux d'une autre de mettre le pied sur leur terrain; et cette indépendance mutuelle fait naître entre eux de sanglantes guerres. Ils ont une haine mortelle pour les Espagnols. Lorsqu'ils en tuent un, ils célèbrent leur joie par une fête dans laquelle ils boivent entre eux dans son crâne. Leurs armes sont l'arc et les flèches, dont ils empoisonnent la pointe, et qu'ils percent à l'extrémité, afin qu'elles se rompent dans le corps de leurs ennemis. Avec la zagaie, ils portent une espèce de poignard attaché à leur ceinture, et un petit bouclier de bois. Ces noirs n'ayant pas laissé de s'allier avec des Indiens aussi sauvages qu'eux, il en est sorti les Manghians, autre race de noirs qui habitent les îles de Mindoro et de Mundos. Quelques-uns ont les cheveux aussi crépus que les Nègres d'Angola; d'autres les ont assez longs. La couleur de leur visage est celle des Éthiopiens. Carreri, voyageur italien, qui tenait ce détail des jésuites et de plusieurs autres missionnaires, ne fait pas difficulté d'ajouter, sur leur témoignage, qu'on a vu à plusieurs de ces barbares des queues de quatre ou cinq pouces de long.

Il paraît, suivant l'opinion la plus commune, que les premiers habitans de ces îles ont été les noirs, et que, leur lâcheté naturelle ne leur ayant pas permis de défendre leurs côtes contre les étrangers qui sont venus de Sumatra, de Bornéo, de Macassar et d'autres pays, ils les ont abandonnées pour se retirer dans d'autres montagnes. Aussi, dans toutes les îles où cette race de noirs subsiste encore, les Espagnols ne possèdent que les côtes. Ils ne les possèdent pas même entièrement. Depuis Maribèles jusqu'au cap de Bolinéa, dans l'île même de Manille, on n'ose descendre au rivage pendant cinquante lieues, dans la crainte des noirs, qui sont les plus cruels ennemis des Européens. Ils occupent tout l'intérieur de l'île, et l'épaisseur des bois est seule capable de les défendre contre les plus fortes armées. On lit dans les relations mêmes des Espagnols que de dix habitans de l'île, à peine l'Espagne en compte un dans sa dépendance. Passons avec Carreri et Dampier à la description particulière des îles.

L'île Manille passe pour la principale des Philippines. Son extrémité méridionale est au 12e. degré 30 minutes, et celle du nord touche presqu'au 19e. On compare sa figure à celle d'un bras plié, inégal néanmoins dans son épaisseur, puisque du côté de l'orient on peut la traverser en un jour, et que de celui du nord elle s'élargit si fort, que sa moindre largeur d'une mer à l'autre est de trente à quarante lieues. Toute sa longueur est de cent soixante lieues espagnoles, et son circuit d'environ trois cent cinquante.

Dans le coude de ce bras, la mer reçoit une grande rivière qui forme une baie de trente lieues de circuit. Les Espagnols l'appellent *Bahia*, parce qu'elle sort d'un grand lac nommé *Bahi*, qui est à dix-huit milles de leur capitale. C'était dans le même lieu, c'est-à-dire dans l'angle formé par la mer et la rivière, que les insulaires avaient leur principale habitation, composée d'environ trois mille huit cents maisons. Elle était environnée de plusieurs marais, qui la fortifiaient naturellement, et d'un terrain qui produisait en abondance tout ce qui est nécessaire à la vie; deux raisons qui la firent choisir à Lopez Legaspi pour en faire la capitale espagnole sous l'ancien nom de *Manille*. Ce dessein fut exécuté le jour de la Saint-Jean 1571, cinq jours après la conquête; mais la victoire s'étant déclarée pour les armes d'Espagne le jour de sainte Potentiane, qui est le 19 du même mois, cette sainte fut choisie pour la patronne de l'île.

La principale province est celle de Camarines, qui comprend Bondo, Passacao, Ibalon, capitale de la juridiction de Catanduanes, Boulan, Sorzokon, port où l'on construit les gros vaisseaux de roi, et la baie d'Albay, qui est hors du détroit, et proche de laquelle est un volcan très-haut, qu'on aperçoit de fort loin en venant de la Nouvelle-Espagne. La montagne du volcan a quelques sources d'eau chaude, une entre autres dont l'eau change en pierre le bois, les os, les feuilles, et l'étoffe même qu'on y jette. Carreri raconte qu'on présenta au gouverneur des Philippines, don François Tellon, une écrevisse dont la moitié seulement était pétrifiée, parce que, dans la vue de rendre ce phénomène plus sensible, on avait pris soin qu'elle ne le fût pas entièrement. Dans un village nommé Troui, à deux lieues du pied de la montagne, on trouve une grande source d'eau tiède qui a la même propriété, surtout pour les bois de Malaye, de Binannio et de Naga.

De la province de Camarines on entre dans celle de Parécala, qui a de riches mines d'or et d'autres métaux, surtout d'excellentes pierres d'aimant. On y compte environ sept mille Indiens, qui paient tribut à l'Espagne. Le terroir en est plat et fertile. Il produit particulièrement des cacaotiers et des palmiers dont on tire beaucoup d'huile et de vin. Après trois jours de chemin, le long de la côte on trouve la baie de Mauban dans le pli du bras; au dehors de cette baie est le port de Lampon.

Depuis Lampon jusqu'au cap d'El-Engano, la côte n'a pour habitants que des barbares. C'est là que commence la province et la juridiction de Cagayan: elle s'étend l'espace de quatre-vingts lieues en longueur, et de quarante en largeur; sa capitale est la Nouvelle-Ségovie, fondée par le gouverneur don Consalve de Ronquille, avec une église cathédrale, dont le premier évêque fut Michel de Bénavidès, en 1598. La ville est située sur le bord d'une rivière du même nom, qui vient des montagnes de Santor, dans Pampagna, et qui traverse presque toute la province. C'est la résidence d'un alcade-major avec une garnison. On y a construit un fort en pierre, soutenu par d'autres ouvrages pour se défendre des montagnards. Les paroisses de cette province ont été confiées aux dominicains. Les Cagayans tributaires sont au nombre d'environ neuf mille. Toute la province est fertile, et ses habitans, dont on vante la vigueur, se partagent entre l'agriculture et la milice, tandis que leurs femmes font divers ouvrages de coton. Les montagnes y fournissent une si grande quantité de cire, qu'étant à très-vil prix, les pauvres s'en servent au lieu d'huile à brûler. On trouve dans le même lieu quantité de bois estimés, tels que le brésil et l'ébène.

La province d'Iloccos, qui confine à celle de Cagayan, passe pour une des plus peuplées et des plus riches de toutes ces îles: elle a quarante lieues de côtes, et sa situation est sur les bords de la rivière de Bigan. Guido de Laccazaris, gouverneur espagnol, y fonda en 1574 une ville qu'il nomma *Fernandine*. Cette province ne s'étend pas à plus de huit lieues dans les terres, parce qu'on trouve à cette distance des montagnes et des forêts habitées par les Igolottes, nation guerrière et de haute stature, et par des noirs qui n'ont pas encore été subjugués. Une armée espagnole, qui attaqua les Igolottes en 1623, connût l'étendue de ces montagnes dans une marche de vingt-une lieues, qu'elle n'y put faire qu'en sept jours: elle passa continuellement sous des muscadiers sauvages et sous des pins. Ce ne fut qu'au sommet des montagnes qu'elle trouva les principales habitations des Igolottes. Ces lieux sauvages leur fournissent de l'or, qu'ils échangent avec les tributaires d'Iloccos et de Pangasinan pour du tabac, du riz et d'autres commodités.

On passe ensuite dans la province de Pangasinan, dont la côte a quarante lieues de longueur, et la même largeur à peu près que celle d'Iloccos. Ses montagnes produisent beaucoup d'une espèce de bois que les Indiens nomment *siboucao*, renommé pour teindre en rouge et en bleu. Tout le fond de cette province est habité par des sauvages qui vont errans dans les forêts et les montagnes, aussi nus, aussi féroces que les animaux de ces mêmes lieux. Ils sèment néanmoins quelques grains dans leurs vallées, et le reste de leur travail consiste à ramasser dans le lit des rivières de petits morceaux d'or qu'ils donnent, pour ce qui leur manque, aux Indiens tributaires.

La province de Pampangan, qui fait la séparation du diocèse de la Nouvelle-Ségovie et de l'archevêché de Manille, suit celle de Pangasinan. Cette province, qui a beaucoup d'étendue, est d'une extrême importance pour les Espagnols, par l'utilité qu'ils en tirent continuellement pour la conservation de l'île. Les habitans, qu'ils ont pris soin d'accoutumer à leurs usages, servent non-seulement à les défendre, mais à les seconder dans toutes leurs entreprises. D'ailleurs son terroir est très-fertile, surtout en riz; et Manille en tire ses provisions. Elle fournit aussi du bois pour les vaisseaux, avec d'autant plus de facilité, que les forêts sont sur la baie et peu éloignées du port de Cavite: on y compte huit mille Indiens conquis qui paient le tribut en riz. Ses montagnes sont habitées par les Zambales, peuple féroce, et par des noirs aux cheveux crépus, qui sont continuellement aux mains pour défendre les limites de leurs juridictions sauvages, et s'interdire mutuellement l'accès des bois dont ils s'attribuent la propriété.

Bahi est une autre province à l'orient de Bahia, qui n'est pas moins importante aux Espagnols pour la construction des vaisseaux; on recueille autour du lac de son nom et des villages voisins les meilleurs fruits de l'île, surtout de l'arec, que les habitans nomment *bonga*, et du bétel, qu'ils appellent *bouys*. Le bétel de Manille l'emporte sur celui du reste des Indes; aussi les Espagnols mêmes en mâchent-ils du matin au soir. Les habitans tributaires de cette province, qui sont au nombre d'environ six mille, sont employés sans cesse à couper ou scier du bois pour le port de Cavite; le roi leur donne pour ce travail une piastre par mois, et leur provision de riz.

Entre Pampangan et Tondo on trouve une petite province nommée *Boulacan*, qui abonde en riz et en vin de palmier; elle est habitée par les Tagales, dont on ne compte que trois mille qui paient le tribut.

Enfin l'on met au nombre des provinces de Luçon ou Manille plusieurs îles voisines de l'embouchure du canal, telles que Catandouanes, Masbate et Bouras.

La ville de Manille est dans une position qui la fait jouir d'un équinoxe presque continuel. Pendant toute l'année, la longueur des jours et celle des nuits ne diffèrent pas d'une heure; mais les chaleurs sont excessives. Elle est située sur une pointe de terre que la rivière forme en se joignant à la mer; son circuit est d'environ deux milles, et sa longueur d'un tiers, dans une forme si peu régulière, qu'elle est fort étroite aux deux bouts et large au milieu. On y compte six portes, celles de Saint-Dominique, de Parian, de Sainte-Lucie, la Royale, et une poterne.

Ses maisons, quoique de simple charpente, depuis le premier étage jusqu'au sommet, tirent assez d'agrément de leurs belles galeries. Les rues sont larges, mais on y voit quantité d'édifices ruinés par les tremblemens de terre, et peu d'empressement pour les rebâtir. C'est la même raison qui fait que la plupart des maisons sont de bois. On comptait à la fin du dernier siècle trois mille habitans dans Manille, mais nés presque tous de tant d'unions différentes, qu'il a fallu des noms bizarres pour les distinguer. On y donne le nom de créole à celui qui est né d'un Espagnol et d'une Américaine, ou d'un Américain et d'une femme espagnole; le métis vient d'un Espagnol et d'une Indienne; le castis, ou le terceron, d'un métis et d'une métisse; le quarteron, d'un noir et d'une Espagnole; le mulâtre, d'une femme noire et d'un blanc; le grifo, d'une noire et d'un mulâtre; le sambo, d'une mulâtre et d'un Indien; et le cabra, d'une Indienne et d'un sambo.

Les femmes de qualité, dans Manille, sont vêtues à l'espagnole; mais celles du commun n'ont pour tout habillement que deux pièces de toile des Indes: le saras, qu'elles s'attachent de la ceinture en bas pour servir de jupe; et le chinina, qui leur sert de manteau. Dans un pays si chaud, elles n'ont besoin ni de bas ni de souliers. Les Espagnols de la ville sont habillés à la manière d'Espagne; mais ils ont pris l'usage des hautes sandales de bois, dans la crainte des pluies. Ceux dont la condition est aisée font porter par un domestique un large parasol pour le garantir des ardeurs du soleil. Les femmes se servent de belles chaises ou d'un hamac, qui n'est, comme ailleurs, qu'une espèce de filet soutenu par une longue barre de bois et porté par deux hommes, dans lequel on est fort à l'aise.

Quoique la ville soit également petite par l'enceinte de ses murs et par le nombre de ses habitans, elle devient très-grande si l'on y comprend ses faubourgs. À cent pas de la porte de Parian, on en trouve une du même nom, qui est le quartier des marchands chinois; on les appelle *sangleys*: cette habitation a plusieurs rues, toutes bordées de boutiques remplies d'étoffes de soie, de belles porcelaines et d'autres marchandises. On y trouve toutes sortes d'artisans et de métiers. Les Espagnols dédaignant de vendre et d'acheter, tout leur bien est entre les mains des sangleys, auxquels ils abandonnent le soin de le faire valoir: on en compte près de trois mille dans Parian, sans y comprendre ceux des autres parties de l'île qui sont en même nombre. Ils étaient autrefois environ quarante mille; mais la plupart périrent dans diverses séditions qu'ils avaient eux-mêmes excitées, et qui attirèrent d'Espagne une défense à tous les autres de demeurer dans l'île. Cet ordre est mal observé; il en arrive tous les ans quelques-uns dans quarante ou cinquante chiampans, qui apportent à Manille quantité de marchandises sur lesquelles ils font beaucoup plus de profit qu'ils n'en peuvent espérer à la Chine; ils demeurent cachés quelque temps pour éluder la loi; ensuite l'habitude de les voir et l'intérêt même des Espagnols font fermer les yeux sur leur hardiesse.

Les sangleys de Parian sont gouvernés par un alcade ou un prevôt, auquel ils paient une somme considérable. Ils ne sont pas moins libéraux pour l'avocat fiscal, qui est leur protecteur déclaré; pour l'intendant et les autres officiers, sans parler des impôts et des tributs qu'ils paient au roi. Pour la seule permission de jouer, au commencement de la nouvelle année, ils donnent au roi dix mille piastres. On ne leur laisse néanmoins cette liberté que très-peu de jours, pour ne pas les exposer à perdre le bien d'autrui. D'ailleurs ils sont contenus rigoureusement dans le devoir: on ne leur permet pas de passer la nuit dans les maisons des chrétiens, et leurs boutiques ne doivent jamais demeurer sans lumière.

Il y a dans l'île un grand nombre de maisons religieuses, comme dans toutes les possessions espagnoles. Les jésuites y avaient un couvent magnifique.

Le lac de Manille, qui donne son nom à la rivière et à la baie, est fort long, mais fort étroit; son circuit est d'environ quatre-vingt-dix milles. En allant de Manille au lac de Bahi, gui en est à dix-huit milles dans les terres, on rencontre quelques belles fermes et plusieurs couvens. Un autre lac petit, mais profond, qui se trouve sur une montagne à peu de distance du grand est rempli d'eau saumache, tandis que celle du grand lac est fort douce; ce qu'on attribue aux minéraux qui peuvent être dessous. Les arbres dont il est environné sont chargés d'une infinité de grandes chauves-souris, qui pendent attachées les unes aux autres et qui prennent leur vol à l'entrée de la nuit pour chercher leur nourriture dans des bois fort éloignés; elles volent quelquefois en si grand nombre et si serrées, qu'elles obscurcissent l'air de leurs grandes ailes, qui ont quelquefois six palmes d'étendue; elles savent discerner dans l'épaisseur des bois les arbres dont les fruits sont mûrs. Elles les dévorent pendant toute la nuit, avec un bruit qui se fait entendre de deux milles, et vers le jour elles retournent à leurs retraites. Les Indiens, qui voient manger leurs meilleurs fruits par ces animaux, leur font la guerre, non-seulement pour s'en venger, mais pour se nourrir de leur chair, à laquelle ils prétendent trouver le goût du lapin: un coup de flèche en abat infailliblement plusieurs.

Dans un des couvens qu'on rencontre sur cette route on admire une source dont l'eau est si chaude, qu'on n'y saurait mettre la main; et que, si l'on y met une poule, on lui voit tomber non-seulement les plumes, mais la chair même de dessus les os. Elle fait mourir un crocodile qui en approche, et tomber ses plus dures écailles. La fumée qu'elle exhale ressemble à celle d'une fournaise ardente. Cette source, qui est dans une montagne voisine du couvent, forme un grand ruisseau qui vient la traverser et qui communique encore une chaleur extraordinaire aux lieux dans lesquels on le retient. L'eau en est excellente à boire lorsqu'elle est refroidie. Une demi-lieue plus loin on voit, avec la même admiration, une petite rivière qui sort aussi de la même montagne, et dont les eaux sont excessivement froides, mais sur le bord de laquelle on ne peut creuser tant soit peu de sable sans en faire sortir une eau fort chaude.

Les deux grandes îles de Manille et de Mindanao ont entre celles de Leyte et de Samar, dont la première est la plus proche de Manille. La seconde est nommée Samar du côté des îles, et Ibabao du côté de la grande mer.

Il arrive souvent que la tempête jette des barques inconnues sur la côte de Samar. Vers la fin du dernier siècle, on y vit arriver des sauvages qui firent entendre que les îles d'où ils étaient partis n'étaient pas fort éloignées; qu'une de ces îles n'était habitée que par des femmes, et que les hommes des îles voisines, leur rendant visite dans des temps réglés, en remportaient les enfans mâles. Les Espagnols, sans la connaître mieux, l'ont nommé l'*île des Amazones*. On apprit des mêmes sauvages que la mer apportait sur leurs côtes une si grande quantité d'ambre gris, qu'ils s'en servaient comme de poix pour leurs barques; récit fort vraisemblable, puisque les tempêtes en jettent beaucoup aussi sur la côte de Samar. Plusieurs jésuites des Philippines se persuadèrent que ces îles, qui ne sont pas encore découvertes, étaient celles de Salomon que les Espagnols cherchent depuis si long-temps, et qu'on croit également riches en or et en ambre.

Le tour de l'île de Leyte est d'environ quatre-vingt-dix ou cent lieues; elle est très-peuplée du côté de l'est, c'est-à-dire depuis le détroit de Panamao jusqu'à celui de Panahan; et les plaines y sont si fertiles, qu'elles rendent deux cents pour un. De hautes montagnes qui la divisent en deux parties causent tant de différence dans l'air, que l'hiver règne d'un côté pendant que l'autre jouit de tous les agrémens de la plus belle saison. Une moitié de l'île fait la moisson, et l'autre sème; ce qui procure chaque année deux abondantes récoltes aux insulaires. D'ailleurs les montagnes sont remplies de cerfs, de vaches, de sangliers et de poules sauvages. La pierre jaune et bleue s'y trouve en abondance. Les légumes, les racines et les cocos y croissent sans aucun soin. Le bois de construction, pour les édifices et les vaisseaux, n'y est pas moins commun; et la mer, aussi favorable que la terre aux heureux habitans de l'île, leur fournit quantité d'excellent poisson. On compte neuf mille personnes qui paient le tribut en cire, en riz et en toiles. On vante aussi la douceur de leur naturel et deux de leurs usages: l'un d'exercer entre eux la plus parfaite hospitalité lorsqu'ils voyagent; l'autre, de ne jamais changer le prix des vivres, dans l'excès même de la disette. Enfin l'on ajoute à tant d'avantages, que l'air est plus frais à Leyte et à Samar que dans l'île de Manille.

Quoiqu'on ait à peine subjugué la douzième partie des Philippines, le nombre des sujets de la couronne d'Espagne, Espagnols ou Indiens, monte à deux cent cinquante mille âmes. Les Indiens mariés paient dix piastres de tribut, et tous les autres cinq, depuis l'âge de dix-huit ans jusqu'à cinquante. De ce nombre, le roi n'a que cent mille tributaires, le reste dépend des seigneurs; et les revenus royaux ne montent pas à plus de quatre cent mille piastres, qui ne suffisent pas pour l'entretien des quatre mille soldats répandus dans les îles, et pour les gages excessifs des ministres; aussi la cour est-elle obligée d'y en joindre deux cent cinquante mille qu'elle envoie de la Nouvelle-Espagne.

On compte Mindanao et Solou entre les Philippines, quoique la première soit à deux cents lieues de Manille au sud-est. Sa situation est depuis le 6e. degré jusqu'au 10e. 30 minutes, entre les caps de Saint-Augustin, de Suliago et de Samboengan. Elle forme aussi comme un triangle, dont ces trois caps font les pointes.

Outre les productions communes aux autres îles, Mindanao a le durion, fruit estimé sur toute la côte des Indes, dans lequel on trouve trois ou quatre amandes couvertes d'une substance molle et blanchâtre, avec un noyau semblable à celui des prunes, qui se mange rôti comme les marrons. Il a la même qualité que les autres fruits de l'Orient, c'est-à-dire qu'il faut le cueillir pour le faire parvenir à sa maturité. On en trouve beaucoup depuis Dapitan jusqu'à Samboengan, dans une étendue de soixante lieues, particulièrement dans les cantons élevés, mais surtout dans les îles de Solou et de Basilan. On assure que l'arbre est vingt ans à donner ses premiers fruits. La cannelle est une autre production propre à l'île de Mindanao: l'arbre dont elle est l'écorce y croît sans culture sur les montagnes, et n'a pas d'autre maître que celui qui s'en saisit le premier. De là vient apparemment que, dans la crainte d'être prévenu par son voisin, chacun se hâte d'enlever l'écorce avant qu'elle soit mûre; et quoiqu'elle soit d'abord aussi piquante que celle de Ceylan, elle perd en moins de deux ans son goût et sa vertu.

Les habitans de l'île y trouvent de fort bon or, en creusant assez loin dans la terre. Ils en trouvent dans les rivières, en y faisant des fosses avant l'arrivée du flot. Les volcans leur donnent beaucoup de soufre, surtout de celui de Sanxile, qui est dans le voisinage de Mindanao. Il s'y éleva en 1640 une haute montagne qui vomit tant de cendres, que cette éruption fit craindre la ruine entière de l'île.

On pêche de grosses perles dans les îles voisines. Le père de Combes, jésuite, qui a publié l'histoire de Mindanao, raconte que dans un endroit très-profond on en connaît une qui est de la grosseur d'un œuf, et qu'on a tenté inutilement de la trouver. Avec toutes les autres espèces d'oiseaux qui sont dans les autres îles, Mindanao produit *le charpentier*, auquel on attribue la propriété de trouver une herbe qui rompt le fer. On y voit une prodigieuse quantité de sangliers, de chèvres et de lapins; mais surtout des singes très-lascifs, qui ne permettent pas aux femmes de s'éloigner de leurs maisons.

Les insulaires sont divisés en quatre nations principales, les Mindanaos, les Caragos, les Loutaos, et les Soubanos. On vante les Caragos pour leur bravoure. Les Mindanaos sont renommés pour leur perfidie. Les Loutaos, nation établie depuis peu dans les trois îles de Mindanao, de Solou et de Basilan, vivent dans des maisons bâties sur des pieux au bord des rivières, et leur nom signifie nageur. Ces peuples aiment si peu la terre, que, ne s'embarrassant jamais du soin de semer, ils ne vivent que de leur pêche. Cependant ils entendent fort bien le commerce; et la liaison qu'ils entretiennent avec les habitans de Bornéo les engage à porter le turban comme eux. Les Soubanos, dont le nom signifie habitant des rivières, sont regardés des autres avec mépris. Ils passent pour les vassaux de Loutaos. Leur usage est de bâtir leurs maisons sur des pieux si hauts, qu'on n'atteindrait pas avec une pique à cette espèce de nid. Ils s'y retirent la nuit à l'aide d'une perche qui leur sert d'échelle. Les Dapitans, qui font aussi comme une nation séparée, surpassent toutes les autres par le courage et la prudence. Ils ont puissamment assisté les Espagnols dans la conquête des îles voisines.

L'intérieur du pays est habité par des montagnards qui ne descendent jamais sur les côtes. On y trouve aussi quelques noirs. Tous ces insulaires sont idolâtres ou mahométans; plusieurs n'ont aucune religion. Leurs maisons de bois sont couvertes de joncs. La terre leur sert de siéges, les feuilles d'arbre de plats, les cannes de vases, et les cocos de tasses.

Les usages des nations qui habitent les montagnes sont beaucoup plus barbares que ceux des mahométans. Un père qui rachète son fils de l'esclavage en fait son propre esclave; et les enfans exercent la même rigueur à l'égard de leur père. Le moindre bienfait donne droit parmi eux sur la liberté d'autrui; et pour le crime d'un seul ils réduisent toute une famille à l'esclavage. Ils ne connaissent point l'humanité pour les étrangers. Ils ont le vol en horreur; mais l'adultère leur paraît une faute légère qui s'expie par quelque amende. Ils punissent l'inceste au premier degré, en mettant le coupable dans un sac et le jetant au fond des flots. Jamais une nation ne s'arme contre une autre; mais les particuliers qui ont à venger quelque injure s'efforcent par toutes sortes de voies d'ôter la vie à ceux dont ils se croient offensés, sans autres lois dans leurs querelles que le pouvoir ou la force des adversaires. Le plus faible a recours aux présens pour arrêter les poursuites. Celui qui se propose de commettre un meurtre commence par amasser une somme d'argent pour se mettre à couvert de la vengeance, s'il redoute les parens de l'ennemi dont il veut se défaire. Après cette expédition, il est mis au rang des braves, avec le droit de porter un turban rouge. Cette cruelle distinction, qui est établie parmi les Soubanos, a plus d'éclat encore dans la nation des Caragos, où, pour obtenir l'honneur de porter la marque des braves, c'est-à-dire le baxacho, turban de diverses couleurs, il faut avoir tué sept hommes.

Les deux rois maures de Mindanao administrent la justice par le moyen d'un gouverneur, qui porte le nom de *zarabandal* ou *sabandar*: cette charge est la première dignité dans les deux cours. On y distingue les degrés de noblesse. *Touam* est le titre des grands; *orancaie* est celui des personnes riches qui sont seigneurs d'un certain nombre de vassaux. Les princes du sang royal se nomment *cacites*. En général, les simples sujets ont beaucoup à souffrir de l'oppression des grands, parce que l'autorité souveraine est trop faible pour réprimer cette tyrannie.

On vante la magnificence et la piété des mahométans de l'île aux funérailles des morts. Leur pauvreté ne les empêche pas d'employer tout ce qu'ils possèdent pour vêtir d'habits neufs le parent ou l'ami qu'ils ont perdu, et pour le couvrir des plus riches toiles. Ils plantent autour du sépulcre des arbres et des fleurs. Ils brûlent des parfums; et s'il est question d'un prince, ils enferment son tombeau dans un beau pavillon, avec quatre étendards blancs aux côtés. Anciennement ils tuaient un grand nombre d'esclaves pour servir de cortége au mort; mais leur usage le plus singulier est celui qui les oblige à faire leur cercueil pendant leur vie, et à le tenir en vue dans leurs maisons, pour ne jamais oublier que la condition humaine les destine à la mort.

Ceux qui les croient venus originairement de Bornéo en apportent pour preuve un autre usage qui leur est commun avec les habitans de cette île: c'est celui de la sarbacane. Ils lancent, par la seule force du souffle, de petites flèches empoisonnées, qui causent infailliblement la mort, si le remède n'est pas appliqué sur-le-champ: l'expérience a fait reconnaître que l'excrément humain est le plus sûr.

À trente lieues de l'île vers le sud-est, on rencontre celle de Solou, qui est gouvernée par un roi particulier, et que la multitude des navires maures, qui ne cessent pas d'y aborder, fait nommer justement la foire de toutes les îles voisines. C'est la seule des Philippines qui offre des éléphans. Les insulaires n'ayant pas l'usage d'apprivoiser ces animaux comme dans la plus grande partie des Indes, ils s'y sont extrêmement multipliés. On y trouve des chèvres dont la peau n'est pas moins mouchetée que celle des tigres. La salaugane, espèce d'hirondelle si renommée aux Indes par l'usage qu'on fait de ses nids pour la bonne chère, est le plus curieux des oiseaux de Solou. Entre les fruits on compte beaucoup de poivre, que les habitans recueillent vert; des durions en abondance, et l'espèce de pomme que les Espagnols ont nommée *le fruit du roi*, parce qu'elle ne se trouve que dans son jardin. Sa grosseur est celle d'une pomme commune, et sa couleur un assez beau pourpre. Ses pepins blancs, de la grosseur d'une gousse d'ail, sont couvert d'une écorce aussi épaisse que la semelle d'un soulier, et le goût en est très-agréable. On vante dans cette île une herbe nommée *ubosbamban*, dont la vertu est d'exciter l'appétit. Les perles qui se pèchent sur les côtes sont distinguées par leur beauté. C'est une méthode singulière des plongeurs de Solou, avant de s'enfoncer dans l'eau, de se frotter les yeux avec le sang d'un coq blanc. La mer jette beaucoup d'ambre gris sur le rivage, principalement depuis mai jusqu'en septembre, temps pendant lequel on n'y connaît pas les vents du sud et du sud-ouest.

Les Espagnols possèdent le fort d'Illigan dans la province de Dapitan, qu'ils continuent de faire garder avec soin, quoique les habitans de cette province ne se soient jamais relâchés de la fidélité qu'ils ont promise à l'Espagne. On sait qu'une crainte puérile avait eu beaucoup de part à leur soumission. En voyant les Espagnols l'épée au côté manger du biscuit et fumer du tabac, ils les avaient pris pour des monstres redoutables qui avaient une queue, qui mangeaient des pierres et qui vomissaient de la fumée. Les Espagnols ont des relations à Solou, mais point d'établissement.

L'administration ecclésiastique est entre les mains de l'archevêque de Manille, qui est nommé par le roi. Outre l'archevêque et ses trois suffragans, qui sont les évêques de Zébu, de Camarines et de Cagayan, il y a toujours à Manille un évêque titulaire où un coadjuteur, que les Espagnols nomment évêque à l'anneau; Il prend le gouvernement de la première église vacante, afin que tous les devoirs soient remplis sans interruption. On n'a pu trouver de meilleur expédient pour conserver au roi le droit de nomination, et pour assurer le repos des fidèles, qui seraient six ans sans pasteur, s'il fallait attendre celui qui leur vient de Madrid. Le commissaire de l'inquisition est nommé par le tribunal du Mexique.

L'administration civile et militaire a pour chef un gouverneur qui joint à ce titre celui de capitaine général. Son office dure huit ans. Il est président du tribunal suprême, qui est composé de quatre auditeurs ou juges, et d'un procureur fiscal.

Les voyageurs observent que, si les îles Philippines étaient moins éloignées de l'Espagne, il n'y aurait pas un seigneur dans cette cour qui ne briguât un gouvernement où le gain est immense, la justice fort étendue, l'autorité sans bornes, les commodités en abondance, les prérogatives plus flatteuses, et les honneurs plus distingués que dans la vice-royauté des Indes. Outre le gouvernement civil et l'administration de la justice avec le conseil, le gouverneur donne tous les emplois militaires, nomme vingt-deux alcades qui gouvernent autant de provinces, dispose du gouvernement des îles Marianes, lorsqu'il vaque par la mort, jusqu'à ce que le gouvernement y ait pourvu. Il disposait aussi de ceux de Formose et de Ternate, tandis que ces îles appartenaient à l'Espagne. Il distribue des seigneuries sur les villages indiens aux soldats espagnols qu'il juge dignes de cette récompense. Ces fiefs se donnent ordinairement pour deux vies, c'est-à-dire avec droit de succession pour la femme et les enfans; après quoi la terre revient au domaine royal. Les seigneurs reçoivent la plupart des droits qui seraient payés au roi, surtout le tribut de dix piastres pour chaque marié, et de cinq pour les autres; mais ils sont obligés aussi de fournir pour l'entretien de la milice deux piastres de chaque tribut, et quatre cavans[15] de riz à chaque soldat de leur district. Outre les dix piastres, le roi tire dans les terres de son domaine deux cavans de riz par tête.

Le gouverneur des Philippines nomme à tous les canonicats vacans de l'église archi-épiscopale, et n'est obligé qu'à le faire savoir au roi, qui confirme sa nomination. Pour remplir les paroisses séculières et les bénéfices royaux, l'archevêque nomme trois sujets, entre lesquels le gouverneur en choisit un. Les paroisses des réguliers sont pourvues par le supérieur provincial de l'ordre, dont le choix n'a pas besoin de confirmation; mais un religieux n'a droit d'entendre que les confessions des Indiens sans la permission des évêques. Enfin le gouverneur nomme le général du galion qui va tous les ans à la Nouvelle-Espagne; emploi qui rapporte plus de cinquante mille écus. Il nomme les commandans des places de guerre, et plus de capitaines et d'officiers qu'il n'y en a dans toute l'Espagne, parce qu'il a le pouvoir de distribuer aux Indiens des commissions de colonels, de majors et de capitaines, pour les attacher à la nation espagnole par des distinctions qui les exemptent de la moitié du tribut.

Mais cette grandeur et cette étendue d'autorité ont leur contre-poids dans la recherche que les habitans des Philippines font de la conduite d'un gouverneur après son administration. Le droit de plainte est accordé à tout le monde, et se publie dans chaque province. Ce droit dure soixante jours, pendant lesquels l'oreille du juge est ouverte. C'est ordinairement le gouverneur qui succède. Il apporte une commission expresse du roi et du conseil des Indes. Cependant la cour se réserve le jugement d'un certain nombre de chefs que le juge envoie en Espagne après avoir reçu les informations: mais il prononce sur les cas qui ne sont pas réservés. Les auditeurs qui sont chargés de l'administration après la mort d'un gouverneur, ou qui passent à quelque poste dans un autre pays, sont soumis à la même recherche, avec cette différence qu'ils peuvent partir en laissant un procureur qui répond pour eux. On assure que depuis la conquête on ne compte que deux gouverneurs qui soient revenus de l'Espagne, et que les autres sont morts, ou de chagrin, ou de la fatigue du voyage. La recherche des crimes vaut toujours cent mille écus à celui qui succède; et le prédécesseur est obligé de tenir cette somme prête pour se délivrer des embarras dont il est menacé.

La chaleur et l'humidité sont les deux qualités générales de toutes ces îles. L'humidité vient du grand nombre de rivières, de lacs, d'étangs et de pluies abondantes qui tombent pendant la plus grande partie de l'année. On observe, comme une propriété particulière aux Philippines, que les orages y commencent par la pluie et les éclairs, et que le tonnere ne s'y fait entendre qu'après la pluie. Pendant les mois de juin, de juillet, d'août et une partie de septembre, on y voit régner les vents du sud et de l'ouest. Ils amènent de si grandes pluies, et des tempêtes si violentes, que, toutes les campagnes se trouvant inondées, on n'a point d'autre ressource que de petites barques pour la communication. Depuis octobre jusqu'au milieu de décembre, c'est le vent du nord qui règne, pour faire place ensuite, jusqu'au mois de mai, à ceux d'est et d'est-sud-est. Ainsi les mers des Philippines ont deux moussons comme les autres mers des Indes: l'une sèche et belle, que les Espagnols nomment *la brise*; l'autre humide et orageuse, qu'ils appellent *vandaral*.

On remarque encore que, dans ce climat; les Européens ne sont pas sujets à la vermine, quelque sales que soient leurs habits et leurs chemises, tandis que les Indiens en sont couverts. La neige n'y est pas plus connue que la glace; aussi n'y boit-on jamais de liqueur froide, à moins que, sans aucun égard pour sa santé, on ne se serve de salpêtre pour rafraîchir l'eau. L'avantage d'un continuel équinoxe fait qu'on ne change jamais l'heure des repas ni celle des affaires; on ne prend point d'habits différens, et l'on n'en porte de drap que pour se garantir de la pluie. Ce mélange de chaleur et d'humidité ne rend pas l'air fort sain. Il retarde la digestion; il incommode les jeunes Européens plus que les vieillards; mais aussi les alimens y sont légers. Le pain ordinaire, n'étant que de riz, a moins de substance que celui de l'Europe. Les palmiers, qui croissent en abondance dans une terre humide, fournissent l'huile, le vinaigre et le vin. Comme on a le choix de toutes sortes de viandes, les personnes riches se nourrissent de gibier le matin, et de poisson le soir. Les pauvres ne mangent guère que du poisson mal cuit, et gardent la viande pour les jours de fêtes. Une autre cause de la mauvaise qualité de l'air est la rosée, qui tombe dans les jours les plus sereins. Elle est si abondante, qu'en secouant un arbre, on en voit tomber une sorte de pluie. Cependant elle n'incommode point les habitans naturels du pays, qui vivent quatre-vingts et cent ans; mais la plupart des Européens s'en trouvent fort mal. On ne dort et l'on ne mange point à Manille sans être humide de sueur; mais elle est beaucoup moindre dans les lieux plus ouverts, parce que l'air y est plus agité; aussi toutes les personnes riches ont des maisons de campagne où elles se retirent depuis le milieu de mars jusqu'à la fin de juin. Quoique la chaleur se fasse sentir avec plus de force dans le mois de mai qu'en aucun temps, on ne laisse pas alors de voir souvent pendant la nuit des pluies épouvantables accompagnées de tonnerre et d'éclairs.

On a déjà fait observer que Manille est particulièrement sujette à d'effroyables tremblemens de terre, surtout dans la plus belle saison. Elle en ressentit un si violent au mois de septembre de l'année 1627, qu'une des montagnes qui se nomment *Carvallos*, dans la province de Cagayan, en fut aplatie. En 1645, le tiers de la capitale fut ruiné par le même accident, et trois cents personnes furent ensevelies sous les ruines de leurs maisons. Les vieux Indiens assuraient que ces malheurs avaient été plus fréquens, et que de là était venu l'usage de ne bâtir qu'en bois. Les Espagnols ont suivi cet exemple, du moins pour les étages au-dessus du premier. Leurs alarmes sont continuelles à la vue d'un grand nombre de volcans qui vomissent des flammes autour d'eux, remplissent de cendres tous les lieux voisins, et envoient des pierres fort loin avec un bruit semblable à celui du canon. D'un autre côté, tous les voyageurs nous représentent le terroir comme un des plus agréables et des plus fertiles du monde connu. En toute saison, l'herbe croît, les arbres fleurissent; et dans les montagnes comme dans les jardins, les fruits accompagnent toujours les fleurs. On voit rarement tomber les vieilles feuilles avant que les nouvelles soient venues. De là vient que les habitans des montagnes n'ont pas de demeure fixe, et suivent l'ombre des arbres, qui leur offre tout à la fois une retraite agréable et des alimens. Lorsqu'ils ont mangé tous les fruits d'une campagne ou d'un bois, ils passent dans un autre lieu. Les orangers, les citronniers, et tous les arbres connus en Europe donnent régulièrement du fruit deux fois l'année; et si l'on plante un rejeton, il en porte l'année suivante. Villalobos, Dampier et Carreri s'accordent à déclarer qu'ils n'ont jamais vu de campagnes si couvertes de verdure, ni de bois si remplis d'arbres vieux et épais, ni d'arbres qui fournissent plus de secours et de commodités pour la subsistance des hommes.

Ajoutons avec les mêmes écrivains que, Manille se trouvant placée entre les plus riches royaumes de l'orient et de l'occident, cette situation en fait un des lieux du monde où le commerce est le plus florissant. Les Espagnols venant par l'occident, et d'autres nations de l'Europe et des Indes par l'orient, les Philippines peuvent être regardées comme un centre où toutes les richesses du monde aboutissent, et d'où elles reprennent de nouvelles routes. On y trouve l'argent du Pérou et de la Nouvelle-Espagne, les diamans de Golconde, les topazes, les saphirs et la cannelle de Ceylan, le poivre de Java, le girofle et les noix muscades des Moluques, les rubis et le camphre de Bornéo, les perles et les tapis de Perse: le benjoin et l'ivoire de Camboge, le musc de Lenquios, les toiles de coton et les étoffes de soie de Bengale, les étoffes, la porcelaine et toutes les raretés de la Chine. Lorsque le commerce était ouvert avec le Japon, Manille en recevait tous les ans deux ou trois vaisseaux qui laissaient de l'argent le plus fin, de l'ambre, des étoffes de soie et des cabinets d'un admirable vernis, en échange pour du cuir, de la cire et des fruits du pays. Pour faire juger en un mot de tous les avantages de Manille, il suffit d'ajouter qu'un vaisseau qui en part pour Acapulco, revient chargé d'argent avec un gain de quatre pour un.

La fécondité d'un climat se faisant observer jusque dans la propagation des animaux, on voit naître dans les campagnes des Philippines une si grande quantité de buffles sauvages, qu'un bon chasseur en peut tuer vingt à coups de lance dans l'espace d'un jour. Les Espagnols ne les tuent que pour en prendre la peau, et les Indiens en mangent la chair. Le nombre des cerfs, des sangliers et des chèvres, est surprenant dans les forêts. On n'a pas manqué d'apporter à Manille et dans quelques autres îles des chevaux et des vaches de la Nouvelle-Espagne, qui n'ont pas cessé d'y multiplier; mais l'excessive humidité de la terre ne permet pas d'y élever des moutons.

On ne parle point des singes pour en faire admirer le nombre, quoiqu'il soit incroyable dans les montagnes; mais ils y sont d'une grandeur monstrueuse, et d'une hardiesse qui les rend capables de se défendre contre des hommes. Lorsqu'ils ne trouvent plus de fruits dans leurs retraites, ils descendent sur le rivage de la mer pour s'y nourrir d'huîtres et de crabes. Entre plusieurs espèces d'huîtres, on en distingue une qu'on appelle *taklo*, et qui pèse plusieurs livres.

On voit dans ces îles une espèce de chats de la grandeur des lièvres, et de la couleur des renards, auxquels les insulaires donnent le nom *taguans*. Ils ont des ailes comme les chauves-souris, mais couvertes de poil, dont ils se servent pour sauter d'un arbre sur un autre à la distance de trente palmes. On trouve dans l'île de Leyte un animal qui n'est pas moins singulier, et qui se nomme *mango*. Sa grandeur est celle d'une souris; il a la même queue, mais sa tête est deux fois plus grosse que son corps, avec de longs poils sur le museau. L'iguana se trouve aux Philippines comme en Amérique. Sa figure ressemble beaucoup à celle du crocodile; mais il a la peau rougeâtre, parsemée de taches jaunes, la langue fendue en deux, les pieds ronds et doublés de corne. Quoiqu'il passe pour un animal terrestre, il traverse facilement les plus grandes rivières. Les Indiens et les Espagnols mangent sa chair, et lui trouvent le goût de celle des tortues.

L'humidité jointe au ferment continuel de la chaleur favorise dans toutes les îles la multiplication des serpens, qui sont d'une grandeur extraordinaire, entre autres l'ibitin, qui dévore les plus gros animaux tout entiers; l'assagua ne fait la guerre qu'à la volaille; l'olopang jette un venin fort dangereux. Les bobas, qui sont les plus grands, ont jusqu'à trente pieds de longueur.

De plusieurs oiseaux singuliers des îles, le plus admirable par ses propriétés est le tavon. C'est un oiseau de mer, noir et plus petit qu'une poule, mais qui a les pieds et le cou assez longs. Il fait ses œufs dans des terres sablonneuses. Leur grosseur est à peu près celle des œufs d'oie. Ce qu'il y a de surprenant, c'est qu'après que les petits sont éclos, on y trouve le jaune entier sans aucun blanc, et qu'alors ils ne sont pas moins bons à manger qu'auparavant: d'où l'on conclut qu'il n'est pas toujours vrai que la fécondité vienne du jaune des œufs. On rôtit les petits sans attendre qu'ils soient couverts de plume. Ils sont aussi bons que les meilleurs pigeons. Les Espagnols mangent souvent, dans le même plat, la chair des petits et le jaune de l'œuf. Mais ce qui suit est beaucoup plus remarquable. La femelle rassemble ses œufs jusqu'au nombre de quarante ou cinquante, dans une petite fosse qu'elle couvre de sable, et dont la chaleur de l'air fait une espèce de fourneau. Enfin, lorsqu'ils ont la force de secouer la coque et d'ouvrir le sable pour en sortir, elle se perche sur les arbres voisins; elle fait plusieurs fois le tour du nid en criant de toute sa force; et les petits, excités par le son, font alors tant de mouvemens et d'efforts, que, forçant tous les obstacles, ils trouvent le moyen de se rendre auprès d'elle. Les tavons font leurs nids aux mois de mars, d'avril et de mai, temps auquel, la mer étant plus tranquille, les vagues ne s'élèvent point assez pour leur nuire. Les matelots cherchent avidement ces nids le long du rivage. Lorsqu'ils trouvent la terre remuée, ils l'ouvrent avec un bâton, et prennent les œufs et les petits, qui sont également estimés.

On voit aux Philippines une sorte de tourterelles dont les plumes sont grises sur le dos et blanches sur l'estomac, au milieu duquel la nature a tracé une tache si rouge, qu'on la prendrait pour une plaie fraîche dont le sang paraît sortir.

Le *xolin* est un oiseau de la grosseur d'une grive, de couleur noire et cendrée, qui n'a sur la tête, au lieu de plumes, qu'une espèce de couronne ou de crête de chair. Le *palomatorcas* est à peu près de la même grosseur; son plumage est varié de gris, de vert, de rouge et de blanc, avec une tache fort rouge au milieu de l'estomac; mais sa principale distinction consiste dans son bec et ses pates, qui sont aussi du plus beau rouge. La *salangane* est commune dans les îles de Calamianes, de Solou, et dans quelques autres; sa grosseur est celle d'une hirondelle. Elle bâtit son nid sur les rochers qui touchent au bord de la mer, et l'attache au rocher même, à peu près comme l'hirondelle attache le sien aux murailles. L'*herrero* est un oiseau vert de la grosseur d'une poule, auquel la nature a donné un bec si dur, qu'il perce les troncs des plus grands arbres pour y faire son nid. Son nom, qui signifie forgeron, lui vient des Espagnols, pour exprimer le bruit de son travail, qui se fait entendre d'assez loin. On lui attribue la propriété de connaître une herbe qui rompt le fer. Un autre oiseau, nommé *colocolo*, a celle de nager sous l'eau avec autant de vitesse qu'il vole dans l'air. Ses plumes sont si serrées, qu'elles deviennent sèches aussitôt qu'il les a secouées hors de l'eau. Il est de couleur noire et plus petit que l'aigle; mais son bec, qui n'a pas moins de deux palmes, est si dur et si fort, qu'il prend et qu'il enlève toutes sortes de poissons.

On trouve quantité de paons dans les îles de Calamianes. Au lieu de faisans et de perdrix, les montagnes y fournissent d'excellens coqs sauvages. Les cailles sont de la moitié plus petites que les nôtres; elles, ont le bec et les pieds rouges. Toutes les îles sont remplies d'une sorte d'oiseaux verts qui se nomment *volanos*, de plusieurs espèces de perroquets, et de cacatoës blancs, dont la tête est ornée d'une touffe de plumes. Les Espagnols avaient porté aux Philippines des dindons qui n'y ont pas multiplié. Ils y suppléent par une poule singulière, qui se nomme *camboge*, parce qu'elle vient de cette région, et qui a les pieds si court, que ses ailes touchent la terre. Les coqs, au contraire, ont de longues jambes, et ne le cèdent en rien aux coqs d'Inde. On estime une autre sorte de poules qui ont la chair et les os noirs, mais d'excellent goût. Les grosses chauves-souris dont on a déjà parlé sont fort utiles à Mindanao, par la quantité de salpêtre qu'on y tire de leurs excrémens.

À l'égard des poissons, Pline n'en a nommé presque aucun qui ne se trouve dans ces mers: mais elles en ont d'extraordinaires, tels que le dougon, que les Espagnols ont nommé *pescemuger*. Il ressemble au lamantin: il a le sexe et les mamelles d'une femme; sa chair a le goût de celle du porc. Les poissons qu'on nomme *épées* ne sont différens des nôtres que par la longueur extraordinaire de leur corne, qui les rend fort dangereux pour les petites barques. Les crocodiles seraient les plus redoutables ennemis des insulaires par leur abondance et leur voracité, si la Providence n'y avait mis comme un double frein qui arrête leur multiplication et leurs ravages. Les femelles sont si fécondes, qu'elles font jusqu'à cinquante petits; mais, lorsqu'ils doivent éclore de leurs œufs, qu'elles font à terre, elles se mettent dans l'endroit par lequel ils doivent passer, et, les avalant l'un après l'autre, elles ne laissent échapper que ceux à qui le hasard fait prendre un autre chemin. On n'a jamais ouvert un de ces monstres dans le ventre duquel on n'ait trouvé des os et des crânes d'hommes. Les Espagnols, comme les Indiens, mangent les petits crocodiles. On trouve quelquefois sous leurs mâchoires de petites vessies pleines d'un excellent musc. Les lacs des îles ont une autre espèce de lézards monstrueux, que les Indiens nomment *bouhayas*, et qui ne paraissent point différens de ceux que les Portugais ont nommés *caïmans*. Ils n'ont pas de langue, ce qui leur ôte non-seulement le pouvoir de faire du bruit, mais encore celui d'avaler dans l'eau: aussi ne dévorent-ils leur proie que sur le rivage. Ils seraient les plus redoutables de tous les monstres, s'ils n'avaient une extrême difficulté à se tourner. On croit, à tort, qu'ils ont quatre yeux, deux en haut et deux en bas, avec lesquels on prétend qu'ils aperçoivent dans l'eau toutes les espèces de poissons qui leur servent de proie, quoiqu'à terre ils aient la vue fort courte. On ajoute que le mâle ne peut sortir de l'eau qu'à moitié, et que les femelles vont chercher seules de quoi vivre dans les campagnes voisines de leurs retraites. Carreri semble confirmer cette opinion lorsqu'il assure que les chasseurs ne tuent jamais que des femelles. Il donne pour préservatif éprouvé contre les surprises des bouhayas ou des caïmans le bonga ou nang kauvagan, fruit qui vient, dit-il, d'une sorte de canne, et dont l'odeur apparemment éloigne ces terribles animaux. Mais il affaiblit un peu la confiance qu'il demande pour ce fruit, en assurant qu'il a la même vertu contre les sortiléges.

Les mers de Mindanao et de Solou sont remplies de grandes baleines et de grands phoques. Il se trouve de si grandes huîtres dans ces îles, qu'on se sert de leurs écailles pour abreuver les buffles. Les Chinois en font de très-beaux ouvrages. On y distingue deux sortes de tortues: l'une dont la chair se mange et dont l'écaillé est négligée; l'autre, au contraire, dont on recherche beaucoup l'écaillé, et dont on ne mange point la chair. Les raies y sont d'une grandeur extraordinaire. Leur peau, qui est fort épaisse, se vend aux Japonais pour en faire des fourreaux de cimeterre.

Passons aux fruits qui ne sont connus ou qui n'ont de propriétés remarquables que dans les îles Philippines. On en distingue deux, également estimés des Espagnols et des Indiens: ils croissent naturellement dans les bois. On a déjà vanté le premier, qui se homme *santor*, et dont on fait d'excellentes confitures dans un pays où le quintal de sucre ne vaut pas un écu. Carreri en donne une exacte description. Il a la figure et même la couleur d'une pêche; mais il est un peu plus plat; son écorce est douce: en l'ouvrant on y trouve cinq pepins aigres et blancs. Il se confit également au sucre et au vinaigre; et, pour troisième propriété, il donne un fort bon goût au potage. L'arbre ressemblerait parfaitement au noyer, s'il n'avait les feuilles plus larges. Elles ont une vertu médicinale, et le bois est excellent pour la sculpture.

L'autre fruit, qui se nomme *mabol*, est un peu plus gros que le premier, mais cotonneux et de la couleur de l'orange. L'arbre est de la hauteur d'un poirier, chargé de branches et de feuilles qui ressemblent à celles du laurier. Le bois, coupé dans sa saison, approche de la beauté de l'ébène.

On n'a pu faire croître aucun fruit de l'Europe à Manille et dans les autres îles. Les figuiers même, les grenadiers et le raisin muscat qu'on y transporte n'y parviennent jamais à maturité.

Carreri s'étend beaucoup sur une autre espèce d'arbres, qui font le principal revenu des insulaires, et qui leur procurent, dit-il, autant de plaisir que d'utilité. On en distingue jusqu'à quarante espèces, qu'il range toutes sous le nom de palmiers, et dont les principales fournissent les îles de pain. Celle que les Tagales nomment, *yoro*, et les Montagnards *laudau*, porte le nom de *sagou* aux Moluques.

Une autre espèce qui donne du vin et du vinaigre se nomme *sasa* et *nipa*. Elle n'est, point assez grande pour mériter le nom d'arbre. Son fruit ressemblerait aux dattes; mais il n'arrive point à sa maturité, parce que les insulaires coupent la branche aussitôt qu'ils voient paraître la fleur. Il en sort une liqueur qu'ils reçoivent dans des vaisseaux, et dont ils tirent Quelquefois dix pintes dans une seule nuit. L'écorce du *calinga*, qui est une sorte de cannelle, sert à la préparer et l'empêche de s'aigrir. On emploie les feuilles du même palmier à couvrir les maisons, et, cousues avec du fil très-fin, elles durent environ six ans. On en tire aussi du vin de coco et de l'huile qui est fort bonne dans sa fraîcheur. De la première écorce des cocotiers on fait des cordages et du calfat pour les navires. L'écorce intérieure sert à faire des vases et d'autres ustensiles.

Carreri met au nombre des palmiers jusqu'à l'arbre qui produit l'arec, petite noix de la grosseur d'un gland, qui entre avec la chaux dans la composition du bétel. Cet arbre se nomme *bonga*: ses feuilles sont aussi larges que celles du bourias; le tronc est haut, mince, droit et tout couvert de nœuds. Enfin une quatrième espèce, dont les insulaires tirent beaucoup d'avantages, est celle qu'ils nomment l'*yonota*. Elle leur fournit une sorte de laine qu'on appelle *baios*, dont on fait des matelas et des oreillers; du chanvre noir nommé *jonor* ou *gamouto*, pour les câbles de navire, et de petits cocos moins bons, à la vérité, que les grands. Ses fils sont de la longueur et de la grosseur du chanvre. Ils sont noirs comme les crins du cheval, et l'on assure qu'ils durent long-temps dans l'eau. La laine et le chanvre s'enlèvent d'autour du tronc. On tire aussi des branches un vin doux, et leurs bouts se mangent tendres. Il n'y a point de palmiers dont les feuilles ne puissent servir à couvrir les maisons ou à faire des chapeaux, des nattes, des voiles pour les navires, et d'autres ouvrages utiles. Ainsi ce n'était pas sans raison que Pline écrivait, il y a seize cents ans, que les pauvres y trouvent de quoi manger, boire, se vêtir et se loger. Nous avons eu déjà plusieurs fois occasion de relever les avantagés de cet arbre, l'un des trésors de la zone torride.

L'arbre qui porte la casse est en si grande abondance aux Philippines, que pendant les mois de mai et de juin les insulaires en engraissent leurs pourceaux. Les tamariniers, ou plutôt les sampales, dont le fruit se nomme tamarin, n'y sont pas moins communs; le bois sert à divers ouvrages comme l'ébène. On voit sur les montagnes diverses sortes de grands arbres qui servent également à la construction des vaisseaux et des maisons, et dont le feuillage est toujours vert. Tels sont l'ébène noir, le balayon rouge, l'asana ou le naga, dont on fait des vases qui donnent à l'eau une couleur bleue et qui la rendent plus saine; le calinga, qui jette une odeur fort douce, et dont l'écorce est aromatique; le tiga, dont le bois est si dur, qu'il ne peut être scié qu'avec la scie à l'eau, comme le marbre, ce qui le fait nommer aussi *l'arbre de fer*. La difficulté de pénétrer dans ces épaisses forêts ne permet pas aux insulaires mêmes de connaître toutes les richesses qu'ils tiennent de la nature. Ils ont sur quelques montagnes de Manille quantité de muscadiers sauvages dont ils ne recueillent rien. On a déjà fait observer que Mindanao produit de très-grands arbres dont l'écorce est une espèce de cannelle.

Mais ce qui doit passer pour un phénomène des plus extraordinaires, c'est que dans ces îles les feuilles de certains arbres n'arrivent, dit-on, à leur maturité que pour se transformer en animaux vivans, qui se détachent des branches et qui volent en l'air sans perdre la couleur de feuilles; leur corps se forme des fibres les plus dures; la tête est à l'endroit par où la feuille tenait à l'arbre, et la queue à l'autre extrémité; les fibres des côtés forment les pieds, et le reste se change en ailes. Il est évident que cette observation n'a d'autre fondement que la crédulité des voyageurs.

 On a porté de la Nouvelle-Espagne aux Philippines la plante du cacao. Quoiqu'il n'y soit pas aussi bon, il s'y est assez multiplié pour dispenser les habitans d'en faire venir de l'Amérique. L'arbre qu'on appelle *aimir* est moins remarquable par ses fruits, qui pendent en grappes et qui sont d'un fort bon goût, que par la propriété qu'il a de se remplir d'une eau très-claire, que les chasseurs et les sauvages tirent en perçant le tronc. L'espèce de roseau qu'on nomme bambou, et que les Espagnols appellent *vexuco*, croît au milieu de tous ces arbres, les embrasse comme le lierre, et monte jusqu'à la cime des plus grands. Il est couvert d'épines, qu'on ôte pour le polir. Lorsqu'on le coupe, il en sort autant d'eau claire qu'un homme en a besoin pour se désaltérer; de sorte que, les montagnes en étant remplies, on ne court jamais risque d'y manquer d'eau. L'utilité de ces cannes est connue par toutes les relations.

On ne parle point des bananes, des cannes à sucre, des ananas, que les Espagnols appellent *potias*; du gingembre, de l'indigo, ni d'un grand nombre de plantes et de racines qui sont communes à la plupart des régions de l'orient; mais c'est aux Philippines qu'il faut chercher les camotes, espèce de grosses raves qui flattent l'odorat comme le goût; les glabis, dont les insulaires font une sorte de pain, et que les Espagnols mangent cuits, comme des navets; l'ubis, qui est aussi gros qu'une courge, et dont la plante ressemble au lierre; les xicamas, qui se mangent confits ou crus, au poivre et au vinaigre; des carottes sauvages, qui ont le goût des poires; et le taylan, qui a celui des patates. Toutes ces racines croissent en si grande abondance, que la plupart des sauvages ne pensent point à se procurer d'autre aliment.

Ils n'apportent pas plus de soin à la culture des fleurs, parce que la nature en fait tous les frais, et que leurs champs en sont toujours parsemés. On donne le premier rang au zampaga, qui ressemble au mogorin des Portugais. C'est une petite fleur de couleur blanche à trois rangs de feuilles, dont l'odeur est beaucoup plus agréable que celle de notre jasmin. On en distingue deux autres: le solafi et le locoloco, qui ont l'odeur du girofle. La fleur qui porte les noms de *balanoy torongil* et *damoro* donne une petite semence de l'odeur du baume, qui est très-bonne pour l'estomac, et que les personnes délicates mêlent avec le bétel. Le daso jette une odeur aromatique jusque dans sa racine. Le cablin, qui est plein d'odeur lorsqu'il est cueilli, en rend encore plus lorsqu'il est sec. La sarafa, nommée par les Espagnols *oja de Saint-Juan*, est une très-belle fleur, dont les feuilles sont fort larges et mêlées de vert et de blanc. Outre le gingembre commun dont les campagnes sont remplies, on y en trouve une espèce plus chaude et plus forte, qui se nomme *langeovas*.

On assure qu'il n'y a point d'îles au monde qui produisent plus d'herbes médicinales. Celles qui se trouvent en Europe ont aux Philippines les mêmes vertus dans un degré fort supérieur; mais on vante encore plus celles qui sont propres au terrain et au climat. Le pollo, herbe fort commune et semblable au pourpier, guérit en très-peu de temps toutes sortes de blessures. Le pansipane en est une plus haute, qui porte une fleur blanche comme celle de la fève; appliquée sur les plaies après avoir été pilée, elle en chasse toute la corruption. La golondrine a la vertu de guérir presque sur-le-champ la dysenterie. Quantité d'autres herbes guérissent les blessures, si l'on en boit la décoction. Une autre sert, comme l'opium, à faire perdre la raison dans un combat, pour ne plus craindre les armes de l'ennemi; et l'on assure que ceux qui en ont pris ne rendent point de sang par leurs blessures. Carreri donne pour garant de cette vertu un gouverneur portugais et plusieurs missionnaires. Il vante l'admirable qualité de deux autres herbes; l'une qui, étant appliquée sur les reins, empêche de sentir aucune lassitude; l'autre qui, gardée dans la bouche, soutient les forces, et rend un homme capable de marcher deux jours sans manger.

Les mêmes qualités de l'air, qui favorisent la multiplication des animaux venimeux dans les îles, y font croître quantité d'herbes, de fleurs et de racines de la même qualité. Quelques-unes portent un venin si subtil, que non-seulement elles font mourir ceux qui ont le malheur d'y toucher, mais qu'elles infectent l'air aux environs, jusqu'à répandre une contagion mortelle lorsqu'elles sont en fleur. D'un autre côté, on trouve dans les mêmes lieux d'excellens contre-poisons. Le *camandag*[16] est un arbre si vénéneux, que ses feuilles mêmes sont mortelles: la liqueur qui distille de son tronc sert aux insulaires pour empoisonner la pointe de leurs flèches. L'ombre seule de l'arbre fait périr l'herbe aux environs; s'il est transplanté, il détruit tous les arbres voisins, à l'exception d'un arbrisseau qui est son contre-poison, et qui l'accompagne toujours. Ceux qui voyagent dans les lieux déserts portent dans la bouche un petit morceau de bois ou une feuille de cet arbrisseau pour se garantir de la pernicieuse vertu du camandag.

Le maca-bubay, dont le nom signifie ce qui donne la vie, est une espèce de lierre de la grosseur du doigt, qui croît autour d'un arbre; il produit quelques filets dont les insulaires font des bracelets, pour les porter comme un antidote contre toutes sortes de poisons. La racine du bubay, prise du côté qui regarde l'orient, et pilée pour être appliquée sur les plaies, guérit plus souverainement qu'aucun baume. L'arbre de ce nom croît parmi les bâtimens, et les pénètre de ses racines, jusqu'à renverser de grands édifices; il vient aussi dans les montagnes, où il est fort honoré des Indiens.

La différence des nations que le hasard ou leur propre choix a rassemblées aux Philippines entraîne aussi celle des langues. On en compte six dans la seule île de Manille: celles des Tagales, des Pampangas, des Bisayas, des Cagayans, des Iloccos et des Pangasinans. Celles des Tagales et des Bisayas sont les plus usitées. On n'entend point la langue des noirs, des zambales et des autres nations sauvages. Carreri ne fait pas difficulté d'assurer que les anciens habitans ont reçu leur langage et leur caractère des Malais de la terre ferme, auxquels il prétend qu'ils ressemblent aussi par la stupidité. Dans leur écriture ils ne se servent que de trois voyelles, quoiqu'ils en prononcent différemment cinq: ils ont treize consonnes. Leur méthode est d'écrire de bas en haut, en mettant la première ligne à gauche, et continuant vers la droite, contre l'usage des Chinois et des Japonais, qui écrivent de haut en bas et de droite à gauche. Avant que les Espagnols leur eussent communiqué l'usage du papier, ils écrivaient sur la partie polie de la canne, ou sur les feuilles de palmier avec la pointe d'un couteau. Aujourd'hui les Indiens maures des Philippines ont oublié leur ancienne écriture, et se servent de l'espagnole.

La première loi parmi eux est de respecter et d'honorer les auteurs de leur naissance. Toutes les causes sont jugées par le chef du barangué, assisté d'un conseil des anciens. Dans les causes civiles, on appelle les parties, on s'efforce de les accommoder; et si ce prélude est sans succès, on les fait jurer de s'en tenir à la sentence des juges, après quoi les témoins sont examinés. Si les preuves sont égales, on partage la prétention. Si l'un des deux prétendans se plaint, le juge devient sa partie; et, s'attribuant la moitié de l'objet contesté, il distribue le reste entre les témoins. Dans les causes criminelles, on ne prononce point de sentence juridique. Si le coupable manque d'argent pour satisfaire la partie offensée, le chef et les principaux du barangué lui ôtent la vie à coups de lance. Quand le mort est lui-même un des principaux, toute sa parenté fait la guerre à celle du meurtrier, jusqu'au jour où quelque médiateur propose une certaine quantité d'or, dont la moitié se donne aux pauvres, et l'autre à la femme, aux enfans ou aux parens du mort.

À l'égard du vol, si le coupable n'est pas connu, on oblige toutes les personnes suspectes de mettre quelque chose sous un drap, dans l'espérance que la crainte portera le voleur à profiter d'une si belle occasion pour restituer sans honte. Mais si rien ne se retrouve par cette voie, les accusés ont deux manières de se purger: ils se rangent sur le bord de quelque profonde rivière, une pique à la main, et chacun est obligé de s'y jeter: celui qui sort le premier est déclaré coupable; d'où il arrive que plusieurs se noient, dans la crainte du châtiment. La seconde épreuve consiste à prendre une pierre au fond d'un bassin d'eau bouillante. Celui qui refuse de l'entreprendre paie l'équivalent du vol.

On punit l'adultère par la bourse. Après le paiement, qui est réglé par la sentence des anciens, l'honneur est rendu à l'offensé, mais avec l'obligation de reprendre sa femme. Les châtimens sont rigoureux pour l'inceste. Toutes ces nations sont livrées au plaisir des sens. Il s'y trouve peu de femmes qui regardent la continence comme une vertu. Dans les mariages, l'homme promet la dot, avec des clauses pénales pour les cas de répudiation, qui ne passe pas pour un déshonneur lorsqu'on s'assujettit aux conditions réglées. Les frais de la noce sont excessifs. On fait payer au mari l'entrée de la maison, ce qui se nomme le *passava*, ensuite la liberté de parler à sa femme, qu'on appelle *patignog*; puis celle de boire et de manger avec elle, qui porte le nom de *passalog*; enfin, pour consommer le mariage, il paie aux parens le *ghina-puang*, qui est proportionné à leur condition.

On ne connaît point d'exemple d'une coutume aussi barbare que celle qui s'était établie aux Philippines d'avoir des officiers publics et payés fort chèrement pour ôter la virginité aux filles, parce qu'elle était regardée comme un obstacle aux plaisirs du mari. À la vérité, il ne reste aucune marque de cette infâme pratique depuis la domination des Espagnols. Cependant le voyageur à qui l'on doit ce récit ajoute, sur le témoignage des missionnaires, qu'aujourd'hui même un Bisayas s'afflige de trouver sa femme à l'épreuve du soupçon, parce qu'il en conclut que, n'ayant été désirée de personne, elle doit avoir quelque mauvaise qualité qui l'empêchera d'être heureux avec elle.

La noblesse, parmi tous ces peuples, n'était point une distinction héréditaire; elle s'acquérait par l'industrie ou par la force, c'est-à-dire, en excellant dans quelque profession. Ceux du plus bas ordre n'avaient d'autre exercice que l'agriculture, la pêche ou la chasse. Depuis qu'ils sont soumis aux Espagnols, ils ont contracté la paresse de leurs maîtres, quoiqu'ils soient capables de travailler avec beaucoup d'adresse. Ils excellent à faire de petites chaînes et des chapelets d'or d'une invention fort délicate. Dans les Calamianes et quelques autres îles, ils font des boîtes, des caisses et des étuis de diverses couleurs, avec leurs belles cannes, qui ont jusqu'à cinquante palmes de longueur. Les femmes font des dentelles qui approchent de celles de Flandre, et la broderie en soie cause de l'admiration aux Européens.

On a remarqué depuis long-temps que jamais ces insulaires ne mangent seuls, et qu'ils veulent du moins un compagnon. Un mari qui perd sa femme est servi pendant trois jours par des hommes veufs. Les femmes, après la mort de leurs maris, reçoivent le même service de trois veuves. On ne souffre point la présence des filles aux accouchemens, dans l'opinion qu'elles rendent le travail plus difficile. La sépulture des pauvres n'est qu'une simple fosse dans leur propre maison. Les personnes riches sont renfermées dans un coffre de bois précieux, avec des bracelets d'or et d'autres ornemens. Ce coffre, ou ce cercueil, est placé dans un coin de leur demeure, à quelque distance de la terre. On l'entoure d'une espèce de treillage; et dans la même enceinte on met un autre coffre, qui contient les meilleurs habits ou les armes du mort, si c'est un homme, et les outils du travail, si c'est une femme. Avant l'arrivée des Espagnols, le plus grand honneur qu'on pût faire à la mémoire des morts, c'était de bien traiter l'esclave qu'ils avaient le mieux aimé, et de le tuer pour lui tenir compagnie. L'habit de deuil est noir parmi les Tagales, et blanc chez les Bisayas. Ils se rasent alors la tête et les sourcils. Autrefois, après la mort des principaux, on gardait le silence pendant plusieurs jours; on ne frappait d'aucun instrument, et la navigation cessait sur les rivières voisines. Certaines marques apprenaient au public qu'on était dans un temps de silence, et portaient défense de les passer sous peine de la vie. Si le mort avait été tué par quelque trahison, tous les habitans de son barangué attendaient, pour quitter le deuil et pour rompre le silence, que ses parens en eussent tiré vengeance, non-seulement contre les meurtriers, mais contre tous les étrangers, qu'ils regardaient comme ennemis.

Ils se saluent entre eux fort civilement, en ôtant de dessus leur tête leur manpouton, espèce de bonnet. S'ils rencontrent quelqu'un d'une plus haute qualité, ils plient le corps assez bas, en se mettant une main, ou toutes les deux, sur les joues, et levant en même temps le pied en l'air avec le genou plié. Cependant, quand c'est un Espagnol qu'ils voient passer, ils font simplement leur révérence, en ôtant le manpouton, baissant le corps et tendant les mains jointes.

Ils sont assis en mangeant, mais fort bas, et leur table est fort basse aussi. Il y a toujours, comme à la Chine, autant de tables que de convives. On y boit plus qu'on ne mange. Le mets ordinaire n'est qu'un peu de riz bouilli dans l'eau. La plupart ne mangent de viande que les jours de fête. Leur musique et leurs danses ressemblent aussi à celles des Chinois. L'un chante, et les autres répètent le couplet au son d'un tambour de métal. Ils représentent dans leurs danses des combats feints, avec des pas et des mouvemens mesurés; ils expriment diverses actions avec les mains, et quelquefois avec une lance, qu'ils manient avec beaucoup de grâce. Aussi les Espagnols ne les trouvent pas indignes d'être introduits dans leurs fêtes. Les compositions, dans leur langue, ne manquent ni d'agrément ni d'éloquence; mais ils mettent leur principal amusement dans le combat des coqs, qu'ils arment d'un fer tranchant, dont ils leur apprennent à se servir.

On n'a rien trouvé jusqu'à présent qui puisse jeter du jour sur la religion et l'ancien gouvernement des insulaires naturels. Les seules lumières qu'on ait tirées d'eux leur sont venues par une espèce de tradition, dans des chansons qui vantent la généalogie et les faits héroïques de leurs dieux. On sait qu'ils en avaient un auquel ils portaient un respect singulier, et que les chansons tagales nomment *barhalamay-capal*, c'est-à-dire, *dieu fabricateur*. Ils adoraient les animaux, les oiseaux, le soleil et la lune. Il n'y avait point de rocher, de cap et de rivière qu'ils n'honorassent par des sacrifices, ni surtout de vieil arbre auquel ils ne rendissent quelques honneurs divins; et c'était un sacrilége de le couper. Cette superstition n'est pas tout-à-fait détruite. Rien n'engagera un insulaire à couper certains vieux arbres dans lesquels ils sont persuadés que les âmes de leurs ancêtres ont leur résidence. Ils croient voir sur la cime de ces arbres divers fantômes qu'ils appellent *tibalang*, avec une taille gigantesque, de longs cheveux, de petits pieds, des ailes très-étendues, et le corps peint; ils reconnaissent, disent-ils, leur arrivée par l'odorat. Ce qu'il y a d'étrange, c'est qu'ils prétendent les voir, et qu'ils le soutiennent avec toutes les marques d'une forte persuasion, tandis que les Espagnols n'aperçoivent rien.

Chaque petit état portait le nom de *barangué*, qui signifie *barque*; apparemment parce que les premières familles, étant venues dans une barque, étaient demeurées soumises aux capitaines, qui étaient peut-être les chefs des familles, et ce titre s'était conservé.

Dampier, qui était à Mindanao en 1686, y fit, dans un assez long séjour, quelques observations qui méritent d'être recueillies.

Ces Indiens ont une manière de mendier qui est particulière à leur île, et dont Dampier trouve la source dans le peu de commerce qui s'y fait. Lorsqu'il y arrive des étrangers, les insulaires se rendent à bord, les invitent à descendre, et demandent à chacun, s'il a besoin d'un camarade, terme qu'ils ont emprunté des Espagnols, ou s'il désire une *pagaly*. Ils entendent par l'un un ami familier, et par l'autre une intime amie. On est obligé d'accepter cette politesse, de la payer par un présent, et de la cultiver par la même voie. Chaque fois que l'étranger descend à terre, il est bien reçu chez son camarade ou chez sa pagaly. Il y mange, il y couche pour son argent, et l'unique faveur qu'on lui accorde *gratis* est le tabac et le bétel, qui ne lui sont point épargnés. Les femmes du plus haut rang ont la liberté de converser publiquement avec leur hôte, de lui offrir leur amitié, et de lui envoyer du bétel et du tabac.

La capitale de l'île porte aussi le nom de Mindanao. Sa situation est dans le midi de l'île, à 7 degrés 20 minutes de latitude septentrionale, sur les bords d'une petite rivière qui n'est qu'à deux milles de la mer. Les maisons y sont d'une forme extrêmement singulière: on les élève sur des pilotis qui ont jusqu'à vingt pieds de hauteur, plus ou moins gros, suivant l'air de magnificence qu'on veut donner à l'édifice; aussi n'ont-elles qu'un étage divisé en plusieurs chambres, où l'on monte de la rue par des degrés.

Le palais du sultan est distingué par sa grandeur. Il est assis sur cent quatre-vingts gros piliers, beaucoup plus hauts que ceux des maisons ordinaires, avec de grands et larges degrés par lesquels on y monte. On trouve dans la première chambre une vingtaine de canons de fer placés sur leurs affûts. Le général et les grands ont, comme le roi, de l'artillerie dans leurs hôtels. À vingt pas du palais, on distingue un petit bâtiment élevé aussi sur des piliers, mais à trois ou quatre pieds seulement. C'est la salle du conseil, et celle où l'on reçoit les ambassadeurs et les marchands étrangers; elle est couverte de nattes fort propres, sur lesquelles tous les conseillers sont assis les jambes croisées.

 Il y a peu d'artisans dans cette ville: les principaux sont les orfévres, les forgerons et les charpentiers, quoiqu'à peine y trouve-t-on trois orfévres; ils travaillent en or et en argent, et tout ce qu'on leur commande est fort bien exécuté; mais ils n'ont point de boutiques, ni de marchandises en vente. Les forgerons travaillent aussi bien qu'il est possible avec de mauvais outils. Dampier eut souvent occasion d'admirer leur adresse. Ils n'ont point d'étaux ni d'enclumes; ils forgent sur une pierre fort dure ou sur un morceau de vieux canon. Cependant ils ne laissent pas de faire des ouvrages achevés, surtout des meubles ordinaires et des ferremens pour les vaisseaux. Presque tous les habitans sont charpentiers. Ils savent tous manier la hache droite et la courbe; mais ils n'ont point de scies. Pour faire une planche, ils fendent l'arbre en deux, et de chaque moitié ils font une seule planche, qu'ils polissent avec la hache. Ce travail est pénible; mais le bois conservant tout son grain est d'une force qui les dédommage de la peine et des frais.

Le père Le Clain, missionnaire jésuite, donne le nom de *Palaos* à d'autres îles qui ne sont pas éloignées des Marianes, quoiqu'elles n'y aient aucune communication, et dont il raconte ainsi la découverte.

En faisant la visite des établissemens de son ordre, il arriva dans une bourgade de l'île de Samar, la dernière et la plus méridionale des Pintados. Il y trouva vingt-neuf Palaos; c'est le nom qu'il donne aussi aux habitans des îles nouvellement découvertes. Les vents d'est qui règnent sur ces mers depuis le mois de décembre jusqu'au mois de mai les avaient jetés à trois cents lieues de leurs îles, dans la baie de cette bourgade, qui se nomme *Guivam*. Ils s'étaient embarqués dans leur patrie, sur deux barques, au nombre de trente-cinq, pour passer dans une île voisine. Un vent impétueux les avait emporté en haute mer. Tous leurs efforts n'ayant pu les rapprocher de terre, ils avaient vogué au gré des vents pendant soixante-dix jours, avec si peu de provisions, qu'ils avaient souffert long-temps la faim et la soif. Enfin ils s'étaient trouvés à la vue de l'île de Samar. Un Guivamois qui était au bord de la mer les avait aperçus, et jugeant à la forme de leurs bâtimens qu'ils étaient étrangers, il les avait exhortés par des signes à passer par le canal qu'il leur montrait, pour éviter des bancs de sable et des écueils sur lesquels ils allaient échouer. Ces malheureux, effrayés de voir un inconnu, s'étaient efforcés de retourner vers la haute mer; mais le vent n'avait pas cessé de les repousser au rivage. Alors le Guivamois, touché de compassion pour leur perte qu'il voyait infaillible, s'était jeté à la mer, et n'avait pas balancé à s'avancer à la nage vers les deux barques pour s'en faire le pilote. Ceux qu'il voulait secourir avaient mal expliqué ses intentions. Dans leur crainte, les hommes, et même les femmes chargées de leurs petits enfans, s'étaient jetés au milieu des flots pour gagner l'autre barque. Il était monté dans celle qu'ils avaient abandonnée, et, les ayant suivis jusqu'à l'autre, il les avait sauvés comme malgré eux en les conduisant au port.

Ils avaient pris terre le 28 décembre 1696. Tous les habitans du bourg, dont la plupart étaient chrétiens, les avaient reçus avec beaucoup d'humanité. Ils avaient mangé fort avidement des cocos; mais, lorsqu'on leur avait présenté du riz cuit à l'eau, qui est la nourriture de toute l'Asie, ils l'avaient regardé avec admiration, et prenant les grains pour des vermisseaux, ils avaient refusé d'y toucher. Rien n'avait tant satisfait leur goût que les grosses racines, surtout celles qu'on nomme *salavans*. On avait fait venir d'un autre bourg de l'île deux femmes que les vents avaient jetées autrefois sur la même côte. Elles les avaient aussitôt reconnus à leur langage, et, s'étant fait reconnaître aussi pour être des mêmes îles, ils s'étaient mis tous à pleurer de tendresse et de joie. Les respects qu'ils avaient vu rendre au missionnaire du bourg leur avait fait juger qu'il était le maître du pays, et que leur vie était entre ses mains. Ils s'étaient jetés à terre pour implorer sa miséricorde et lui demander la vie. Sa compassion pour leurs peines, et les caresses qu'il avait faites à leurs enfans avaient achevé de leur inspirer de la confiance. Il les avait distribués dans les maisons des habitans, avec ordre de leur fournir des habits et des vivres; mais il avait voulu qu'on ne séparât point ceux qui étaient mariés, et qu'on n'en prît pas moins de deux ensemble, dans la crainte de causer trop de chagrin à ceux qui se verraient seuls. De trente-cinq qu'ils étaient à leur départ, il n'en restait plus que trente. La faim et les incommodités d'une longue navigation en avaient fait mourir cinq pendant le voyage; et quelques jours après leur arrivée, il en mourut un autre qui reçut heureusement le baptême.

C'est sur leur récit que le P. Le Clain donne la description de leurs îles. Elles sont au nombre de trente-deux. Il y a beaucoup d'apparence, dit-il, qu'elles sont plus au midi que les îles Marianes, vers 11 ou 12 degrés de latitude septentrionale, et sous le même parallèle que Guivan, puisque ces étrangers, venant de l'est à l'occident, avaient abordé au rivage de cette bourgade. Le missionnaire se persuade aussi que c'est une de ces îles qu'on avait découvertes de loin quelques années auparavant. Un vaisseau des Philippines ayant quitté la route ordinaire, qui est de l'est à l'ouest sous le troisième parallèle, et s'étant un peu écarté du sud-ouest, l'aperçut pour la première fois. Les uns la nommèrent Caroline, du nom de Charles II, roi d'Espagne; et d'autres l'île de Saint-Barnabé, parce qu'elle fut découverte le jour de cette fête. Depuis moins d'un an elle avait été vue d'un autre vaisseau, que la tempête avait fait changer de route en allant de Manille aux Marianes. Le gouverneur des Philippines avait donné ordre au vaisseau qui fait presque tous les ans cette route de chercher la même île et d'autres qu'on n'en croit pas éloignées; mais toutes ces recherches avaient été sans succès.

Les étrangers ajoutaient que, de leurs trente-deux îles, il y en a trois qui ne sont habitées que par des oiseaux, mais que toutes les autres sont extrêmement peuplées. Quand on leur demandait quel peut être le nombre des habitans, ils montraient un monceau de sable pour marquer que la multitude en est innombrable. Lamurec, qui est la plus considérable de leurs îles, est celle où le roi tient sa cour; les autres ne lui sont pas moins soumises. Il se trouvait parmi ces trente étrangers un des principaux seigneurs du pays avec sa femme, qui était fille du roi. Quoiqu'ils fussent à demi nus, la plupart avaient un air de grandeur, et des manières qui marquaient la distinction de leur naissance. Le seigneur avait tout le corps peint de certaines lignes dont l'arrangement formait diverses figures. Les autres hommes avaient aussi quelques-unes de ces lignes; mais les femmes et les enfans n'en avaient aucune. Par le tour et la couleur du visage, ils avaient quelque ressemblance avec les insulaires des Philippines; mais les hommes n'avaient pas d'autre habit qu'une espèce de ceinture qui leur couvrait les reins et les cuisses, et qui se repliait plusieurs fois autour du corps; ils avaient sur les épaules plus d'une aune et demie de grosse toile, dont ils se faisaient une sorte de capuchon qu'ils liaient par-devant et qu'ils laissaient pendre négligemment par-derrière. Les femmes étaient vêtues de même, à l'exception d'un linge qui leur descendait un peu plus bas, de la ceinture sur les genoux.

Leur langue n'a rien de semblable à celle des Philippines, ni même à celle des îles Marianes. Il parut au P. Le Clain que leur manière de prononcer approchait de la prononciation, des Arabes. La plus distinguée de leurs femmes avait plusieurs anneaux et plusieurs colliers, les uns d'écaille de tortue, les autres d'une matière inconnue aux missionnaires, qui ressemble assez à de l'ambre gris, mais qui n'est pas transparente.

Ces insulaires n'ont pas de vaches dans leurs îles. Ils parurent effrayés lorsqu'ils en virent quelques-unes qui broutaient l'herbe, aussi-bien que des aboiemens d'un petit chien qu'ils entendirent dans la maison des missionnaires. Ils n'ont pas non plus de chats, ni de cerfs, ni de chevaux, ni généralement d'animaux à quatre pieds. Ils ont des poules dont ils se nourrissent, mais ils n'en mangent point les œufs. On ne s'aperçut pas qu'ils eussent aucune connaissance de la Divinité, ni qu'ils adorassent des idoles. Toute leur vie paraissait animale, c'est-à-dire uniquement bornée au soin de boire et de manger. Ils n'ont pas d'heure réglée pour le repas. La faim et la soif les déterminent lorsqu'ils trouvent de quoi se satisfaire; mais ils mangent peu chaque fois, et leurs plus grands repas ne suffisent point pour le cours d'une journée.

Leur civilité, ou la marque de leur respect, consiste à prendre, suivant qu'ils sont assis ou debout, ou la main, ou le pied de celui auquel ils veulent faire honneur, et à s'en frotter doucement le visage. Ils avaient, entre leurs petits meubles, quelques scies d'écaille, qu'ils aiguisaient en les frottant sur des pierres. Leur étonnement parut extrême à l'occasion d'un vaisseau marchand qu'on bâtissait à Guivam, de voir la multitude des instrumens de charpenterie qu'on y employait. Ils les regardaient successivement avec une vive admiration. Les métaux ne sont pas connus dans leur pays. Le missionnaire leur ayant donné à chacun un assez gros morceau de fer, ils marquèrent plus de joie que s'ils eussent reçu la même quantité d'or. Dans la crainte de perdre ce présent, ils le mettaient sous leur tête pendant la nuit. Ils n'avaient pas d'autres armes que des lances et des traits garnis d'ossemens humains; mais ils paraissaient d'un naturel pacifique. Leurs querelles se terminaient par quelques coups de poings qu'ils se donnaient sur la tête; et ces violences mêmes étaient d'autant plus rares, qu'à la moindre apparence de colère, leurs amis s'entremettaient pour apaiser le différent. Cependant, loin d'être stupides ou pesans, ils ont beaucoup de vivacité. Avec moins d'embonpoint que les habitans des îles Marianes, ils sont bien proportionnés et de la même taille que les Philippinois. Les hommes et les femmes laissent également croître leurs cheveux, qui leur tombent sur les épaules. Lorsqu'ils voulaient paraître avec un peu d'avantage, ils se peignaient le corps d'une couleur jaune dont ils connaissaient tous la préparation. Leur joie était continuelle de se trouver dans l'abondance de tout ce qui est nécessaire à la vie. Ils promettaient de revenir de leurs îles, et d'engager leurs compatriotes à les suivre.

Deux jésuites, nommés le P. Cortil et le P. Du Béron, entreprirent, en 1710, de porter l'Évangile aux îles Palaos, avec divers secours qu'ils avaient obtenus de la cour d'Espagne. Joseph Somera, dont on a publié une courte relation dans le onzième recueil des lettres édifiantes, nous apprend qu'étant descendus dans une de ces îles, tandis qu'après leur débarquement le vaisseau fut emporté au large par les courans et les vents, ils demeurèrent abandonnés à la merci des insulaires; mais Somera et les autres gens du vaisseau ne débarquèrent point. L'unique éclaircissement qu'ils rapportèrent, c'est qu'ayant pris hauteur à un quart de lieue de l'île, ils se trouvèrent par 5 degrés 16 minutes de latitude nord, et la variation, au lever du soleil, fut trouvée de 5 degrés nord-est. Ensuite s'étant approchés d'une autre île, à cinquante lieues de celle qu'ils avaient quittée, ils se trouvèrent par 7 degrés 14 minutes du nord, à une lieue au large de cette île.

L'année suivante, le P. Serano tenta la même entreprise, muni de brefs du pape et d'autres pièces. Il partit de Manille le 15 décembre avec un autre jésuite et l'élite de la jeunesse du pays. Le troisième jour de leur navigation, le vaisseau fut brisé par une violente tempête, et tous périrent, à la réserve de deux Indiens et d'un Espagnol, qui échappèrent du naufrage pour en porter la triste nouvelle à Manille. Ainsi tout ce qui regarde les îles Palaos est encore dans une véritable obscurité.

Si nous avions suivi la marche des Espagnols qui, partant de l'hémisphère occidental, passèrent par les Marianes avant de découvrir les Philippines, nous n'aurions fait mention de celles-ci qu'après avoir parlé des premières; mais nous suivons, comme on l'a vu, une route opposée.

Depuis plus de deux siècles que les Espagnols passent entre les Marianes, dans leurs voyages aux Philippines, ils ont trouvé qu'elles forment une chaîne qui s'étend du sud au nord, c'est-à-dire depuis l'endroit où elle commence vis-à-vis de la Nouvelle-Guinée, jusqu'au 36ᵉ. degré qui les approche du Japon. Elles sont renfermées par conséquent entre cet empire et la ligne équinoxiale, vers l'extrémité de la mer Pacifique, à près de quatre cents lieues à l'est des Philippines; et, dans cette position, elles occupent environ cent cinquante lieues de mer, depuis Guahan, qui en est la plus grande et la plus méridionale, jusqu'à Urac, qui est la plus proche du tropique.

Magellan, qui les découvrit le premier en 1521, les nomma *îles des Larrons*, dans le chagrin de s'être vu enlever par les insulaires quelques morceaux de fer et quelques instrumens de peu de valeur. Ensuite la multitude de petits bâtimens qui viennent à voiles déployées au-devant des navires de l'Europe leur fit donner le nom d'*îles de las Velas*, qu'elles ont perdu vers la fin du dernier siècle pour recevoir celui d'*îles Marianes*, en l'honneur de la reine d'Espagne, Marie-Anne d'Autriche, femme de Philippe IV.

Michel Lopez Legaspi en prit possession pour cette couronne en 1565; mais, n'y trouvant pas toutes les commodités qu'il désirait, il n'y fit pas un long séjour. Après avoir traité fort humainement les insulaires, il alla faire la conquête des Philippines, où les Espagnols tournèrent assez long-temps tous leurs soins. Les îles Marianes furent oubliées, jusqu'à ce que le zèle des missionnaires en réveillât l'idée. Le P. de Sanvitores, célèbre jésuite, excita la reine, veuve de Philippe IV et mère de Charles II, à faire répandre les lumières de l'Évangile dans ces régions sauvages. Cette princesse, qui gouvernait alors l'Espagne en qualité de régente, envoya des ordres au gouverneur de Manille. Les Espagnols se rendirent facilement maîtres de l'île de Guahan; ils y introduisirent les missionnaires, et par degrés ils subjuguèrent toutes les autres.

L'île de Guahan étant la principale, ils y bâtirent un bon château, dans lequel ils n'ont pas cessé d'entretenir une garnison d'environ cent hommes. Les jésuites y ont bâti deux colléges pour l'instruction des jeunes Indiens de l'un et de l'autre sexe; et la cour d'Espagne donne chaque année trois mille piastres à ce religieux établissement. Un vaisseau de Manille, envoyé aussi tous les ans, y apporte de l'étoffe et d'autres provisions. Carreri se trompe lorsqu'il ne donne qu'environ dix lieues de tour à l'île de Guahan: elle en a quarante; elle est agréable et fertile. En général, quoique les îles Marianes soient sous la zone torride, le ciel y est fort serein; on y respire un air pur, et la chaleur n'y est jamais excessive; les montagnes, chargées d'arbres presque toujours verts, et coupées par un grand nombre de ruisseaux qui se répandent dans les vallées et dans les plaines, rendent le pays fort agréable.

Avant que les Espagnols eussent paru dans ces îles, les habitans y vivaient dans une parfaite liberté; ils n'avaient pas d'autres lois que celles qu'ils voulaient s'imposer. Séparés de toutes les nations par les vastes mers dont ils sont environnés, ils ignoraient qu'il existât d'autres terres, et se regardaient comme les seuls habitans du monde. Cependant ils manquaient de la plupart des choses que nous croyons nécessaires à la vie; ils n'avaient point d'animaux, à l'exception de quelques oiseaux, et presque d'une seule espèce, assez semblable à nos tourterelles; ils ne les mangeaient pas, mais ils se faisaient un amusement de les apprivoiser et de leur apprendre à parler. Ce qu'il y a de plus étonnant, c'est qu'ils n'avaient jamais vu de feu. Cet élément, sans lequel on ne s'imaginerait pas que les hommes pussent vivre, leur était tellement inconnu, qu'ils n'en purent deviner les propriétés en le voyant pour la première fois dans une descente de Magellan, qui brûla quelques-unes de leurs maisons. Ils prirent d'abord le feu pour un animal qui s'attachait au bois et qui s'en nourrissait. Les premiers qui s'en approchèrent trop s'étant brûlés, leurs cris inspirèrent de la crainte aux autres, qui n'osèrent plus le regarder que de loin. Ils appréhendèrent la morsure d'un si terrible animal, qu'ils crurent capable de les blesser par la seule violence de sa respiration; car c'est l'idée qu'ils se formèrent de la flamme et de la chaleur; mais cette fausse imagination dura peu; ils s'accoutumèrent bientôt à se servir du feu comme nous.

Quoiqu'on ignore dans quel temps les Marianes ont été peuplées, et de quel pays ses habitans tirent leur origine, leurs inclinations, qui ressemblent à celle des Japonais, et les idées de leur noblesse, qui n'est pas moins fière et moins hautaine qu'au Japon, font juger qu'ils peuvent être venus de ces grandes îles, d'autant plus qu'ils n'en sont éloignés que de six à sept journées. Quelques-uns se persuadent néanmoins qu'ils sont sortis des Philippines et des îles voisines, parce que la couleur de leur visage, leur langue, leurs coutumes et la forme de leur gouvernement ont beaucoup de rapport avec ce qu'on a dit des Tagales, anciens habitans des Philippines. Peut-être viennent-ils des uns et des autres, et leurs îles se sont-elles peuplées par quelque naufrage des Japonais et des Tagales, que la tempête aura jetés sur leurs côtes.

Les Marianes sont fort peuplées. On compte plus de trente mille habitans dans la seule île de Guahan. Celle de Saypan en contient moins, et les autres à proportion. Toutes ces îles sont remplies de villages répandus dans les plaines et sur les montagnes, dont quelques-uns sont composés de cent et cent cinquante maisons. Les habitans sont basanés, mais leur teint est d'un brun plus clair que celui des Philippinois. Ils sont plus robustes que les Européens. Leur taille est haute et bien proportionnée. Quoiqu'ils ne se nourrissent que de racines, de fruits et de poisson, ils ont tant d'embonpoint, qu'ils en paraissent enflés: mais il ne les empêche pas d'être souples et agiles. Rien n'est moins rare parmi eux que de vivre cent ans. Leur historien assure que la première année qu'on leur prêcha l'Évangile, on en baptisa plus de cent vingt qui passaient cet âge, et qui ne paraissaient pas au-dessus de leur cinquantième année. La plupart arrivent à une extrême vieillesse sans avoir jamais été malades. Ceux qui le deviennent se guérissent avec des simples dont ils connaissent la vertu.

Les hommes sont entièrement nus; mais les femmes ne le sont pas tout-à-fait. Elles font consister la beauté à se rendre les dents noires et les cheveux blancs. Ainsi la plus importante de leurs occupations est de se noircir les dents avec certaines herbes, et de blanchir leur chevelure avec des eaux préparées pour cet usage. Elles la portent fort longue, au lieu que les hommes se la rasent presque entièrement, et ne conservent au sommet de la tête qu'un petit flocon de cheveux long d'un doigt, à la manière du Japon.

Leur langue a beaucoup de rapport avec celle des Tagales, qu'on parle aux Philippines. Elle est assez agréable; la prononciation en est douce et aisée. Un des agrémens de cette langue est de transposer les mots, et quelquefois même les syllabes du même mot; ce qui donne occasion à des équivoques que ces peuples aiment beaucoup. Quoiqu'ils n'aient aucune connaissance des sciences ni des beaux-arts, ils ne laissent pas d'avoir des histoires remplies de fables, et même quelques poésies dont ils se font honneur. Un poëte est respecté de toute la nation. Mais jamais peuple ne fut rempli d'une vanité plus sotte et d'une plus ridicule présomption. Tous les pays dont on leur parle ne paraissent qu'exciter leur mépris. Ils n'entendent ces récits qu'avec des marques de pitié. Leur nation est distinguée en trois états: la noblesse, le peuple, et ceux qui forment comme l'état moyen. La noblesse est d'une fierté que leur historien traite d'incroyable; elle tient le peuple dans un abaissement qu'il est impossible, dit-il, de s'imaginer en Europe. C'est la dernière et la plus criminelle infamie, pour les nobles, de s'allier aux filles du peuple. Une famille qui le souffre est perdue de réputation. Avant qu'ils eussent embrassé le christianisme, s'il arrivait qu'un noble se dégradât par une alliance si révoltante, tous ses parens s'assemblaient, et de concert ils lavaient cette tache dans le sang du coupable. Enfin ce fol entêtement va si loin, que c'est un crime pour les personnes du peuple d'approcher de la maison des nobles; et s'ils désirent quelque chose les uns des autres, il faut qu'ils se le demandent de loin.

Ces nobles sont distingués par le titre de *chamorris*. Ils ont des fiefs héréditaires dans leurs familles. Ce ne sont pas les enfans qui succèdent aux pères, mais les frères et neveux du mort, dont ils prennent le nom ou celui du chef de la famille. Cet usage est si bien établi, qu'il ne cause jamais aucun trouble. La noblesse la plus estimée est celle d'Adgadna, capitale de l'île de Guahan. Une situation avantageuse et l'excellence des eaux ont attiré dans cette ville plus de cinquante familles nobles, qui jouissent d'une grande considération dans l'île entière. Leurs chefs président aux assemblées. On les respecte, on les écoute; mais la déférence pour leur jugement n'est jamais forcée. Chacun prend le parti qui lui convient, sans y trouver d'opposition, parce que ces peuples n'ont proprement aucun maître, ni d'autres lois que certains usages, dont ils n'observent religieusement un petit nombre que par la force de l'habitude.

Dans une si profonde barbarie, on remarque entre les chamorris quelque apparence de politesse. Lorsqu'ils se rencontrent ou qu'ils passent les uns devant les autres, ils se saluent par quelques termes civils. Ils s'invitent mutuellement à manger. Ils se présentent une herbe qu'ils ont toujours à la bouche, et qui leur tient lieu de tabac. Une de leurs civilités les plus ordinaires, est de passer la main sur l'estomac de ceux qu'ils veulent honorer. C'est une extrême incivilité parmi eux de cracher devant ceux à qui on doit du respect. Leur délicatesse va là-dessus jusqu'à la superstition. Ils crachent rarement, et jamais sans beaucoup de précautions. Ils ne crachent jamais près de la maison d'un autre, ni le matin. Les plus graves en apportent quelques raisons qu'on n'a pas bien pénétrées, et qui n'en valent pas trop la peine.

Leur occupation la plus commune est la pêche: ils s'y exercent dès l'enfance; aussi nagent-ils comme des poissons. Leurs canots sont d'une légèreté surprenante et d'une propreté qui ne déplairait pas en Europe. Carreri en fait une description curieuse. Ils ne sont pas faits d'un seul tronc d'arbre, comme en Afrique et dans d'autres lieux, mais de deux troncs cousus et joints avec de la canne des Indes. Leur longueur est de quinze ou dix-huit pieds; et comme ils pourraient chavirer facilement, parce que leur largeur n'est que de quatre palmes, ils joignent aux côtés des pièces de bois solides qui les tiennent en équilibre. Ce bâtiment ne pouvant guère contenir que trois matelots, ils font un plancher dans le milieu, qui s'avance des deux côtés sur l'eau, et qui est la place des passagers. Des trois matelots, l'un est sans cesse occupé à jeter l'eau qui entre également par-dehors et par les fentes, tandis que les autres sont aux extrémités pour gouverner. La voile, qui ressemble à celles qu'on nomme *latines*, est de nattes, et de la longueur du bâtiment; ce qui les expose à se voir renverser lorsqu'ils n'évitent pas soigneusement d'avoir le vent en poupe. Mais rien n'est égal à leur vitesse; ils font dans une heure dix et douze milles. Pour revenir d'un lieu à un autre, ils ne font que changer la voile sans tourner le bâtiment; alors la proue devient la poupe. S'ils ont besoin d'y faire quelque réparation, ils mettent les marchandises et les passagers sur la voile, et leur manœuvre est si prompte, que les Espagnols, qui en sont témoins tous les jours, ont peine à en croire leurs yeux. C'est dans ces frêles machines qu'ils ont quelquefois traversé une mer de quatre cents lieues jusqu'aux Philippines.

Leurs édifices ne sont pas sans agrémens. Ils sont bâtis de cocotiers et de maria, espèce de bois qui est particulier à ces îles. Chaque maison est composée de quatre appartemens, séparés par des cloisons de feuilles de palmiers, qui sont entrelacées en forme de natte. Le toit est de la même matière. Ces appartemens sont propres, et destinés chacun à leur usage. On couche dans le premier; on mange dans le second; le troisième sert à garder les fruits et les autres provisions, et le quatrième au travail.

On ne connaît aucun peuple qui vive dans une plus grande indépendance. Chacun se trouve maître de soi-même et de ses actions aussitôt qu'il est capable de se connaître. Le respect même et la soumission pour les parens, qui semble la première inspiration de la nature, est un sentiment qu'ils ignorent. Ils n'ont de rapport avec leurs pères et leurs mères qu'autant qu'ils ont besoin de leurs secours. Chacun se fait justice dans les démêlés qui naissent entre eux. S'il survient quelque différent entre les villages et les peuples, ils le terminent par la guerre. Ils ont une facilité extrême à s'irriter. Ils se hâtent de courir aux armes; mais ils les quittent aussi promptement qu'ils les prennent, et jamais leurs guerres ne sont de longue durée. Lorsqu'ils se mettent en campagne, ils poussent de grands cris, moins pour effrayer leurs ennemis que pour s'animer eux-mêmes; car la nature ne les a pas faits braves. Ils marchent sans chef, sans discipline et sans ordre: ils partent sans provisions. Ils passent deux et trois jours sans manger, uniquement attentifs aux mouvemens de l'ennemi, qu'ils tâchent de faire tomber dans quelque piége. C'est un art dans lequel peu de nations les égalent. La guerre parmi eux ne consiste qu'à se surprendre: ils n'en viennent aux mains qu'avec peine. La mort de deux ou trois hommes décide ordinairement de la victoire. Ils paraissent saisis de peur à la vue du sang; et, prenant la fuite, ils se dissipent aussitôt. Les vaincus envoient des présens au parti victorieux, qui les reçoit avec une joie insolente, telle qu'est toujours celle des caractères timides qui voient leurs ennemis à leurs pieds. Il insulte aux vaincus, il compose des vers satiriques qui se chantent ou qui se récitent dans les fêtes.

Une singularité qui distingue encore cette nation est de n'avoir point d'arcs, de flèches ni d'épées. Les armes des Marianais sont des bâtons garnis du plus gros os d'une jambe, d'une cuisse ou d'un bras d'homme. Ces os, qu'ils travaillent assez proprement, ont la pointe fort aiguë, et sont si venimeux par leur propre nature, que la moindre esquille qui reste dans une blessure cause infailliblement la mort, avec des convulsions, des tremblemens et des douleurs incroyables, sans qu'on ait pu trouver jusqu'à présent de remède à la force d'un poison si puissant. Chaque insulaire a quantité de ces redoutables traits. Les pierres sont une autre partie de leurs munitions. Ils les lancent avec tant d'adresse et de raideur, qu'elles entrent quelquefois dans le tronc des arbres. On ne leur connaît point d'armes défensives. Ils ne parent les coups qu'on leur porte que par la souplesse et l'agilité de leurs mouvemens. Mais s'ils sont mauvais guerriers, ils entendent si bien la dissimulation, que les étrangers y ont été toujours trompés avant d'avoir appris à les connaître.

La vengeance est une de leurs plus ardentes passions. S'ils reçoivent une injure, leur ressentiment n'éclate jamais par des paroles: toute leur aigreur et leur amertume se renferment dans leur cœur. Ils sont si maîtres d'eux-mêmes, qu'ils laissent passer tranquillement des années entières pour attendre l'occasion de se satisfaire: alors ils se dédommagent d'une si longue violence, en se livrant à tout ce que la haine et la trahison leur inspirent de plus noir et de plus affreux.

Leur inconstance et leur légèreté sont sans exemple. Comme ils vivent sans contrainte et dans l'habitude continuelle de suivre tous leurs caprices, ils passent aisément d'une inclination à l'autre; ce qu'ils désirent avec le plus d'ardeur, ils cessent de le vouloir le moment d'après. Les missionnaires regardent cette mobilité d'humeur comme le plus grand obstacle qu'ils aient trouvé à la conversion de ces barbares. Elle est accompagnée d'un goût fort vif pour le plaisir. Ils ont naturellement de la gaieté; ils l'exercent agréablement par des railleries mutuelles et par des bouffonneries qui ne laissent point languir la joie. S'ils sont sobres, c'est moins par inclination que par nécessité. Ils s'assemblent souvent, ils se traitent en poissons, en fruits, en racines, avec une liqueur qu'ils composent de riz et de cocos râpés; ils se plaisent, dans ces fêtes, à danser, à courir, à lutter, à raconter les aventures de leurs ancêtres, et souvent à réciter des vers de leurs poëtes, qui ne contiennent que des extravagances et des fables. Les femmes ont aussi leurs amusemens. Elles y viennent fort parées, autant du moins qu'elles peuvent l'être avec des coquillages, de petits grains de jais et des morceaux d'écaille de tortue, qu'elles laissent pendre sur leur front; elles y entrelacent des fleurs pour relever ces bizarres ornemens. Leurs ceintures sont des chaînes de petites coquilles, qu'elles estiment plus que nous ne faisons en Europe les perles ou les pierres précieuses. Elles y attachent de petits cocos assez proprement travaillés: elles ajoutent à toutes ces parures des tissus de racines d'arbres; ce qui ne sert qu'à les défigurer: car ces tissus ressemblent plus à des cages qu'à des habits.

Dans leurs assemblées, elles se mettent douze ou treize en rond, debout et sans se remuer. C'est dans cette attitude qu'elles chantent les vers fabuleux de leurs poëtes, avec un agrément et une justesse qui plairaient en Europe. L'accord de leurs voix est admirable, et ne cède rien à la musique la mieux concertée. Elles ont dans les mains des petites coquilles qu'elles font jouer comme nos castagnettes. Mais les Européens sont surpris de la manière dont elles soutiennent leur voix et dont elles animent leur chant, avec une action si vive et tant d'expression dans les gestes, qu'au jugement même des missionnaires, elles charment ceux qui les voient et qui les entendent.

Les hommes prennent le nombre de femmes qu'ils jugent à propos, et n'ont pas d'autre frein que celui de la parenté: cependant l'usage commun est de n'en avoir qu'une. Elles sont parvenues, dans les îles Marianes, à jouir des droits qui sont ailleurs le partage des maris. La femme commande absolument dans chaque maison; elle est la maîtresse. Elle est en possession de toute l'autorité; et le mari n'y peut disposer de rien sans son consentement. S'il n'a pas toute la déférence que sa femme se croit en droit d'exiger, si sa conduite n'est pas réglée, ou s'il est de mauvaise humeur, sa femme le maltraite ou le quitte, et rentre dans tous les droits de la liberté. Ainsi le mariage des Marianais n'est pas indissoluble; mais de quelque côté que vienne la séparation, la femme ne perd pas ses biens: ses enfans la suivent, et considèrent le nouvel époux qu'elle choisît comme s'il était leur père. Un mari a quelquefois le chagrin de se voir en un moment sans femme et sans enfans par la mauvaise humeur et la bizarrerie d'une femme capricieuse.

Mais ce n'est pas le seul désagrément des maris. Si la conduite d'une femme donne quelque sujet de plainte à son mari, il peut s'en venger sur l'amant, mais il n'a pas droit de la maltraiter; et son unique ressource est le divorce. Il n'en est pas de même de l'infidélité des maris. Une femme convaincue qu'elle est trahie par le sien en informe toutes les femmes de l'habitation, qui conviennent aussitôt d'un rendez-vous. Elles s'y rendent la lance à la main, et le bonnet de leur mari sur la tête. Dans cet équipage guerrier, elles s'avancent en corps de bataille vers la maison du coupable. Elles commencent par désoler ses terres, arracher ses grains et les fouler aux pieds, dépouiller ses arbres et ravager tous ses biens. Ensuite fondant sur la maison, qu'elles ne traitent pas avec plus de ménagement, elles l'attaquent lui-même, et ne lui laissent de repos qu'après l'avoir chassé. D'autres se contentent d'abandonner le mari dont elles se plaignent, et de faire savoir à leurs parens qu'elles ne peuvent plus vivre avec lui. Toute la famille, brûlant d'envahir le bien d'autrui, s'assemble pour en saisir l'occasion. Le mari se croit trop heureux lorsque, après avoir vu piller ou saccager tout ce qu'il possède, il ne voit pas aller la fureur jusqu'à renverser sa maison. Cet empire des femmes éloigne du mariage quantité de jeunes gens. Les uns louent des filles, et d'autres les achètent de leurs parens pour quelques morceaux de fer ou d'écaille de tortue. Ils les mettent dans des lieux séparés, où ils se livrent avec elles à tous les excès du libertinage. Mais ils ne connaissent guère d'autres crimes. L'homicide, et même le vol, sont en horreur dans toute la nation, du moins entre eux. Leurs maisons ne sont point fermées, et l'on n'apprend jamais que personne ait volé son voisin.

Avant l'arrivée des missionnaires, ils ne reconnaissaient aucune apparence de Divinité; et n'ayant pas la moindre idée de religion, ils étaient sans temples, sans culte et sans prêtres. On n'a trouvé parmi eux qu'un petit nombre d'imposteurs distingués par le nom de *mancanas*, qui s'attribuaient le pouvoir de commander aux élémens, de rendre la santé aux malades, de changer les saisons, et de procurer une récolte abondante ou d'heureuses pêches; mais ils ne laissaient pas d'attribuer à l'âme une sorte d'immortalité, et de supposer dans une autre vie des récompenses ou des peines. Ils nommaient l'enfer *zazarraguan*, ou *maison de Chassi*, c'est-à-dire d'un démon auquel ils donnaient le pouvoir de tourmenter ceux qui tombaient entre ses mains. Leur paradis était un lieu de délices, mais dont ils faisaient consister toute la beauté dans celle des cocotiers, des cannes à sucre, et des autres fruits qu'ils y croyaient d'un goût merveilleux; et ce n'était pas la vertu ou le crime qui les conduisait dans l'un ou l'autre de ces lieux: tout dépendait de la manière dont on sortait de ce monde. Ceux qui mouraient d'une mort violente avaient le zazarraguan pour partage; et ceux qui mouraient naturellement allaient jouir des arbres et des fruits délicieux du paradis.

Peu de nations sont plus éloquentes dans la douleur. Rien n'est aussi lugubre que leurs enterremens; ils y versent des torrens de larmes. Leurs cris ne peuvent être représentés. Ils s'interdisent toute sorte de nourriture; ils s'épuisent par leur abstinence et par leurs larmes. Leur deuil dure sept ou huit jours, et quelquefois plus long-temps. Ils le proportionnent à la tendresse qu'ils avaient pour le mort. Tout ce temps est donné aux pleurs et aux chants lugubres. L'usage commun est de faire quelques repas autour du tombeau, car on en élève toujours un dans le lieu de la sépulture. On le charge de fleurs, de branches de palmier, de coquillages et de ce qu'on a de plus précieux. La douleur des mères s'exprime encore par des marques plus touchantes. Après s'y être abandonnées long-temps, tous leurs soins se tournent à l'entretien de leur tristesse. Elles coupent les cheveux des enfans qu'elles pleurent, pour les conserver précieusement. Elles portent au cou, pendant plusieurs années, une corde à laquelle elles font autant de nœuds qu'il s'est passé de nuits depuis leur perte. Si le mort est du nombre des chamorris, ou si c'est une femme de qualité, on ne connaît plus de bornes, le deuil est une véritable fureur. On arrache les arbres; on brûle les édifices; on brise les bateaux; on déchire les voiles, qu'on attache par lambeaux au-devant des maisons; on jonche les chemins de branches de palmiers, et l'on élève des machines lugubres en l'honneur du mort. S'il s'est illustré par la pêche ou par les armes, on couronne son tombeau de rames et de lances. S'il est également renommé dans ces deux professions, on entrelace les rames et les lances, pour en faire une espèce de trophée.

Le P. Gobien, représentant la douleur des Marianais, la nomme non-seulement vive et touchante, mais fort spirituelle. Il traduit quelques-unes de leurs expressions: «Il n'y a plus de vie pour moi, dit l'un; ce qui m'en reste ne sera qu'ennui et qu'amertume. Le soleil qui m'animait s'est éclipsé; la lune qui m'éclairait s'est obscurcie; l'étoile qui me conduisait a disparu.» On reconnaît le goût des Orientaux dans cette profusion de figures toujours tirées des mêmes objets. La poésie de sentiment a une autre expression.

D'autres voyageurs, s'attachant moins aux mœurs et aux usages, sont entrés dans quelques détails sur les productions naturelles de ces îles. Quoique les arbres n'y soient pas si grands, ni de la même épaisseur que ceux des Philippines, le terroir produit tout ce qui est nécessaire aux habitans. Elles n'avaient autrefois, dit Carreri, que les fruits du pays et quelques poules; mais les Espagnols y ont introduit le riz et les légumes. Ils y ont porté des chevaux, des vaches et des porcs, qui ont assez heureusement multiplié dans les montagnes. On n'y voyait pas même de souris avant que les vaisseaux d'Europe en eussent apporté. Il ne s'y trouve d'ailleurs aucun animal venimeux.

Le fond du terroir est rougeâtre et d'une aridité qui ne l'empêche pas d'être assez fertile. Les ananas, les melons d'eau, les melons musqués, les oranges, les citrons et les cocos y croissent abondamment. Mais le plus merveilleux fruit de ces îles, et qui leur est particulier, est le rima. Dampier l'appelle le fruit à pain, parce qu'il tient lieu de pain aux insulaires, et qu'il est en effet très-nourrissant. La plante est épaisse et bien garnie de branches et de feuilles noirâtres. Le fruit, qui croît aux branches comme les pommes, est de figure ronde et de la grosseur de la tête humaine; il est revêtu d'une forte écorce hérissée de pointes; sa couleur est celle d'une datte. On le mange bouilli ou cuit au four; dans cet état, il se garde quatre et six mois. Mais, frais, il ne peut être gardé plus de vingt-quatre heures sans devenir sec et de mauvais goût. Comme il n'a ni pepins, ni noyaux, tout est substance et ressemble à la mie tendre et blanche de notre meilleur pain. Carreri en compare le goût à celui de la figue d'Inde ou banane. Dampier se contente d'assurer, qu'il est fort agréable avant d'être rassis, et qu'il ne l'a vu qu'aux îles Marianes. C'est une faveur de la nature; mais on la trouve ailleurs.

FIN DU QUATRIÈME VOLUME.

<u>1</u>: Le voyageur Pyrard, dont on suit ici la relation.

<u>2</u>: On sait que les jésuites, depuis leur expulsion de l'Espagne et du Portugal, n'ont plus aucune administration dans les Indes, mais on se conforme ici au temps où écrivait l'auteur.

<u>3</u>: Ce mot ressemble beaucoup au mot grec αγιος, qui signifie *saint*.

<u>4</u>: Ces petites coquilles portent, dans le commerce, le nom de *cauris*, et sont en usage en Afrique et ailleurs.

<u>5</u>: C'était l'habillement des Français du temps où ce voyageur écrivait.

<u>6</u>: C'est le jaquier, ou arbre à pain.

<u>7</u>: Il écrivait en 1621.

<u>8</u>: Plante chinoise très-menue, mais très-dure, dont on se sert comme d'un bâton.

<u>9</u>: Espèce de parasol.

<u>10</u>: Le bambou.

<u>11</u>: Article du Japon.

<u>12</u>: Histoire philosophique et politique du commerce des Européens dans les Deux-Indes.

<u>13</u>: *Ketmia brasiliensis.*

<u>14</u>: *Agallochum præstantissimum.*

<u>15</u>: Le cavan pèse cinquante livres d'Espagne.

<u>16</u>: Cet arbre ressemble beaucoup, par ses qualités vénéneuses, au mancelinier des Antilles.